HISTOIRES
EXTRAORDINAIRES

EDGAR ALLAN POE

HISTOIRES EXTRAORDINAIRES

*Traduction
par*
Charles BAUDELAIRE
*Chronologie et introduction
par*
Roger ASSELINEAU
*Bibliographie mise à jour en 2008
par*
Lionel MENASCHÉ

GF Flammarion

© Éditions Flammarion, Paris, 1965
Édition mise à jour en 2010
ISBN : 978-2-0812-3805-3

INTRODUCTION

De qui sont les *Histoires extraordinaires*, les *Nouvelles histoires extraordinaires* et les *Histoires grotesques et sérieuses* réunies dans ce volume et dans deux volumes frères ? De Poe ou de Baudelaire ? On finit par ne plus savoir et Baudelaire lui-même s'y perdait, qui voyait en Poe un double de lui-même. « Savez-vous pourquoi j'ai si patiemment traduit Poe ? écrivait-il à un ami. Parce qu'il me ressemblait. La première fois que j'ai ouvert un livre de lui, j'ai vu avec épouvante et ravissement non seulement des sujets rêvés par moi, mais des phrases pensées par moi et imitées par lui, vingt ans auparavant. » Ces récits sont d'ailleurs si peu marqués par leur pays d'origine qu'on oublie facilement qu'ils sont l'œuvre d'un écrivain américain et Baudelaire, en les traduisant – en se traduisant lui-même –, leur a conféré une beauté et une pureté qu'ils n'ont pas dans le texte original. Aussi font-ils maintenant partie de notre patrimoine et jouissent-ils en France d'une renommée et d'un prestige que les critiques de langue anglaise ont souvent quelque peine à comprendre. Ils n'ont d'yeux que pour les artifices de Poe et, ne voyant point son art, ils demeurent insensibles aux cris de souffrance, poignants pourtant, que lui arrache sa condition d'homme voué à la solitude et perdu dans un monde infini et hostile.

On a beaucoup attaqué Poe, d'ailleurs. James Russell Lowell le considérait comme fait « de trois cinquièmes de

génie et de deux cinquièmes de fumisterie ». Henry James
refusait de le prendre au sérieux. « Le prendre au sérieux,
c'est manquer de sérieux soi-même », disait-il. Pour
Hemingway, ses contes sont « habiles, merveilleusement
construits, mais morts ». Selon Mencken, il écrivait « abo-
minablement », dans une langue digne du Dr Johnson et qui
aurait déshonoré le président Harding (dont les discours
avaient une solide réputation de platitude). Mais si les
romanciers l'ont presque toujours condamné, les poètes,
au contraire, ont reconnu sa grandeur. Tennyson l'admi-
rait fraternellement, Yeats le proclamait « grand poète
lyrique ». Et en France Mallarmé lui a pieusement élevé
le monument d'un sonnet, tandis que Valéry le reconnaissait pour un de ses maîtres.

Qui croire ? La diversité des jugements qu'on a portés
sur lui s'explique en fait par la complexité de sa personnalité. De la simple lecture du tableau chronologique placé
à la fin de ce volume, il ressort que Poe était tout entier
fait de contrastes. Lui qui aurait voulu être un aristocrate
du Sud, il n'était qu'un pauvre orphelin né à Boston (et
non à Baltimore comme le croyait Baudelaire) de parents
acteurs, et recueilli non point par de riches planteurs
mais par un vulgaire marchand. Adolescent doué, il ne
put poursuivre ses études à l'université. Épris d'indépendance, il fut, faute de ressources, obligé de s'engager dans
l'armée. Il aimait le luxe et le faste, mais malgré un labeur
acharné il passa presque toute sa vie dans la gêne et
connut même la misère la plus sordide. Assoiffé de tendresse et d'amour, il perdit successivement les femmes
qu'il aimait : sa mère, puis Virginia, et se vit plus tard
éconduit par toutes celles auprès de qui il chercha
refuge : Mrs. Shew, Mrs. Whitman, Mrs. Richmond. Il
rêvait de gloire littéraire et ne parvint jamais ni à fonder
une revue dont il eût été le maître incontesté, ni même
à publier un recueil complet de ses contes. Il fut ainsi
constamment écartelé entre l'Idéal (la majuscule est de

lui) et le réel. Se heurtant de toutes parts aux refus d'une réalité impitoyable, il préféra vivre en rêve – dans son œuvre – tout en gardant jusqu'au bout sa lucidité, comme le héros d'« Une descente dans le Maelstrom ». Ses contes reflètent ce double aspect de sa personnalité : l'abandon, et la maîtrise de soi, la passivité du rêveur et la claire perception de toutes les implications du réel. Il en était parfaitement conscient lui-même. Ne dit-il pas de Dupin, le héros de « Double assassinat dans la rue Morgue » : « Je m'amusais à l'idée d'un Dupin créateur et d'un Dupin analyste » ? Il convient donc d'examiner tour à tour Poe créateur inspiré, et Poe analyste lucide et raisonnable.

Les *Histoires extraordinaires* sont dominées par le plus instinctif des sentiments : la peur, qui y est presque partout présente. L'intention de Poe est de nous faire à tout moment éprouver les mêmes sentiments que le narrateur de « La Chute de la maison Usher » : « Je sentais se glisser en moi, par une gradation lente, mais sûre, l'étrange influence de ses superstitions fantastiques et contagieuses… Une insurmontable terreur pénétra graduellement tout mon être, et à la longue une angoisse sans motif, un vrai cauchemar vint s'asseoir sur mon cœur. » L'univers des contes de Poe est effectivement un monde de cauchemar. On s'y meut parmi des paysages désertiques et ravagés où stagnent des eaux mortes et silencieuses et où se dressent de loin en loin de sombres demeures féodales, lugubres témoins de tout un passé horrible et mystérieux. À l'intérieur de ces châteaux sinistres, tout est inquiétant car tout est sombre, depuis les meubles jusqu'aux fenêtres elles-mêmes, qui sont le plus souvent d'une couleur si sombre (le mot « sombre » revient sans cesse dans ces descriptions) que les rayons du soleil ou de la lune qui les traversent projettent sur les objets une lumière blafarde. C'est d'ailleurs en pleine nuit

le plus souvent ou au milieu de tempêtes effrayantes coupées d'éclairs que se déroule l'action. Quant aux personnages, ce sont tous des solitaires, des déséquilibrés à
l'hérédité chargée, qui parfois s'adonnent à l'alcool ou à
l'opium. Ils se sentent traqués, menacés, sur le point de
perdre la raison ou la vie, et bientôt effectivement ils
meurent ou tuent dans des circonstances horribles.

Devant une telle accumulation de détails atroces, le
lecteur est amené à se demander si Poe était sincère en
composant ces contes. Les écrivait-il pour flatter basse-
ment les goûts de son public et parce que telle était alors
la mode, ou exprimait-il ainsi la peur qu'il éprouvait lui-
même au plus profond de son être ? Doit-on voir en lui
un faiseur ou un génie tourmenté ? On peut hésiter. Il
existait en effet avant lui toute une tradition du conte
noir et une abondante floraison de contes fantastiques
de Mrs. Ratcliffe à Charles Brockden Brown en passant
par Hoffmann dont il connaissait les œuvres. Aussi certains n'ont-ils vu en lui qu'un mystificateur. Et certes, en
plus d'un endroit, Poe affecte de se moquer et parle avec
détachement des horreurs qu'il relate. Dans « L'Inhumation prématurée », par exemple – que Baudelaire pour
cela même sans doute s'est abstenu de traduire –, il tient
sur les contes fantastiques des propos d'un scepticisme
surprenant.

Cependant, malgré ses demi-railleries occasionnelles,
la peur l'emporte et l'on est bien obligé de conclure que
ces « histoires extraordinaires » étaient plus pour lui que
de simples exercices littéraires. Elles l'engageaient tout
entier. Il n'y a là aucune tentative de mystification. Sa
vie tragique et déchirée n'en apporte-t-elle pas la preuve ?
Même s'il s'est parfois comporté en acteur, il faut
admettre qu'il s'est très vite pris à son propre jeu et tué
au dernier acte avec un vrai poignard. N'a-t-il pas
déclaré lui-même en 1840 dans la préface de ses *Contes
grotesques et fantastiques* : « Si beaucoup de mes œuvres

ont la terreur pour sujet, j'affirme que cette terreur ne provient pas de l'Allemagne, mais de mon âme » ?

Cette terreur qui hantait son âme, comme toute peur d'ailleurs, les psychologues le savent bien, était en dernière analyse une terreur panique de la mort et de l'anéantissement. On le voit en particulier dans ses descriptions d'agonies, dans « Ligeia » notamment, et dans les contes où il évoque l'horreur indicible qui accable l'âme du héros au moment où il va être englouti dans un abîme sans fond (« Manuscrit trouvé dans une bouteille »). Cette horreur l'obsède et le fascine. Aussi s'attarde-t-il avec complaisance sur des cas d'inhumation prématurée et accumule-t-il avec un plaisir pervers les détails macabres et répugnants, notamment les cadavres dans un état de décomposition avancée. D'autre part, cette claustrophobie et cette nécrophilie latentes se compliquent de sadisme. Les meurtriers à demi fous de Poe s'ingénient à faire souffrir leurs victimes et les tuent avec une sauvagerie démoniaque. Puis, leur forfait commis, cédant à ce que Poe appelle « cet amour du cœur pour sa propre torture », autrement dit leur masochisme instinctif, ils s'accusent publiquement pour subir leur châtiment et souffrir à leur tour. Metzengerstein, Roderick Usher et tous les assassins qui peuplent ses contes fantastiques sont ainsi irrésistiblement entraînés par un désir passionné de destruction et d'anéantissement.

Tout se passe comme si Poe laissait constamment remonter du plus profond de lui-même des pensées horribles et des sentiments inavouables. Ses contes lui étaient, semble-t-il, dans une large mesure imposés et dictés par les obsessions qui le tourmentaient. Ce ne sont point des fictions gratuites, mais des confessions voilées – presque toujours écrites à la première personne, d'ailleurs. « Poe est l'écrivain des nerfs », reconnaissait Baudelaire – s'il écrivait de nos jours, c'est le mot « névroses » qu'il aurait ici employé. Il n'est donc pas étonnant que les psychanalystes se soient intéressés au cas de Poe. Marie Bonaparte, entre autres spécialistes, a minutieusement analysé la plupart de ses contes et montré de façon fort convaincante que chacun d'eux est un palimpseste où il faut tâcher de lire, sous le texte apparent, le texte presque complètement effacé, la confession secrète.

Cependant, même dans ses contes fantastiques, Poe ne délire point. L'analyste et le logicien à tout moment interviennent et remettent de l'ordre dans l'œuvre du créateur inspiré. Les données de son imagination morbide sont toujours soumises à une méthode sévère et présentées sous la forme d'un enchaînement logique et clair d'événements liés entre eux par des rapports de cause à effet. Pour Poe, inspiration et raison sont conciliables et il sait effectivement tenir la balance égale entre elles dans ses contes fantastiques. Cependant, si grand était l'attrait qu'exerçait sur lui la raison qu'il a composé avec elle seule pour guide toute une série de contes qu'à cause de cela il a appelés *Contes de ratiocination*. Ce sont : « Double assassinat dans la rue Morgue », « La Lettre volée », « Le Scarabée d'or », « Le Mystère de Marie Roget », « Le Joueur d'échecs de Maelzel ». La raison y triomphe au point qu'il va jusqu'à nier dans un passage du « Mystère de Marie Roget » l'existence du surnaturel, et le début de « Double assassinat dans la rue Morgue » est une manière de profession de foi rationaliste. Poe y vante le plaisir que procure « cette activité spirituelle dont la fonction est de débrouiller », même lorsque les occasions de mettre ces talents en jeu sont aussi « triviales » que « des énigmes, des rébus, des hiéroglyphes ». Il voulait dire par là des cryptogrammes – et il en était en effet passionné. Alors qu'il était rédacteur en chef de *Graham's Magazine*, il défia ses lecteurs de lui envoyer un cryptogramme dont il ne saurait pas déchiffrer le sens. Il en reçut deux, qu'il réussit effectivement à décoder. Il était très fier de son habileté et en fit parade dans « Le Scarabée d'or ».

Bien entendu, il ne s'attaqua pas seulement à des problèmes aussi abstraits. Les énigmes policières ne lui semblaient pas indignes de son attention et il entreprit d'en résoudre une qui avait déjoué les efforts de la police de New York. Il s'agissait du meurtre d'une jeune fille nommée Mary Cecilia Rogers dont le corps avait été retrouvé dans l'Hudson. Poe transposa le meurtre à Paris, confia l'enquête à Dupin, son héros imaginaire, et démontra que le coupable ne pouvait être qu'un amant de la jeune femme, et très probablement un marin. Il prétendit plus tard que ses conclusions s'étaient vérifiées. Le responsable de cette mort, un officier de marine, avait avoué, assurait-il, que Mary Rogers était décédée des suites d'une tentative d'avortement.

La foi de Poe en ses propres facultés d'analyse était telle qu'aucun problème ne lui paraissait insoluble, pas même l'énigme de la création dont il prétendit – et crut – avoir trouvé la solution dans *Eurêka*. Mais il s'agit en fait dans ce « poème en prose », ainsi qu'il l'appelait, moins de vérités patiemment démontrées et soigneusement établies que d'intuitions fulgurantes. Comme l'a fait remarquer Raymond Queneau, la solution d'un problème difficile n'est « évidente » qu'après coup ; il faut du génie pour la trouver. Si Dupin n'en avait pas eu, ses impeccables déductions seraient tombées à faux.

Cela n'empêche point que Poe savait avec la plus grande habileté décomposer un mécanisme intellectuel, résoudre un problème et, selon un processus inverse, édifier pièce par pièce la mystification la plus plausible et la plus convaincante. C'est ce qu'il fit lorsqu'il publia en 1844 dans le *New York Sun* le récit intitulé « Le Canard au ballon », qui raconte la traversée de l'Atlantique en trois jours par un ballon dirigeable. Les faits rapportés étaient si rationnellement présentés que tout le monde s'arracha à prix d'or le journal qui contenait cette extraordinaire nouvelle. Par ce tour de force, en appliquant avec rigueur à des données scientifiques la méthode de De Foe dans *Robinson Crusoé*, Poe avait en somme créé le roman d'anticipation tel qu'il a plus tard été pratiqué par Jules Verne et H.G. Wells et même tel qu'il est récemment devenu sous le nom franglais de « science-fiction ».

« Double assassinat dans la rue Morgue » a été construit selon la même méthode puisqu'il a d'abord fallu que Poe combinât soigneusement les diverses péripéties du meurtre avec le même minutieux souci de la logique et de la vraisemblance que s'il avait dû en publier le récit dans la presse et le faire passer pour vrai auprès du public. Après quoi il ne lui est plus resté qu'à présenter les événements dans l'ordre inverse en partant des cadavres encore chauds et en remontant jusqu'à l'assassin. C'est là un jeu purement intellectuel. Ce qui compte est la découverte du coupable et non point l'analyse de ses mobiles. Cela est si vrai que dans « Double assassinat dans la rue Morgue » l'assassin n'est même pas un homme, mais un orang-outang.

Ainsi, au terme de son application de la logique à la littérature d'imagination, Poe a découvert le roman policier. Certes, Voltaire avait imaginé Zadig, mais Dupin et son compagnon sont les ancêtres immédiats de Sherlock Holmes et du Dr Watson et, par leur intermédiaire, de la postérité innombrable que l'on sait.

Le roman policier permet à chacun, de nos jours, lorsque les contraintes sociales se font trop lourdes, de tuer impunément et même avec bonne conscience. C'était déjà sans doute le genre de satisfaction que Poe y recherchait. Comme l'a fait remarquer Joseph Wood Krutch : « Poe a inventé le roman policier pour ne pas devenir fou. »

Mais il avait à sa disposition un autre dérivatif : le conte grotesque. Il lui arrivait pour échapper à sa folie latente d'actionner la soupape de sûreté de l'humour. C'est là un aspect assez inattendu du génie de Poe que l'on a souvent négligé, à commencer par Baudelaire qui, alors qu'il avait traduit toutes les histoires sérieuses, n'a fait connaître au public français que quelques-uns des contes « grotesques ». C'est seulement en 1950 que Léon Lemonnier a traduit les autres[1].

Ces contes grotesques de Poe sont essentiellement des parodies, tantôt de lui-même, tantôt des autres, ou, si l'on veut, de lui-même en même temps que des autres puisqu'il y raille souvent le conte fantastique alors à la mode, et qu'en raison d'affinités électives il pratiquait lui-même. Comment le raisonneur lucide qui était en lui ne se serait-il pas moqué des fantômes évoqués par le névrosé ? Il les exorcisait du même coup, pour un temps du moins. C'est du jeu de ces dissonances que naît l'humour très particulier – et très grinçant – de Poe. Grâce à l'humour, en tout cas, il parvenait à superposer et dans une certaine mesure à réconcilier ses deux visions opposées du monde : l'une, grouillante de monstres, l'autre harmonieusement logique. C'est ce qu'a très bien vu André Breton qui ménagea une place à Poe dans son *Anthologie de l'humour noir* aux côtés de Jonathan Swift et d'Alfred Jarry. Voici en quels termes d'ailleurs il justifie son choix : « Une telle contradiction [*entre les deux aspects opposés du génie de Poe*] suffirait, à elle seule, à être génératrice d'humour, soit que celui-ci éclate nerveusement du conflit entre les facultés logiques exceptionnelles, la haute tenue intellectuelle et les brouillards de l'ivresse ("L'Ange du bizarre"), soit que, sous sa forme la plus ténébreuse, il rôde autour des inconséquences humaines que révèlent certains états morbides ("Le

---

1. Dans la collection des classiques Garnier.

Démon de la perversité"). » Écartelé entre ses névroses et sa lucidité, bafoué par la vie, Poe refusait en effet d'accepter sa défaite et prenait parfois le parti de rire de ses misères plutôt que d'en pleurer. Son humour est l'expression de ce désespoir courageusement camouflé, de ce défi du vaincu à un destin qui l'accable. Il est, en un sens, comme le dit très justement Breton, « une révolte supérieure de l'esprit ».

Les contes de Poe sont donc d'une étonnante variété en même temps que d'une singulière unité. Aussi peut-on les lire et les relire sans se lasser ni se mépriser. Ils sont l'œuvre d'un poète qui s'y est mis tout entier, bien qu'il n'y paraisse point au premier abord, mais on le comprend très vite et dès lors on le sent à tout moment. Chacun de nous se rend compte bientôt qu'il est cet hypocrite lecteur, le frère et le semblable de l'auteur que Baudelaire apostrophe au seuil des *Fleurs du mal*. Les masques, tragique, comique et autres, que Poe a cru bon de se mettre sur le visage agacent parfois. On a envie de les lui arracher, mais c'est impossible : ils lui collent à la peau. Certains effets à la réflexion peuvent paraître naïfs et trop gros et nous avons connu à notre époque des raisons bien plus réelles d'avoir peur que celles qui font hurler ses fous ; pourtant, nous ne pouvons nous empêcher de frissonner en parcourant cet univers de cauchemar. Le charme opère toujours. Comme Mme du Deffand, nous ne croyons plus aux fantômes, mais nous en avons toujours peur. Les terreurs ancestrales de la nuit, de la mort, du silence et du néant ont conservé toute leur efficacité. L'œuvre de Poe ne vieillit pas.

Roger ASSELINEAU

HISTOIRES
EXTRAORDINAIRES

Parce que je sens que, là-haut dans les Cieux,
    Les Anges, quand ils se parlent doucement à l'oreille,
Ne trouvent pas, parmi leurs termes brûlants d'amour,
    D'expression plus fervente que celle de *mère*,
Je vous ai dès longtemps justement appelée de ce grand nom,
    Vous qui êtes plus qu'une mère pour moi
Et remplissez le sanctuaire de mon cœur où la Mort vous a
    En affranchissant l'âme de ma Virginia.   [installée
Ma mère, ma propre mère, qui mourut de bonne heure,
    N'était que *ma* mère, à moi ; mais vous,
Vous êtes la mère de celle que j'aimais si tendrement,
    Et ainsi vous m'êtes plus chère que la mère que j'ai
De tout un infini, – juste comme ma femme   [connue
    Était plus chère à mon âme que celle-ci à sa propre
                                   [essence.

                                        C. B.

EDGAR POE,
SA VIE ET SES ŒUVRES
par Charles BAUDELAIRE

> … Quelque maître malheureux à qui
> l'inexorable Fatalité a donné une chasse
> acharnée, toujours plus acharnée, jusqu'à
> ce que ses chants n'aient plus qu'un
> unique refrain, jusqu'à ce que les chants
> funèbres de son Espérance aient adopté ce
> mélancolique refrain : « Jamais ! Jamais
> plus ! »
>
> EDGAR POE. – *Le Corbeau.*

> Sur son trône d'airain le Destin, qui s'en raille,
> Imbibe leur éponge avec du fiel amer,
> Et la nécessité les tord dans sa tenaille.
>
> THÉOPHILE GAUTIER. – *Ténèbres.*

I

Dans ces derniers temps, un malheureux fut amené
devant nos tribunaux, dont le front était illustré d'un rare
et singulier tatouage : *Pas de chance !* Il portait ainsi au-
dessus de ses yeux l'étiquette de sa vie, comme un livre
son titre, et l'interrogatoire prouve que ce bizarre écriteau
était cruellement véridique. Il y a, dans l'histoire littéraire, des destinées analogues, de vraies damnations,
– des hommes qui portent le mot *guignon* écrit en caractères mystérieux dans les plis sinueux de leur front.
L'Ange aveugle de l'expiation s'est emparé d'eux et les

fouette à tour de bras pour l'édification des autres. En vain leur vie montre-t-elle des talents, des vertus, de la grâce ; la société a pour eux un anathème spécial, et accuse en eux les infirmités que sa persécution leur a données. – Que ne fit pas Hoffmann pour désarmer la destinée, et que n'entreprit pas Balzac pour conjurer la fortune ? – Existe-t-il donc une Providence diabolique qui prépare le malheur dès le berceau, – qui jette avec *préméditation* des natures spirituelles et angéliques dans des milieux hostiles, comme des martyrs dans les cirques ? Y a-t-il donc des âmes *sacrées*, vouées à l'autel, condamnées à marcher à la mort et à la gloire à travers leurs propres ruines ? Le cauchemar des *Ténèbres* assiégera-t-il éternellement ces âmes de choix ? Vainement elles se débattent, vainement elles se forment au monde, à ses prévoyances, à ses ruses ; elles perfectionneront la prudence, boucheront toutes les issues, matelasseront les fenêtres contre les projectiles du hasard ; mais le Diable entrera par une serrure ; une perfection sera le défaut de leur cuirasse, et une qualité superlative le germe de leur damnation.

> L'aigle, pour le briser, du haut du firmament,
> Sur leur front découvert, lâchera la tortue,
> Car ils doivent périr inévitablement.

Leur destinée est écrite dans toute leur constitution, elle brille d'un éclat sinistre dans leurs regards et dans leurs gestes, elle circule dans leurs artères avec chacun de leurs globules sanguins.

Un écrivain célèbre de notre temps a écrit un livre pour démontrer que le poète ne pouvait trouver une bonne place ni dans une société démocratique ni dans une aristocratique, pas plus dans une république que dans une monarchie absolue ou tempérée. Qui donc a su lui répondre péremptoirement ? J'apporte aujourd'hui une nouvelle légende à l'appui de sa thèse, j'ajoute un saint nouveau au martyrologe : j'ai à écrire l'histoire d'un de ces illustres malheureux, trop riche de poésie et de passion, qui est venu, après tant d'autres, faire en ce bas monde le rude apprentissage du génie chez les âmes inférieures.

Lamentable tragédie que la vie d'Edgar Poe ! Sa mort, dénouement horrible dont l'horreur est accrue par la trivialité ! – De tous les documents que j'ai lus est résultée pour moi la conviction que les États-Unis ne furent pour Poe qu'une vaste prison qu'il parcourait avec l'agitation fiévreuse d'un être fait pour respirer dans un monde plus normal, – qu'une grande barbarie éclairée au gaz, – et que sa vie intérieure, spirituelle de poète ou même d'ivrogne n'était qu'un effort perpétuel pour échapper à l'influence de cette atmosphère antipathique. Impitoyable dictature que celle de l'opinion dans les sociétés démocratiques ; n'implorez d'elle ni charité, ni indulgence, ni élasticité quelconque dans l'application de ses lois aux cas multiples et complexes de la vie morale. On dirait que de l'amour impie de la liberté est née une tyrannie nouvelle, la tyrannie des bêtes, ou zoocratie, qui par son insensibilité féroce ressemble à l'idole de Jaggernaut. – Un biographe nous dira gravement – il est bien intentionné, le brave homme – que Poe, s'il avait voulu régulariser son génie et appliquer ses facultés créatrices d'une manière plus appropriée au sol américain, aurait pu devenir un auteur à argent, *a money making author* ; – un autre, – un naïf cynique, celui-là, – que, quelque beau que soit le génie de Poe, il eût mieux valu pour lui n'avoir que du talent, le talent s'escomptant toujours plus facilement que le génie. Un autre, qui a dirigé des journaux et des revues, un ami du poète, avoue qu'il était difficile de l'employer et qu'on était obligé de le payer moins que d'autres, parce qu'il écrivait dans un style trop au-dessus du vulgaire. *Quelle odeur de magasin !* comme disait Joseph de Maistre.

Quelques-uns ont osé davantage, et, unissant l'inintelligence la plus lourde de son génie à la férocité de l'hypocrisie bourgeoise, l'ont insulté à l'envi ; et, après sa soudaine disparition, ils ont rudement morigéné ce cadavre, – particulièrement M. Rufus Griswold, qui, pour rappeler ici l'expression vengeresse de M. George Graham, a commis alors une immortelle infamie. Poe, éprouvant peut-être le sinistre pressentiment d'une fin subite, avait désigné MM. Griswold et Willis pour mettre ses œuvres en ordre, écrire sa vie et restaurer sa mémoire. Ce pédagogue-vampire a diffamé longuement son ami dans un énorme article, plat et haineux, juste en tête de l'édition posthume de ses œuvres. – Il n'existe donc pas en Amérique d'ordonnance qui interdise aux chiens l'entrée des cimetières ? – Quant à M. Willis, il a prouvé, au contraire, que la bienveillance et la décence marchaient toujours avec le véritable esprit, et que la charité envers nos confrères, qui est un devoir moral, était aussi un des commandements du goût.

Causez de Poe avec un Américain, il avouera peut-être son génie, peut-être même s'en montrera-t-il fier ; mais, avec un ton sardonique supérieur qui sent son homme positif, il vous parlera de la vie débraillée du poète, de son haleine alcoolisée qui aurait pris feu à la flamme d'une chandelle, de ses habitudes vagabondes ; il vous dira que c'était un être erratique et hétéroclite, une planète désorbitée, qu'il roulait sans cesse de Baltimore à New York, de New York à Philadelphie, de Philadelphie à Boston, de Boston à Baltimore, de Baltimore à Richmond. Et si, le cœur ému par ces préludes d'une histoire navrante, vous donnez à entendre que l'individu n'est peut-être pas seul coupable et qu'il doit être difficile de penser et d'écrire commodément dans un pays où il y a des millions de souverains, un pays sans capitale à proprement parler et sans aristocratie, – alors vous verrez

ses yeux s'agrandir et jeter des éclairs, la bave du patriotisme souffrant lui monter aux lèvres, et l'Amérique, par
sa bouche, lancer des injures à l'Europe, sa vieille mère,
et à la philosophie des anciens jours.

Je répète que pour moi la persuasion s'est faite qu'Edgar
Poe et sa patrie n'étaient pas de niveau. Les États-Unis
sont un pays gigantesque et enfant, naturellement jaloux
du vieux continent. Fier de son développement matériel,
anormal et presque monstrueux, ce nouveau venu dans
l'histoire a une foi naïve dans la toute-puissance de
l'industrie ; il est convaincu, comme quelques malheureux parmi nous, qu'elle finira par manger le Diable. Le
temps et l'argent ont là-bas une valeur si grande ! L'activité matérielle, exagérée jusqu'aux proportions d'une
manie nationale, laisse dans les esprits bien peu de place
pour les choses qui ne sont pas de la terre. Poe, qui était
de bonne souche, et qui d'ailleurs professait que le grand
malheur de son pays était de n'avoir pas d'aristocratie de
race, attendu, disait-il, que chez un peuple sans aristocratie le culte du Beau ne peut que se corrompre, s'amoindrir et disparaître, – qui accusait chez ses concitoyens,
jusque dans leur luxe emphatique et coûteux, tous les
symptômes du mauvais goût caractéristique des parvenus, – qui considérait le Progrès, la grande idée moderne,
comme une extase de gobe-mouches, et qui appelait les
perfectionnements de l'habitacle humain des cicatrices et
des abominations rectangulaires, – Poe était là-bas un
cerveau singulièrement solitaire. Il ne croyait qu'à
l'immuable, à l'éternel, au *selfsame*, et il jouissait – cruel
privilège dans une société amoureuse d'elle-même ! – de
ce grand bon sens à la Machiavel qui marche devant le
sage, comme une colonne lumineuse, à travers le désert
de l'histoire. – Qu'eût-il pensé, qu'eût-il écrit, l'infortuné,
s'il avait entendu la théologienne du sentiment supprimer
l'Enfer par amitié pour le genre humain, le philosophe

du chiffre proposer un système d'assurances, une sous-cription à un sou par tête pour la suppression de la guerre, – et l'abolition de la peine de mort et de l'ortho-graphe, ces deux folies corrélatives ! – et tant d'autres malades qui écrivent, *l'oreille inclinée au vent*, des fantai-sies giratoires aussi flatueuses que l'élément qui les leur dicte ? – Si vous ajoutez à cette vision impeccable du vrai, véritable infirmité dans de certaines circonstances, une délicatesse exquise de sens qu'une note fausse torturait, une finesse de goût que tout, excepté l'exacte proportion, révoltait, un amour insatiable du Beau, qui avait pris la puissance d'une passion morbide, vous ne vous étonnerez pas que pour un pareil homme la vie soit devenue un enfer, et qu'il ait mal fini ; vous admirerez qu'il ait pu *durer* aussi longtemps.

II

La famille de Poe était une des plus respectables de Baltimore. Son grand-père maternel avait servi comme *quarter-master-general* dans la guerre de l'Indépendance, et La Fayette l'avait en haute estime et amitié. Celui-ci, lors de son dernier voyage aux États-Unis, voulut voir la veuve du général et lui témoigner sa gratitude pour les services que lui avait rendus son mari. Le bisaïeul avait épousé une fille de l'amiral anglais Mac Bride, qui était allié avec les plus nobles maisons d'Angleterre. David Poe, père d'Edgar et fils du général, s'éprit violemment d'une actrice anglaise, Elisabeth Arnold, célèbre par sa beauté ; il s'enfuit avec elle et l'épousa. Pour mêler plus intimement sa destinée à la sienne, il se fit comédien et parut avec sa femme sur différents théâtres, dans les prin-cipales villes de l'Union. Les deux époux moururent à Richmond presque en même temps, laissant dans l'aban-don et le dénuement le plus complet trois enfants en bas âge, dont Edgar.

Edgar Poe était né à Baltimore, en 1813. – C'est d'après son propre dire que je donne cette date, car il a réclamé contre l'affirmation de Griswold, qui place sa naissance en 1811. – Si jamais l'esprit de roman, pour me servir d'une expression de notre poète, a présidé à une naissance, – esprit sinistre et orageux! – certes, il présida à la sienne. Poe fut véritablement l'enfant de la passion et de l'aventure. Un riche négociant de la ville, M. Allan, s'éprit de ce joli malheureux que la nature avait doté d'une manière charmante, et, comme il n'avait pas d'enfants, il l'adopta. Celui-ci s'appela donc désormais Edgar Allan Poe. Il fut ainsi élevé dans une belle aisance et dans l'espérance légitime d'une de ces fortunes qui donnent au caractère une superbe certitude. Ses parents adoptifs l'emmenèrent dans un voyage qu'ils firent en Angleterre, en Écosse et en Irlande, et, avant de retourner dans leur pays, ils le laissèrent chez le docteur Bransby, qui tenait une importante maison d'éducation à Stoke-Newington, près de Londres. – Poe a lui-même, dans *William Wilson*, décrit cette étrange maison bâtie dans le vieux style d'Élisabeth et les impressions de sa vie d'écolier.

Il revint à Richmond en 1822, et continua ses études en Amérique, sous la direction des meilleurs maîtres de l'endroit. À l'université de Charlottesville, où il entra en 1825, il se distingua non seulement par une intelligence quasi miraculeuse, mais aussi par une abondance presque sinistre de passions, – une précocité vraiment américaine, – qui finalement fut la cause de son expulsion. Il est bon de noter en passant que Poe avait déjà, à Charlottesville, manifesté une aptitude des plus remarquables pour les sciences physiques et mathématiques. Plus tard il en fera un usage fréquent dans ses étranges contes, et en tirera des moyens très inattendus. Mais j'ai des raisons de croire que ce n'est pas à cet ordre de compositions qu'il attachait le plus d'importance, et que – peut-être même à cause de cette précoce aptitude – il n'était pas loin de les considérer comme de *faciles* jongleries, comparativement aux ouvrages de pure imagination. – Quelques malheureuses dettes de jeu amenèrent une brouille momentanée entre lui et son père adoptif, et Edgar – fait des plus curieux et qui prouve, quoi qu'on ait dit, une dose de chevalerie assez forte dans son impressionnable cerveau – conçut le projet de se mêler à la guerre des Hellènes et d'aller combattre les Turcs. Il partit donc pour la Grèce. – Que devint-il en Orient ? Qu'y fit-il ? Étudia-t-il les rivages classiques de la Méditerranée ? – Pourquoi le trouvons-nous à Saint-Pétersbourg, sans passeport, compromis, et dans quelle sorte d'affaire, obligé d'en appeler au ministre américain, Henry Middleton, pour échapper à la pénalité russe et retourner chez lui ? – On l'ignore ; il y a là une lacune que lui seul aurait pu combler. La vie d'Edgar Poe, sa jeunesse, ses aventures en Russie et sa correspondance ont été longtemps annoncées par les journaux américains et n'ont jamais paru.

Revenu en Amérique en 1829, il manifesta le désir d'entrer à l'école militaire de West Point ; il y fut admis en effet, et, là comme ailleurs, il donna les signes d'une intelligence admirablement douée, mais indisciplinable, et, au bout de quelques mois, il fut rayé. – En même temps se passait dans sa famille adoptive un événement qui devait avoir les conséquences les plus graves sur toute sa vie. Mme Allan, pour laquelle il semble avoir éprouvé une affection réellement filiale, mourait, et M. Allan épousait une femme toute jeune. Une querelle domestique prend ici place – une histoire bizarre et ténébreuse que je ne peux pas raconter, parce qu'elle n'est clairement expliquée par aucun biographe. Il n'y a donc pas lieu de s'étonner qu'il se soit définitivement séparé de M. Allan, et que celui-ci, qui eut des enfants de son second mariage, l'ait complètement frustré de sa succession.

Peu de temps après avoir quitté Richmond, Poe publia un petit volume de poésies ; c'était en vérité une aurore éclatante. Pour qui sait sentir la poésie anglaise, il y a là déjà l'accent extra-terrestre, le calme dans la mélancolie, la solennité délicieuse, l'expérience précoce, – j'allais, je crois, dire *expérience innée*, – qui caractérisent les grands poètes.

La misère le fit quelque temps soldat, et il est présumable qu'il se servit des lourds loisirs de la vie de garnison pour préparer les matériaux de ses futures compositions, – compositions étranges, qui semblent avoir été créées pour nous démontrer que l'étrangeté est une des parties intégrantes du Beau. Rentré dans la vie littéraire, le seul élément où puissent respirer certains êtres déclassés, Poe se mourait dans une misère extrême, quand un hasard heureux le releva. Le propriétaire d'une revue venait de fonder deux prix, l'un pour le meilleur conte, l'autre pour le meilleur poème. Une écriture singulièrement belle attira les yeux de M. Kennedy, qui présidait le comité, et lui donna l'envie d'examiner lui-même les manuscrits. Il se trouva que Poe avait gagné les deux prix ; mais un seul lui fut donné. Le président de la commission fut curieux de voir l'inconnu. L'éditeur du journal lui amena un jeune homme d'une beauté frappante, en guenilles, boutonné jusqu'au menton, et qui avait l'air d'un gentilhomme aussi fier qu'affamé. Kennedy se conduisit bien. Il fit faire à Poe la connaissance d'un M. Thomas White, qui fondait à Richmond le *Southern Literary Messenger*. M. White était un homme d'audace, mais sans aucun talent littéraire ; il lui fallait un aide. Poe se trouva donc tout jeune, – à vingt-deux ans, – directeur d'une revue dont la destinée reposait tout entière sur lui. Cette prospérité, il la créa. Le *Southern Literary Messenger* a reconnu depuis lors que c'était à cet excentrique maudit, à cet ivrogne incorrigible qu'il devait sa clientèle et sa fructueuse notoriété. C'est dans ce *magazine* que parut pour la première fois l'*Aventure sans pareille d'un certain Hans Pfaall*, et plusieurs autres contes que nos lecteurs verront défiler sous leurs yeux. Pendant près de deux ans, Edgar Poe, avec une ardeur merveilleuse, étonna son public par une série de compositions d'un genre nouveau et par des articles critiques dont la vivacité, la netteté, la sévérité raisonnées étaient bien faites pour attirer les yeux. Ces articles portaient sur des livres de tout genre, et la forte éducation que le jeune homme s'était faite ne le servit pas médiocrement. Il est bon qu'on sache que cette besogne considérable se faisait pour cinq cents dollars, c'est-à-dire deux mille sept cents francs par an. – *Immédiatement*, – dit Griswold, ce qui veut dire : « Il se croyait assez riche, l'imbécile ! » – il épousa une jeune fille, belle, charmante, d'une nature aimable et héroïque, mais *ne possédant pas un sou*, – ajoute le même Griswold avec une nuance de dédain. C'était une demoiselle Virginia Clemm, sa cousine.

Malgré les services rendus à son journal, M. White se brouilla avec Poe au bout de deux ans, à peu près. La raison de cette séparation se trouve évidemment dans les accès d'hypocondrie et les crises d'ivrognerie du poète, – accidents caractéristiques qui assombrissaient son ciel spirituel, comme ces nuages lugubres qui donnent soudainement au plus romantique paysage un air de mélancolie en apparence irréparable. – Dès lors, nous verrons l'infortuné déplacer sa tente, comme un homme du désert, et transporter ses légers pénates dans les principales villes de l'Union. Partout, il dirigera des revues ou y collaborera d'une manière éclatante. Il répandra avec une éblouissante rapidité des articles critiques, philosophiques, et des contes pleins de magie qui paraissent réunis sous le titre de *Tales of the Grotesque and the Arabesque* – titre remarquable et intentionnel, car les ornements grotesques et arabesques repoussent la figure

humaine, et l'on verra qu'à beaucoup d'égards la littérature de Poe est extra ou supra-humaine. Nous appren-
drons par des notes blessantes et scandaleuses insérées
dans les journaux que M. Poe et sa femme se trouvent
dangereusement malades à Fordham et dans une absolue
misère. Peu de temps après la mort de Mme Poe, le poète
subit les premières attaques du *delirium tremens*. Une
note nouvelle paraît soudainement dans un journal,
– celle-là plus que cruelle, – qui accuse son mépris et son
dégoût du monde et lui fait un de ces procès de tendance,
véritables réquisitoires de l'opinion, contre lesquels il eut
toujours à se défendre, – une des luttes les plus stérile-
ment fatigantes que je connaisse.

Sans doute, il gagnait de l'argent, et ses travaux littéraires pouvaient à peu près le faire vivre. Mais j'ai les
preuves qu'il avait sans cesse de dégoûtantes difficultés à
surmonter. Il rêva, comme tant d'autres écrivains, une
Revue à lui, il voulut être *chez lui*, et le fait est qu'il avait
suffisamment souffert pour désirer ardemment cet abri
définitif pour sa pensée. Pour arriver à ce résultat, pour
se procurer une somme d'argent suffisante, il eut recours
aux *lectures*. On sait ce que sont ces lectures, – une espèce
de spéculation, le Collège de France mis à la disposition
de tous les littérateurs, l'auteur ne publiant sa *lecture*
qu'après qu'il en a tiré toutes les recettes qu'elle peut
rendre. Poe avait déjà donné à New York une *lecture*
d'*Eurêka*, son poème cosmogonique, qui avait même sou-
levé de grosses discussions. Il imagina cette fois de donner des *lectures* dans son pays, dans la Virginie. Il
comptait, comme il l'écrivait à Willis, faire une tournée
dans l'Ouest et le Sud, et il espérait le concours de ses
amis littéraires et de ses anciennes connaissances de collège et de West Point. Il visita donc les principales villes
de la Virginie, et Richmond revit celui qu'on y avait
connu si jeune, si pauvre, si délabré. Tous ceux qui
n'avaient pas vu Poe depuis les jours de son obscurité

accoururent en foule pour contempler leur illustre
compatriote. Il apparut, beau, élégant, correct comme le
génie. Je crois même que, depuis quelque temps, il avait
poussé la condescendance jusqu'à se faire admettre dans
une société de tempérance. Il choisit un thème aussi large
qu'élevé : *le Principe de la Poésie*, et il le développa avec
cette lucidité qui est un de ses privilèges. Il croyait, en
vrai poète qu'il était, que le but de la poésie est de même
nature que son principe, et qu'elle ne doit pas avoir en
vue autre chose qu'elle-même.

Le bel accueil qu'on lui fit inonda son pauvre cœur
d'orgueil et de joie ; il se montrait tellement enchanté
qu'il parlait de s'établir définitivement à Richmond et de
finir sa vie dans les lieux que son enfance lui avait rendus
chers. Cependant, il avait affaire à New York, et il partit
le 4 octobre, se plaignant de frissons et de faiblesses. Se
sentant toujours assez mal en arrivant à Baltimore, le 6,
au soir, il fit porter ses bagages à l'embarcadère d'où il
devait se diriger sur Philadelphie, et entra dans une
taverne pour y prendre un excitant quelconque. Là, malheureusement il rencontra de vieilles connaissances et
s'attarda. Le lendemain matin, dans les pâles ténèbres du
petit jour, un cadavre fut trouvé sur la voie, – est-ce ainsi
qu'il faut dire ? – non, un corps vivant encore, mais que
la Mort avait déjà marqué de sa royale estampille. Sur ce
corps, dont on ignorait le nom, on ne trouva ni papiers
ni argent, et on le porta dans un hôpital. C'est là que
Poe mourut le soir même du dimanche 7 octobre 1849,
à l'âge de trente-sept ans, vaincu par le *delirium tremens*,
ce terrible visiteur qui avait déjà hanté son cerveau une
ou deux fois. Ainsi disparut de ce monde un des plus
grands héros littéraires, l'homme de génie qui avait écrit
dans *le Chat noir* ces mots fatidiques : *Quelle maladie est
comparable à l'alcool !*

Cette mort est presque un suicide, – un suicide préparé
depuis longtemps. Du moins, elle en causa le scandale.

La clameur fut grande, et la *vertu* donna carrière à son *cant* emphatique, librement et voluptueusement. Les oraisons funèbres les plus indulgentes ne purent pas ne pas donner place à l'inévitable morale bourgeoise, qui n'eut garde de manquer une si admirable occasion. M. Griswold diffama ; M. Willis, sincèrement affligé, fut mieux que convenable. – Hélas, celui qui avait franchi les hauteurs les plus ardues de l'esthétique et plongé dans les abîmes les moins explorés de l'intellect humain, celui qui, à travers une vie qui ressemble à une tempête sans accalmie, avait trouvé des moyens nouveaux, des procédés inconnus pour étonner l'imagination, pour séduire les esprits assoiffés de Beau, venait de mourir en quelques heures dans un lit d'hôpital, – quelle destinée ! Et tant de grandeur et tant de malheur, pour soulever un tourbillon de phraséologie bourgeoise, pour devenir la pâture et le thème des journalistes vertueux !

Ut declamatio fias !

Ces spectacles ne sont pas nouveaux ; il est rare qu'une sépulture fraîche et illustre ne soit pas rendez-vous de scandales. D'ailleurs, la société n'aime pas ces enragés malheureux, et, soit qu'ils troublent ses fêtes, soit qu'elle les considère naïvement comme des remords, elle a incontestablement raison. Qui ne se rappelle les déclamations parisiennes lors de la mort de Balzac, qui cependant mourut correctement ? – Et plus récemment encore, – il y a aujourd'hui, 26 janvier, juste un an, – quand un écrivain d'une honnêteté admirable, d'une haute intelligence, et *qui fut toujours lucide*, alla discrètement, sans déranger personne, – si discrètement que sa discrétion ressemblait à du mépris, – délier son âme dans la rue la plus noire qu'il put trouver, – quelles dégoûtantes homélies ! – quel assassinat raffiné ! Un journaliste célèbre, à qui Jésus n'enseignera jamais les manières généreuses, trouva l'aventure assez joviale pour la célébrer en un gros calembour. – Parmi l'énumération nombreuse des *droits de l'homme* que la sagesse du XIXe siècle recommence si souvent et si complaisamment, deux assez importants ont été oubliés, qui sont le droit de se contredire et le droit de *s'en aller*. Mais la *société* regarde celui qui s'en va comme un insolent ; elle châtierait volontiers certaines dépouilles funèbres, comme ce malheureux soldat, atteint de vampirisme, que la vue d'un cadavre exaspérait jusqu'à la fureur. – Et cependant, on peut dire que, sous la pression de certaines circonstances, après un sérieux examen de certaines incompatibilités, avec de fermes croyances à de certains dogmes et métempsycoses, – on peut dire, sans emphase et sans jeu de mots, que le suicide est parfois l'action la plus raisonnable de la vie. – Et ainsi se forme une compagnie de fantômes déjà nombreuse, qui nous hante familièrement, et dont chaque membre vient nous vanter son repos actuel et nous verser ses persuasions.

Avouons toutefois que la lugubre fin de l'auteur d'*Eurêka* suscita quelques consolantes exceptions, sans quoi il faudrait désespérer, et la place ne serait plus tenable. M. Willis, comme je l'ai dit, parla honnêtement, et même avec émotion, des bons rapports qu'il avait toujours eus avec Poe. MM. John Neal et George Graham rappelèrent M. Griswold à la pudeur. M. Longfellow – et celui-ci est d'autant plus méritant que Poe l'avait cruellement maltraité – sut louer d'une manière digne d'un poète sa haute puissance comme poète et comme prosateur. Un inconnu écrivit que l'Amérique littéraire avait perdu sa plus forte tête.

Mais le cœur brisé, le cœur déchiré, le cœur percé des sept glaives fut celui de Mme Clemm. Edgar était à la fois son fils et sa fille. Rude destinée, dit Willis, à qui j'emprunte ces détails, presque mot pour mot, rude destinée que celle qu'elle surveillait et protégeait. Car Edgar

Poe était un homme embarrassant ; outre qu'il écrivait avec une fastidieuse difficulté et *dans un style trop au-dessus du niveau intellectuel commun pour qu'on pût le payer cher*, il était toujours plongé dans des embarras d'argent, et souvent lui et sa femme malade manquaient des choses les plus nécessaires à la vie. Un jour, Willis vit entrer dans son bureau une femme vieille, douce, grave. C'était Mme Clemm. Elle *cherchait de l'ouvrage* pour son cher Edgar. Le biographe dit qu'il fut sincèrement frappé, non pas seulement de l'éloge parfait, de l'appréciation exacte qu'elle faisait des talents de son fils, mais aussi de tout son être extérieur, – de sa voix douce et triste, de ses manières un peu surannées, mais belles et grandes. Et pendant plusieurs années, ajoute-t-il, nous avons vu cet infatigable serviteur du génie, pauvrement et insuffisamment vêtu, allant de journal en journal pour vendre tantôt un poème, tantôt un article, disant quelquefois qu'*il* était malade, – unique explication, unique raison, invariable excuse qu'elle donnait quand son fils se trouvait frappé momentanément d'une de ces stérilités que connaissent les écrivains nerveux, – et ne permettant jamais à ses lèvres de lâcher une syllabe qui pût être interprétée comme un doute, comme un amoindrissement de confiance dans le génie et la volonté de son bien-aimé. Quand sa fille mourut, elle s'attacha au survivant de la désastreuse bataille avec une ardeur maternelle renforcée, elle vécut avec lui, prit soin de lui, le surveillant, le défendant contre la vie et contre lui-même. Certes, – conclut Willis avec une haute et impartiale raison, – si le dévouement de la femme, né avec un premier amour et entretenu par la passion humaine, glorifie et consacre son objet, que ne dit pas en faveur de celui qui l'inspira un dévouement comme celui-ci, pur, désintéressé et saint comme une sentinelle divine ? Les détracteurs de Poe auraient dû en effet remarquer qu'il est des séductions si puissantes qu'elles ne peuvent être que des vertus.

On devine combien terrible fut la nouvelle pour la malheureuse femme. Elle écrivit à Willis une lettre dont voici quelques lignes :

« J'ai appris ce matin la mort de mon bien-aimé Eddie... Pouvez-vous me transmettre quelques détails, quelques circonstances ?... Oh ! n'abandonnez pas votre pauvre amie dans cette amère affliction... Dites à M... de venir me voir ; j'ai à m'acquitter envers lui d'une commission de la part de mon pauvre Eddie... Je n'ai pas besoin de vous prier d'annoncer sa mort, et de parler bien de lui. Je sais que vous le ferez. *Mais dites bien quel fils affectueux il était pour moi, sa pauvre mère désolée...* »

Cette femme m'apparaît grande et plus qu'antique. Frappée d'un coup irréparable, elle ne pense qu'à la réputation de celui qui était tout pour elle, et il ne suffit pas, pour la contenter, qu'on dise qu'il était un génie, il faut qu'on sache qu'il était un homme de devoir et d'affection. Il est évident que cette mère – flambeau et foyer allumés par un rayon du plus haut ciel – a été donnée en exemple à nos races trop peu soigneuses du dévouement, de l'héroïsme, et de tout ce qui est plus que le devoir. N'était-ce pas justice d'inscrire au-dessus des ouvrages du poète le nom de celle qui fut le soleil moral de sa vie ? Il embaumera dans sa gloire le nom de la femme dont la tendresse savait panser ses plaies, et dont l'image voltigera incessamment au-dessus du martyrologe de la littérature.

III

La vie de Poe, ses mœurs, ses manières, son être physique, tout ce qui constitue l'ensemble de son personnage, nous apparaissent comme quelque chose de ténébreux et de brillant à la fois. Sa personne était singulière, séduisante et, comme ses ouvrages, marquée d'un indéfinissable cachet de mélancolie. Du reste, il était remarquablement bien doué de toutes façons. Jeune, il avait montré une rare aptitude pour tous les exercices physiques, et, bien qu'il fût petit, avec des pieds et des mains de femme, tout son être portant d'ailleurs ce caractère de délicatesse féminine, il était plus que robuste et capable de merveilleux traits de force. Il a, dans sa jeunesse, gagné un pari de nageur qui dépasse la mesure ordinaire du possible. On dirait que la Nature fait à ceux dont elle veut tirer de grandes choses un tempérament énergique, comme elle donne une puissante vitalité aux arbres qui sont chargés de symboliser le deuil et la douleur. Ces hommes-là, avec des apparences quelquefois chétives, sont taillés en athlètes, bons pour l'orgie et pour le travail, prompts aux excès et capables d'étonnantes sobriétés.

Il est quelques points relatifs à Edgar Poe sur lesquels il y a un accord unanime, par exemple sa haute distinction naturelle, son éloquence et sa beauté, dont, à ce qu'on dit, il tirait un peu de vanité. Ses manières, mélange singulier de hauteur avec une douceur exquise, étaient pleines de certitude. Physionomie, démarche, gestes, airs de tête, tout le désignait, surtout dans ses bons jours, comme une créature d'élection. Tout son être respirait une solennité pénétrante. Il était réellement marqué par la nature, comme ces figures de passants qui tirent l'œil de l'observateur et préoccupent sa mémoire. Le pédant et aigre Griswold lui-même avoue que, lorsqu'il alla rendre visite à Poe, et qu'il le trouva pâle et malade encore de la mort et de la maladie de sa femme, il fut frappé outre mesure, non seulement de la perfection de ses manières, mais encore de la physionomie aristocratique, de l'atmosphère parfumée de son appartement, d'ailleurs assez modestement meublé. Griswold ignore que le poète a plus que tous les hommes ce merveilleux privilège, attribué à la femme parisienne et à l'Espagnole, de savoir se parer avec un rien, et que Poe aurait trouvé l'art de transformer une chaumière en un palais d'une espèce nouvelle. N'a-t-il pas écrit, avec l'esprit le plus original et le plus curieux, des projets de mobiliers, des plans de maisons de campagne, de jardins et de réformes de paysages ?

Il existe une lettre charmante de Mme Frances Osgood, qui fut une des amies de Poe, et qui nous donne sur ses mœurs, sur sa personne et sur sa vie de ménage les plus curieux détails. Cette femme, qui était elle-même un littérateur distingué, nie courageusement tous les vices et toutes les fautes reprochés au poète.

« Avec les hommes, dit-elle à Griswold, peut-être était-il tel que vous le dépeigniez, et comme homme vous pouvez avoir raison. Mais je pose en fait qu'avec les femmes il était tout autre, et que jamais femme n'a pu connaître M. Poe sans éprouver pour lui un profond intérêt. Il ne m'a jamais apparu que comme un modèle d'élégance, de distinction et de générosité…

« La première fois que nous nous vîmes, ce fut à *Astor-House*. Willis m'avait fait passer à table d'hôte *le Corbeau*, sur lequel l'auteur, me dit-il, désirait connaître mon opinion. La musique mystérieuse et surnaturelle de ce poème étrange me pénétra si intimement que, lorsque j'appris que Poe désirait m'être présenté, j'éprouvai un sentiment singulier et qui ressemblait à de l'effroi. Il parut avec sa belle et orgueilleuse tête, ses yeux sombres qui dardaient une lumière d'élection, une lumière de sentiment et de pensée, avec ses manières qui étaient un mélange intraduisible de hauteur et de suavité – il me salua, calme, grave, presque froid ; mais sous cette froideur vibrait une sympathie si marquée que je ne pus m'empêcher d'en être profondément impressionnée. À partir de ce moment jusqu'à sa mort, nous fûmes amis…, et je sais que, dans ses dernières paroles, j'ai eu ma part de souvenir, et qu'il m'a donné, avant que sa raison ne fût culbutée de son trône de souveraine, une preuve suprême de sa fidélité en amitié.

« C'était surtout dans son intérieur, à la fois simple et poétique, que le caractère d'Edgar Poe apparaissait pour moi dans sa plus belle lumière. Folâtre, affectueux, spirituel, tantôt docile et tantôt méchant comme un enfant gâté, il avait toujours pour sa jeune, douce et adorée femme, et pour tous ceux qui venaient, même au milieu de ses plus fatigantes besognes littéraires, un mot aimable, un sourire bienveillant, des attentions gracieuses et courtoises. Il passait d'interminables heures à son pupitre, sous le portrait de sa *Lenore*, l'aimée et la morte, toujours assidu, toujours résigné et fixant avec son admirable écriture les brillantes fantaisies qui traversaient son étonnant cerveau incessamment en éveil. – Je me rappelle l'avoir vu un matin plus joyeux et plus allègre que de coutume. Virginia, sa douce femme, m'avait priée d'aller les voir et il m'était impossible de résister à ces sollicitations… Je le trouvai travaillant à la série d'articles qu'il a publiés sous le titre : *the Literati of New York*. "Voyez", me dit-il, en déployant avec un rire de triomphe plusieurs petits rouleaux de papier (il écrivait sur des bandes étroites, sans doute pour conformer sa copie à la *justification* des journaux), "je vais vous montrer par la différence des longueurs les divers degrés d'estime que j'ai pour chaque membre de votre gent littéraire. Dans chacun de ces papiers, l'un de vous est peloté et proprement discuté. – Venez ici, Virginia, et aidez-moi !" Et ils les déroulèrent tous un à un. À la fin, il y en avait un qui semblait interminable. Virginia, tout en riant, reculait jusqu'à un coin de la chambre le tenant par un bout, et son mari vers un autre coin avec l'autre bout. "Et quel est l'heureux, dis-je, que vous avez jugé digne de cette incommensurable douceur ? – L'entendez-vous, s'écriait-il, comme si son vaniteux petit cœur ne lui avait pas déjà dit que c'est elle-même !"

« Quand je fus obligée de voyager pour ma santé, j'entretins une correspondance régulière avec Poe, obéissant en cela aux vives sollicitations de sa femme, qui croyait que je pouvais obtenir sur lui une influence et un ascendant salutaires… Quant à l'amour et à la confiance qui existaient entre sa femme et lui, et qui étaient pour moi un spectacle délicieux, je n'en saurais parler avec trop de conviction, avec trop de chaleur. Je néglige quelques petits épisodes poétiques dans lesquels le jeta son tempérament romanesque. Je pense qu'elle était la seule femme qu'il ait toujours véritablement aimée… »

Dans les Nouvelles de Poe, il n'y a jamais d'amour. Du moins *Ligeia*, *Eleonora* ne sont pas, à proprement parler, des histoires d'amour, l'idée principale sur laquelle pivote l'œuvre étant tout autre. Peut-être croyait-il que la prose n'est pas une langue à la hauteur de ce bizarre et presque intraduisible sentiment ; car ses poésies, en revanche, en sont fortement saturées. La divine passion y apparaît magnifique, étoilée, et toujours voilée d'une irrémédiable mélancolie. Dans ses articles, il parle quelquefois de l'amour, et même comme d'une chose dont le nom fait frémir la plume. Dans *the Domain of Arnheim*, il affirmera que les quatre conditions élémentaires du bonheur sont : la vie en plein air, l'*amour d'une femme*, le détachement de toute ambition et la création d'un Beau nouveau. – Ce qui corrobore l'idée de Mme Frances Osgood relativement au respect chevaleresque de Poe pour les femmes, c'est que, malgré son prodigieux talent pour le grotesque et l'horrible, il n'y a pas dans toute son œuvre un seul passage qui ait trait à la lubricité ou même aux jouissances sensuelles. Ses portraits de femmes sont, pour ainsi dire, auréolés ; ils brillent au sein d'une vapeur surnaturelle et sont peints à la manière emphatique d'un adorateur. – Quant aux *petits épisodes romanesques*, y a-t-il lieu de s'étonner qu'un être aussi nerveux, dont la soif du Beau était peut-être le trait principal, ait parfois, avec une ardeur passionnée, cultivé la galanterie, cette fleur volcanique et musquée pour qui le cerveau bouillonnant des poètes est un terrain de prédilection ?

De sa beauté personnelle singulière dont parlent plusieurs biographes, l'esprit peut, je crois, se faire une idée approximative en appelant à son secours toutes les notions vagues, mais cependant caractéristiques, contenues dans le mot *romantique*, mot qui sert généralement à rendre les genres de beauté consistant surtout dans l'expression. Poe avait un front vaste, dominateur, où certaines protubérances trahissaient les facultés débordantes qu'elles sont chargées de représenter, – construction, comparaison, causalité, – et où trônait dans un orgueil calme le sens de l'idéalité, le sens esthétique par excellence. Cependant, malgré ces dons, ou même à cause de ces privilèges exorbitants, cette tête vue de profil n'offrait peut-être pas un aspect agréable. Comme dans toutes les choses excessives par un sens, un déficit pouvait résulter de l'abondance, une pauvreté de l'usurpation. Il avait de grands yeux à la fois sombres et pleins de lumière, d'une couleur indécise et ténébreuse, poussée au violet, le nez noble et solide, la bouche fine et triste, quoique légèrement souriante, le teint brun clair, la face généralement pâle, la physionomie un peu distraite et imperceptiblement grimée par une mélancolie habituelle.

Sa conversation était des plus remarquables et essentiellement nourrissante. Il n'était pas ce qu'on appelle un beau parleur, – une chose horrible, – et d'ailleurs sa parole comme sa plume avaient horreur du convenu ; mais un vaste savoir, une linguistique puissante, de fortes études, des impressions ramassées dans plusieurs pays faisaient de cette parole un enseignement. Son éloquence, essentiellement poétique, pleine de méthode, et se mouvant toutefois hors de toute méthode connue, un arsenal d'images tirées d'un monde peu fréquenté par la foule des esprits, un art prodigieux à déduire d'une proposition évidente et absolument acceptable des aperçus secrets et nouveaux, à ouvrir d'étonnantes perspectives, et, en un mot, l'art de ravir, de faire penser, de faire rêver, d'arracher les âmes des bourbes de la routine, telles étaient les éblouissantes facultés dont beaucoup de gens ont gardé le souvenir. Mais il arrivait parfois – on le dit, du moins, – que le poète, se complaisant dans un caprice destructeur, rappelait brusquement ses amis à la terre par un cynisme affligeant et démolissait brutalement son œuvre de spiritualité. C'est d'ailleurs une chose à noter, qu'il était fort peu difficile dans le choix de ses auditeurs, et je crois que le lecteur trouvera sans peine dans l'histoire d'autres intelligences grandes et originales, pour qui toute compagnie était bonne. Certains esprits, solitaires au milieu de la foule, et qui se repaissent dans le monologue, n'ont que faire de la délicatesse en matière de public. C'est, en somme, une espèce de fraternité basée sur le mépris.

De cette ivrognerie, – célébrée et reprochée avec une insistance qui pourrait donner à croire que tous les écrivains des États-Unis, excepté Poe, sont des anges de sobriété, – il faut cependant en parler. Plusieurs versions sont plausibles, et aucune n'exclut les autres. Avant tout, je suis obligé de remarquer que Willis et Mme Osgood affirment qu'une quantité fort minime de vin ou de liqueur suffisait pour perturber complètement son organisation. Il est d'ailleurs facile de supposer qu'un homme aussi réellement solitaire, aussi profondément malheureux, et qui a pu souvent envisager tout le système social comme un paradoxe et une imposture, un homme qui, harcelé par une destinée sans pitié, répétait souvent que la société n'est qu'une cohue de misérables (c'est

Griswold qui rapporte cela, aussi scandalisé qu'un homme qui peut penser la même chose, mais qui ne la dira jamais), – il est naturel, dis-je, de supposer que ce poète jeté tout enfant dans les hasards de la vie libre, le cerveau cerclé par un travail âpre et continu, ait cherché parfois une volupté d'oubli dans les bouteilles. Rancunes littéraires, vertiges de l'infini, douleurs de ménage, insultes de la misère, Poe fuyait tout dans le noir de l'ivresse comme dans une tombe préparatoire. Mais, quelque bonne que paraisse cette explication, je ne la trouve pas suffisamment large, et je m'en défie à cause de sa déplorable simplicité.

J'apprends qu'il ne buvait pas en gourmand, mais en barbare, avec une activité et une économie de temps tout à fait américaines, comme accomplissant une fonction homicide, comme ayant en lui *quelque chose* à tuer, *a worm that would not die*. On raconte d'ailleurs qu'un jour, au moment de se remarier (les bans étaient publiés, et, comme on le félicitait sur une union qui mettait dans ses mains les plus hautes conditions de bonheur et de bien-être, il avait dit : « Il est possible que vous ayez vu des bans, mais notez bien ceci : je ne me marierai pas ! »), il alla, épouvantablement ivre, scandaliser le voisinage de celle qui devait être sa femme, ayant ainsi recours à son vice pour se débarrasser d'un parjure envers la pauvre morte dont l'image vivait toujours en lui et qu'il avait admirablement chantée dans son *Annabel Lee*. Je considère donc, dans un grand nombre de cas, le fait infiniment précieux de préméditation comme acquis et constaté.

Je lis d'autre part, dans un long article du *Southern Literary Messenger*, – cette même revue dont il avait commencé la fortune, – que jamais la pureté, le fini de son style, jamais la netteté de sa pensée, jamais son ardeur au travail ne furent altérés par cette terrible habitude ;

que la confection de la plupart de ses excellents morceaux a précédé ou suivi une de ses crises ; qu'après la publication d'*Eurêka*, il sacrifia déplorablement à son penchant, et qu'à New York, le matin même où paraissait *le Corbeau*, pendant que le nom du poète était dans toutes les bouches, il traversait Broadway en trébuchant outrageusement. Remarquez que les mots : *précédé* ou *suivi* impliquent que l'ivresse pouvait servir d'excitant aussi bien que de repos.

Or, il est incontestable que, – semblables à ces impressions fugitives et frappantes, d'autant plus frappantes dans leurs retours qu'elles sont plus fugitives, qui suivent quelquefois un symptôme extérieur, une espèce d'avertissement comme un son de cloche, une note musicale ou un parfum oublié, et qui sont elles-mêmes suivies d'un événement semblable à un événement déjà connu et qui occupait la même place dans une chaîne antérieurement révélée, – semblables à ces singuliers rêves périodiques qui fréquentent nos sommeils, – il existe dans l'ivresse non seulement des enchaînements de rêves, mais des séries de raisonnements qui ont besoin, pour se reproduire, du milieu qui leur a donné naissance. Si le lecteur m'a suivi sans répugnance, il a déjà deviné ma conclusion : je crois que, dans beaucoup de cas, non pas certainement dans tous, l'ivrognerie de Poe était un moyen mnémonique, une méthode de travail, méthode énergique et mortelle, mais appropriée à sa nature passionnée. Le poète avait appris à boire, comme un littérateur soigneux s'exerce à faire des cahiers de notes. Il ne pouvait résister au désir de retrouver les visions merveilleuses ou effrayantes, les conceptions subtiles qu'il avait rencontrées dans une tempête précédente ; c'étaient de vieilles connaissances qui l'attiraient impérativement, et, pour renouer avec elles, il prenait le chemin le plus dangereux, mais le plus direct. Une partie de ce qui fait aujourd'hui notre jouissance est ce qui l'a tué.

IV

Des ouvrages de ce singulier génie, j'ai peu de chose à dire ; le public fera voir ce qu'il en pense. Il me serait difficile, peut-être, mais non pas impossible de débrouiller sa méthode, d'expliquer son procédé, surtout dans la partie de ses œuvres dont le principal effet gît dans une analyse bien ménagée. Je pourrais introduire le lecteur dans les mystères de sa fabrication, m'étendre longuement sur cette portion de génie américain qui le fait se réjouir d'une difficulté vaincue, d'une énigme expliquée, d'un tour de force réussi, – qui le pousse à se jouer avec une volupté enfantine et presque perverse dans le monde des probabilités et des conjectures, et à créer des *canards* auxquels son art subtil a donné une vie vrai-semblable. Personne ne niera que Poe ne soit un jongleur merveilleux, et je sais qu'il donnait surtout son estime à une autre partie de ses œuvres. J'ai quelques remarques plus importantes à faire, d'ailleurs très brèves.

Ce n'est pas par ses miracles matériels, qui pourtant ont fait sa renommée, qu'il lui sera donné de conquérir l'admiration des gens qui pensent, c'est par son amour du Beau, par sa connaissance des conditions harmo-niques de la beauté, par sa poésie profonde et plaintive, ouvragée néanmoins, transparente et correcte comme un bijou de cristal, – par son admirable style, pur et bizarre, – serré comme les mailles d'une armure, – complaisant et minutieux, – et dont la plus légère inten-tion sert à pousser doucement le lecteur vers un but voulu, – et enfin surtout par ce génie tout spécial, par ce tempérament unique qui lui a permis de peindre et d'expliquer, d'une manière impeccable, saisissante, ter-rible, l'*exception dans l'ordre moral*. – Diderot, pour prendre un exemple entre cent, est un auteur sanguin ; Poe est l'écrivain des nerfs, et même de quelque chose de plus, – et le meilleur que je connaisse.

Chez lui, toute entrée en matière est attirante sans violence, comme un tourbillon. Sa solennité surprend et
tient l'esprit en éveil. On sent tout d'abord qu'il s'agit de
quelque chose de grave. Et lentement, peu à peu, se
déroule une histoire dont tout l'intérêt repose sur une
imperceptible déviation de l'intellect, sur une hypothèse
audacieuse, sur un dosage imprudent de la Nature dans
l'amalgame des facultés. Le lecteur, lié par le vertige, est
contraint de suivre l'auteur dans ses entraînantes déductions.

Aucun homme, je le répète, n'a raconté avec plus de
magie les *exceptions* de la vie humaine et de la nature,
– les ardeurs de curiosité de la convalescence, – les fins
de saisons chargées de splendeurs énervantes, les temps
chauds, humides et brumeux, où le vent du sud amollit
et détend les nerfs comme les cordes d'un instrument, où
les yeux se remplissent de larmes qui ne viennent pas du
cœur, – l'hallucination laissant d'abord place au doute,
bientôt convaincue et raisonneuse comme un livre, –
l'absurde s'installant dans l'intelligence et la gouvernant
avec une épouvantable logique, – l'hystérie usurpant la
place de la volonté, la contradiction établie entre les nerfs
et l'esprit, et l'homme désaccordé au point d'exprimer la
douleur par le rire. Il analyse ce qu'il y a de plus fugitif,
il soupèse l'impondérable et décrit, avec cette manière
minutieuse et scientifique dont les effets sont terribles,
tout cet imaginaire qui flotte autour de l'homme nerveux
et le conduit à mal.

L'ardeur même avec laquelle il se jette dans le grotesque pour l'amour du grotesque et dans l'horrible pour
l'amour de l'horrible me sert à vérifier la sincérité de son
œuvre et l'accord de l'homme avec le poète. – J'ai déjà
remarqué que, chez plusieurs hommes, cette ardeur était
souvent le résultat d'une vaste énergie vitale inoccupée,
quelquefois d'une opiniâtre chasteté et aussi d'une profonde sensibilité refoulée. La volupté surnaturelle que

l'homme peut éprouver à voir couler son propre sang, les mouvements soudains, violents, inutiles, les grands cris jetés en l'air, sans que l'esprit ait commandé au gosier, sont des phénomènes à ranger dans le même ordre.

Au sein de cette littérature où l'air est raréfié, l'esprit peut éprouver cette vague angoisse, cette peur prompte aux larmes et ce malaise du cœur qui habitent les lieux immenses et singuliers. Mais l'admiration est la plus forte, et d'ailleurs l'art est si grand ! Les fonds et les accessoires y sont appropriés au sentiment des personnages. Solitude de la nature ou agitation des villes, tout y est décrit nerveusement et fantastiquement. Comme notre Eugène Delacroix, qui a élevé son art à la hauteur de la grande poésie, Edgar Poe aime à agiter ses figures sur des fonds violâtres et verdâtres où se révèlent la phosphorescence de la pourriture et la senteur de l'orage. La nature dite inanimée participe de la nature des êtres vivants, et, comme eux, frissonne d'un frisson surnaturel et galvanique. L'espace est approfondi par l'opium ; l'opium y donne un sens magique à toutes les teintes, et fait vibrer tous les bruits avec une plus significative sonorité. Quelquefois, des échappées magnifiques, gorgées de lumière et de couleur, s'ouvrent soudainement dans ses paysages, et l'on voit apparaître au fond de leurs horizons des villes orientales et des architectures, vaporisées par la distance, où le soleil jette des pluies d'or.

Les personnages de Poe, ou plutôt le personnage de Poe, l'homme aux facultés suraiguës, l'homme aux nerfs relâchés, l'homme dont la volonté ardente et patiente jette un défi aux difficultés, celui dont le regard est tendu avec la roideur d'une épée sur des objets qui grandissent à mesure qu'il les regarde, – c'est Poe lui-même. – Et ses femmes, toutes lumineuses et malades, mourant de maux bizarres et parlant avec une voix qui ressemble à une

musique, c'est encore lui ; ou du moins, par leurs aspirations étranges, par leur savoir, par leur mélancolie ingué-
rissable, elles participent fortement de la nature de leur
créateur. Quant à sa femme idéale, à sa Titanide, elle se
révèle sous différents portraits éparpillés dans ses poésies
trop peu nombreuses, portraits, ou plutôt manières de
sentir la beauté, que le tempérament de l'auteur rap-
proche et confond dans une unité vague mais sensible, et
où vit plus délicatement peut-être qu'ailleurs cet amour
insatiable du Beau, qui est son grand titre, c'est-à-dire le
résumé de ses titres à l'affection et au respect des poètes.

Nous rassemblons sous le titre : *Histoires extraordinaires*, divers contes choisis dans l'œuvre général de Poe.
Cet œuvre se compose d'un nombre considérable de
Nouvelles, d'une quantité non moins forte d'articles critiques et d'articles divers, d'un poème philosophique
(Eurêka), de poésies et d'un roman purement humain
(la Relation d'Arthur Gordon Pym). Si je trouve encore,
comme je l'espère, l'occasion de parler de ce poète, je
donnerai l'analyse de ses opinions philosophiques et littéraires, ainsi que généralement des œuvres dont la traduction complète aurait peu de chances de succès auprès
d'un public qui préfère de beaucoup l'amusement et
l'émotion à la plus importante vérité philosophique.

                                                        C. B.

DOUBLE ASSASSINAT
DANS LA RUE MORGUE

> Quelle chanson chantaient les sirènes ?
> quel nom Achille avait-il pris quand il se
> cachait parmi les femmes ? – Questions
> embarrassantes, il est vrai, mais qui ne
> sont pas situées au-delà de toute
> conjecture.
>
> Sir THOMAS BROWNE.

Les facultés de l'esprit qu'on définit par le terme *analytiques* sont en elles-mêmes fort peu susceptibles d'analyse. Nous ne les apprécions que par leurs résultats. Ce que nous en savons, entre autres choses, c'est qu'elles sont pour celui qui les possède à un degré extraordinaire une source de jouissances des plus vives. De même que l'homme fort se réjouit dans son aptitude physique, se complaît dans les exercices qui provoquent les muscles à l'action, de même l'analyste prend sa gloire dans cette activité spirituelle dont la fonction est de débrouiller. Il tire du plaisir même des plus triviales occasions qui mettent ses talents en jeu. Il raffole des énigmes, des rébus, des hiéroglyphes ; il déploie dans chacune des solutions une puissance de perspicacité qui, dans l'opinion vulgaire, prend un caractère surnaturel. Les résultats, habilement déduits par l'âme même et l'essence de sa méthode, ont réellement tout l'air d'une intuition.

Cette faculté de *résolution* tire peut-être une grande force de l'étude des mathématiques, et particulièrement de la très haute branche de cette science, qui, fort improprement et simplement en raison de ses opérations rétrogrades, a été nommée l'analyse, comme si elle était l'analyse par excellence. Car, en somme, tout calcul n'est pas en soi une analyse. Un joueur d'échecs, par exemple, fait fort bien l'un sans l'autre. Il suit de là que le jeu d'échecs, dans ses effets sur la nature spirituelle, est fort mal apprécié. Je ne veux pas écrire ici un traité de l'analyse, mais simplement mettre en tête d'un récit passablement singulier quelques observations jetées tout à fait à l'abandon et qui lui serviront de préface.

Je prends donc cette occasion de proclamer que la haute puissance de la réflexion est bien plus activement et plus profitablement exploitée par le modeste jeu de dames que par toute la laborieuse futilité des échecs. Dans ce dernier jeu, où les pièces sont douées de mouvements divers et bizarres, et représentent des valeurs diverses et variées, la complexité est prise – erreur fort commune – pour de la profondeur. L'attention y est puissamment mise en jeu. Si elle se relâche d'un instant, on commet une erreur, d'où il résulte une perte ou une défaite. Comme les mouvements possibles sont non seulement variés, mais inégaux en *puissance*, les chances de pareilles erreurs sont très multipliées ; et, dans neuf cas sur dix, c'est le joueur le plus attentif qui gagne et non pas le plus habile. Dans les dames, au contraire, où le mouvement est simple dans son espèce et ne subit que peu de variations, les probabilités d'inadvertance sont beaucoup moindres, et l'attention n'étant pas absolument et entièrement accaparée, tous les avantages remportés par chacun des joueurs ne peuvent être remportés que par une perspicacité supérieure.

Pour laisser là ces abstractions, supposons un jeu de dames où la totalité des pièces soit réduite à quatre *dames*, et où naturellement il n'y ait pas lieu de s'attendre à des étourderies. Il est évident qu'ici la victoire ne peut être décidée, – les deux parties étant absolument égales, – que par une tactique habile, résultat de quelque puissant effort de l'intellect. Privé des ressources ordinaires, l'analyste entre dans l'esprit de son adversaire, s'identifie avec lui, et souvent découvre d'un seul coup d'œil l'unique moyen – un moyen quelquefois absurdement simple – de l'attirer dans une faute ou de le précipiter dans un faux calcul.

On a longtemps cité le whist pour son action sur la faculté du calcul ; et on a connu des hommes d'une haute intelligence qui semblaient y prendre un plaisir incompréhensible et dédaigner les échecs comme un jeu frivole. En effet, il n'y a aucun jeu analogue qui fasse plus travailler la faculté de l'analyse. Le meilleur joueur d'échecs de la chrétienté ne peut guère être autre chose que le meilleur joueur d'échecs ; mais la force au whist implique la puissance de réussir dans toutes les spécula-tions bien autrement importantes où l'esprit lutte avec l'esprit.

Quand je dis la force, j'entends cette perfection dans le jeu qui comprend l'intelligence de tous les cas dont on peut légitimement faire son profit. Ils sont non seulement divers, mais complexes, et se dérobent souvent dans des profondeurs de la pensée absolument inaccessibles à une intelligence ordinaire.

Observer attentivement, c'est se rappeler distincte-ment ; et, à ce point de vue, le joueur d'échecs capable d'une attention très intense jouera fort bien au whist, puisque les règles de Hoyle, basées elles-mêmes sur le simple mécanisme du jeu, sont facilement et générale-ment intelligibles.

Aussi, avoir une mémoire fidèle et procéder d'après le livre sont des points qui constituent pour le vulgaire le *summum* du bien jouer. Mais c'est dans les cas situés au-delà de la règle que le talent de l'analyste se manifeste ; il fait en silence une foule d'observations et de déductions. Ses partenaires en font peut-être autant, et la différence d'étendue dans les renseignements ainsi acquis ne gît pas tant dans la validité de la déduction que dans la qualité de l'observation. L'important, le principal est de savoir ce qu'il faut observer. Notre joueur ne se confine pas dans son jeu, et, bien que ce jeu soit l'objet actuel de son attention, il ne rejette pas pour cela les déductions qui naissent d'objets étrangers au jeu. Il examine la physionomie de son partenaire, il la compare soigneusement avec celle de chacun de ses adversaires. Il considère la manière dont chaque partenaire distribue ses cartes ; il compte souvent, grâce aux regards que laissent échapper les joueurs satisfaits, les atouts et les *honneurs*, un à un. Il note chaque mouvement de la physionomie, à mesure que le jeu marche, et recueille un capital de pensées dans les expressions variées de certitude, de surprise, de triomphe ou de mauvaise humeur. À la manière de ramasser une levée, il devine si la même personne en peut faire une autre dans la suite. Il reconnaît ce qui est joué par feinte à l'air dont c'est jeté sur la table. Une parole accidentelle, involontaire, une carte qui tombe, ou qu'on retourne par hasard, qu'on ramasse avec anxiété ou avec insouciance ; le compte des levées et l'ordre dans lequel elles sont rangées ; l'embarras, l'hésitation, la vivacité, la trépidation, – tout est pour lui symptôme, diagnostic, tout rend compte à cette perception, – intuitive en apparence, – du véritable état des choses. Quand les deux ou trois premiers tours ont été faits, il possède à fond le jeu qui est dans chaque main, et peut dès lors jouer ses cartes en parfaite connaissance de cause, comme si tous les autres joueurs avaient retourné les leurs.

La faculté d'analyse ne doit pas être confondue avec la simple ingéniosité ; car, pendant que l'analyste est nécessairement ingénieux, il arrive souvent que l'homme ingénieux est absolument incapable d'analyse. La faculté de combinaison, ou constructivité, par laquelle se manifeste généralement cette ingéniosité, et à laquelle les phrénologues – ils ont tort, selon moi, – assignent un organe à part, – en supposant qu'elle soit une faculté primordiale, a paru, dans des êtres dont l'intelligence était limitrophe de l'idiotie, assez souvent pour attirer l'attention générale des écrivains psychologistes. Entre l'ingéniosité et l'aptitude analytique, il y a une différence beaucoup plus grande qu'entre l'imaginative et l'imagination, mais d'un caractère rigoureusement analogue. En somme, on verra que l'homme ingénieux est toujours plein d'imaginative, et que l'homme *vraiment* imaginatif n'est jamais autre chose qu'un analyste.

Le récit qui suit sera pour le lecteur un commentaire lumineux des propositions que je viens d'avancer.

Je demeurais à Paris, – pendant le printemps et une partie de l'été de 18.., – et j'y fis la connaissance d'un certain C. Auguste Dupin. Ce jeune gentleman appartenait à une excellente famille, une famille illustre même, mais, par une série d'événements malencontreux, il se trouva réduit à une telle pauvreté que l'énergie de son caractère y succomba et qu'il cessa de se pousser dans le monde et de s'occuper du rétablissement de sa fortune. Grâce à la courtoisie de ses créanciers, il resta en possession d'un petit reliquat de son patrimoine ; et, sur la rente qu'il en tirait, il trouva moyen, par une économie rigoureuse, de subvenir aux nécessités de la vie, sans s'inquiéter autrement des superfluités. Les livres étaient véritablement son seul luxe, et à Paris on se les procure facilement.

Notre première connaissance se fit dans un obscur cabinet de lecture de la rue Montmartre, par ce fait fortuit que nous étions tous deux à la recherche d'un même livre, fort remarquable et fort rare ; cette coïncidence nous rapprocha. Nous nous vîmes toujours de plus en plus. Je fus profondément intéressé par sa petite histoire de famille, qu'il me raconta minutieusement avec cette candeur et cet abandon, – ce sans-façon du *moi*, – qui est le propre de tout Français quand il parle de ses propres affaires.

Je fus aussi fort étonné de la prodigieuse étendue de ses lectures, et par-dessus tout je me sentis l'âme prise par l'étrange chaleur et la vitale fraîcheur de son imagination. Cherchant dans Paris certains objets qui faisaient mon unique étude, je vis que la société d'un pareil homme serait pour moi un trésor inappréciable, et dès lors je me livrai franchement à lui. Nous décidâmes enfin que nous vivrions ensemble tout le temps de mon séjour dans cette ville ; et, comme mes affaires étaient un peu moins embarrassées que les siennes, je me chargeai de louer et de meubler, dans un style approprié à la mélancolie fantasque de nos deux caractères, une maisonnette antique et bizarre que des superstitions dont nous ne daignâmes pas nous enquérir avaient fait déserter, – tombant presque en ruine, et située dans une partie reculée et solitaire du faubourg Saint-Germain.

Si la routine de notre vie dans ce lieu avait été connue du monde, nous eussions passé pour deux fous, – peut-être pour des fous d'un genre inoffensif. Notre réclusion était complète ; nous ne recevions aucune visite. Le lieu de notre retraite était resté un secret – soigneusement gardé – pour mes anciens camarades ; il y avait plusieurs années que Dupin avait cessé de voir du monde et de se répandre dans Paris. Nous ne vivions qu'entre nous.

Mon ami avait une bizarrerie d'humeur, – car comment définir cela ? – c'était d'aimer la nuit pour l'amour de la nuit ; la nuit était sa passion ; et je tombai moi-même tranquillement dans cette bizarrerie, comme dans toutes les autres qui lui étaient propres, me laissant aller au courant de toutes ses étranges originalités avec un parfait abandon. La noire divinité ne pouvait pas toujours demeurer avec nous ; mais nous en faisions la contrefaçon. Au premier point du jour, nous fermions tous les lourds volets de notre masure, nous allumions une couple de bougies fortement parfumées, qui ne jetaient que des rayons très faibles et très pâles. Au sein de cette débile clarté, nous livrions chacun notre âme à ses rêves, nous lisions, nous écrivions, ou nous causions, jusqu'à ce que la pendule nous avertît du retour de la véritable obscurité. Alors, nous nous échappions à travers les rues, bras dessus bras dessous, continuant la conversation du jour, rôdant au hasard jusqu'à une heure très avancée, et cherchant à travers les lumières désordonnées et les ténèbres de la populeuse cité ces innombrables excitations spirituelles que l'étude paisible ne peut pas donner.

Dans ces circonstances, je ne pouvais m'empêcher de remarquer et d'admirer, – quoique la riche idéalité dont il était doué eût dû m'y préparer, – une aptitude analytique particulière chez Dupin. Il semblait prendre un délice âcre à l'exercer, – peut-être même à l'étaler, – et avouait sans façon tout le plaisir qu'il en tirait. Il me disait à moi, avec un petit rire tout épanoui, que bien des hommes avaient pour lui une fenêtre ouverte à l'endroit de leur cœur, et d'habitude il accompagnait une pareille assertion de preuves immédiates et des plus surprenantes, tirées d'une connaissance profonde de ma propre personne.

Dans ces moments-là, ses manières étaient glaciales et distraites ; ses yeux regardaient dans le vide, et sa voix, – une riche voix de ténor, habituellement, – montait jusqu'à la voix de tête ; c'eût été de la pétulance, sans l'absolue délibération de son parler et la parfaite certitude de son accentuation. Je l'observais dans ses allures, et je rêvais souvent à la vieille philosophie de l'*âme double.* – Je m'amusais à l'idée d'un Dupin double, – un Dupin créateur et un Dupin analyste.

Qu'on ne s'imagine pas, d'après ce que je viens de dire, que je vais dévoiler un grand mystère ou écrire un roman. Ce que j'ai remarqué dans ce singulier Français était simplement le résultat d'une intelligence surexcitée, – malade peut-être. Mais un exemple donnera une meilleure idée de la nature de ses observations à l'époque dont il s'agit.

Une nuit, nous flânions dans une longue rue sale, avoisinant le Palais-Royal. Nous étions plongés chacun dans nos propres pensées, en apparence du moins, et, depuis près d'un quart d'heure, nous n'avions pas soufflé une syllabe. Tout à coup Dupin lâcha ces paroles :

– C'est un bien petit garçon, en vérité ; et il serait mieux à sa place au théâtre des Variétés.

– Cela ne fait pas l'ombre d'un doute, répliquai-je sans y penser et sans remarquer d'abord, tant j'étais absorbé, la singulière façon dont l'interrupteur adaptait sa parole à ma propre rêverie.

Une minute après, je revins à moi, et mon étonnement fut profond.

– Dupin, dis-je très gravement, voilà qui passe mon intelligence. Je vous avoue, sans ambages, que j'en suis stupéfié et que j'en peux à peine croire mes sens. Comment a-t-il pu se faire que vous ayez deviné que je pensais à… ?

Mais je m'arrêtai pour m'assurer indubitablement qu'il avait réellement deviné à qui je pensais.

– À Chantilly ? dit-il ; pourquoi vous interrompre ? Vous faisiez en vous-même la remarque que sa petite taille le rendait impropre à la tragédie.

C'était précisément ce qui faisait le sujet de mes réflexions. Chantilly était un ex-savetier de la rue Saint-Denis qui avait la rage du théâtre, et avait abordé le rôle de Xerxès dans la tragédie de Crébillon ; ses prétentions étaient dérisoires : on en faisait des gorges chaudes.

– Dites-moi, pour l'amour de Dieu ! la méthode – si méthode il y a – à l'aide de laquelle vous avez pu pénétrer mon âme, dans le cas actuel !

En réalité, j'étais encore plus étonné que je n'aurais voulu le confesser.

– C'est le fruitier, répliqua mon ami, qui vous a amené à cette conclusion que le raccommodeur de semelles n'était pas de taille à jouer Xerxès et tous les rôles de ce genre.

– Le fruitier ! vous m'étonnez ! je ne connais de fruitier d'aucune espèce.

– L'homme qui s'est jeté contre vous, quand nous sommes entrés dans la rue, il y a peut-être un quart d'heure.

Je me rappelai alors qu'en effet un fruitier, portant sur sa tête un grand panier de pommes, m'avait presque jeté par terre par maladresse, comme nous passions de la rue C... dans l'artère principale où nous étions alors. Mais quel rapport cela avait-il avec Chantilly ? Il m'était impossible de m'en rendre compte.

Il n'y avait pas un atome de charlatanerie dans mon ami Dupin.

– Je vais vous expliquer cela, dit-il, et, pour que vous puissiez comprendre tout très clairement, nous allons d'abord reprendre la série de vos réflexions, depuis le moment dont je vous parle jusqu'à la rencontre du fruitier en question. Les anneaux principaux de la chaîne se suivent : ainsi : *Chantilly, Orion, le docteur Nichols, Épicure, la stéréotomie, les pavés, le fruitier.*

Il est peu de personnes qui ne se soient amusées, à un moment quelconque de leur vie, à remonter le cours de leurs idées et à rechercher par quels chemins leur esprit était arrivé à de certaines conclusions. Souvent cette occupation est pleine d'intérêt, et celui qui l'essaye pour la première fois est étonné de l'incohérence et de la distance, immense en apparence, entre le point de départ et le point d'arrivée.

Qu'on juge donc de mon étonnement quand j'entendis mon Français parler comme il avait fait, et que je fus contraint de reconnaître qu'il avait dit la pure vérité.

Il continua :

– Nous causions de chevaux – si ma mémoire ne me trompe pas – juste avant de quitter la rue C... Ce fut notre dernier thème de conversation. Comme nous passions dans cette rue-ci, un fruitier, avec un gros panier sur la tête, passa précipitamment devant nous, vous jeta sur un tas de pavés amoncelés dans un endroit où la voie est en réparation. Vous avez mis le pied sur une des pierres branlantes ; vous avez glissé, vous vous êtes légèrement foulé la cheville ; vous avez paru vexé, grognon ; vous avez marmotté quelques paroles ; vous vous êtes retourné pour regarder le tas, puis vous avez continué votre chemin en silence. Je n'étais pas absolument attentif à tout ce que vous faisiez ; mais, pour moi, l'observation est devenue, de vieille date, une espèce de nécessité.

« Vos yeux sont restés attachés sur le sol, – surveillant avec une espèce d'irritation les trous et les ornières du pavé (de façon que je voyais bien que vous pensiez toujours aux pierres), jusqu'à ce que nous eûmes atteint le petit passage qu'on nomme le passage Lamartine [1], où l'on vient de faire l'essai du pavé de bois, un système de blocs unis et solidement assemblés. Ici votre physionomie s'est éclaircie, j'ai vu vos lèvres remuer, et j'ai deviné, à n'en pas douter, que vous vous murmuriez le mot *stéréotomie*, un terme appliqué fort prétentieusement à ce genre de pavage. Je savais que vous ne pouviez pas dire stéréotomie sans être induit à penser aux atomes, et de là aux

---

1. *Ai-je besoin d'avertir, à propos de la rue Morgue, du passage Lamartine, etc. qu'Edgar Poe n'est jamais venu à Paris ? – C. B.*

théories d'Épicure ; et, comme dans la discussion que nous eûmes, il n'y a pas longtemps, à ce sujet, je vous avais fait remarquer que les vagues conjectures de l'illustre Grec avaient été confirmées singulièrement, sans que personne y prît garde, par les dernières théories sur les nébuleuses et les récentes découvertes cosmogoniques, je sentis que vous ne pourriez pas empêcher vos yeux de se tourner vers la grande nébuleuse d'Orion ; je m'y attendais certainement. Vous n'y avez pas manqué, et je fus alors certain d'avoir strictement emboîté le pas de votre rêverie. Or, dans cette amère boutade sur Chantilly, qui a paru hier dans *le Musée*, l'écrivain satirique, en faisant des allusions désobligeantes au changement de nom du savetier quand il a chaussé le cothurne, citait un vers latin dont nous avons souvent causé. Je veux parler du vers : *Perdidit antiquum littera prima sonum.*

« Je vous avais dit qu'il avait trait à Orion, qui s'écrivait primitivement Urion ; et, à cause d'une certaine acrimonie mêlée à cette discussion, j'étais sûr que vous ne l'aviez pas oubliée. Il était clair, dès lors, que vous ne pouviez pas manquer d'associer les deux idées d'Orion et de Chantilly. Cette association d'idées, je la vis au *style* du sourire qui traversa vos lèvres. Vous pensiez à l'immolation du pauvre savetier. Jusque-là, vous aviez marché courbé en deux, mais alors je vous vis vous redresser de toute votre hauteur. J'étais bien sûr que vous pensiez à la pauvre petite taille de Chantilly. C'est dans ce moment que j'interrompis vos réflexions pour vous faire remarquer que c'était un pauvre petit avorton que ce Chantilly, et qu'il serait bien mieux à sa place au théâtre des Variétés. »

Peu de temps après cet entretien, nous parcourions l'édition du soir de la *Gazette des tribunaux*, quand les paragraphes suivants attirèrent notre attention :

« DOUBLE ASSASSINAT DES PLUS SINGULIERS. – Ce matin, vers trois heures, les habitants du quartier Saint-Roch furent réveillés par une suite de cris effrayants qui semblaient venir du quatrième étage d'une maison de la rue Morgue, que l'on savait occupée en totalité par une dame l'Espanaye et sa fille, Mlle Camille l'Espanaye. Après quelques retards causés par des efforts infructueux pour se faire ouvrir à l'amiable, la grande porte fut forcée avec une pince, et huit ou dix voisins entrèrent, accompagnés de deux gendarmes.

« Cependant, les cris avaient cessé ; mais, au moment où tout ce monde arrivait pêle-mêle au premier étage, on distingua deux fortes voix, peut-être plus, qui semblaient se disputer violemment et venir de la partie supérieure de la maison. Quand on arriva au second palier, ces bruits avaient également cessé, et tout était parfaitement tranquille. Les voisins se répandirent de chambre en chambre. Arrivés à une vaste pièce située sur le derrière, au quatrième étage, et dont on força la porte qui était fermée, avec la clef en dedans, ils se trouvèrent en face d'un spectacle qui frappa tous les assistants d'une terreur non moins grande que leur étonnement.

« La chambre était dans le plus étrange désordre ; les meubles brisés et éparpillés dans tous les sens. Il n'y avait qu'un lit, les matelas en avaient été arrachés et jetés au milieu du parquet. Sur une chaise, on trouva un rasoir mouillé de sang ; dans l'âtre, trois longues et fortes boucles de cheveux gris, qui semblaient avoir été violemment arrachés avec leurs racines. Sur le parquet gisaient quatre napoléons, une boucle d'oreille ornée d'une topaze, trois grandes cuillers d'argent, trois plus petites en métal d'Alger, et deux sacs contenant environ quatre mille francs en or. Dans un coin, les tiroirs d'une commode étaient ouverts et avaient sans doute été mis au pillage, bien qu'on y ait trouvé plusieurs articles intacts. Un petit coffret de fer fut trouvé sous la literie (non pas sous le bois de lit) ; il était ouvert, avec la clef dans la serrure. Il ne contenait que quelques vieilles lettres et d'autres papiers sans importance.

« On ne trouva aucune trace de Mme l'Espanaye ; mais on remarqua une quantité extraordinaire de suie dans le foyer ; on fit une recherche dans la cheminée, et – chose horrible à dire ! – on en tira le corps de la demoiselle, la tête en bas, qui avait été introduit de force et poussé par l'étroite ouverture jusqu'à une distance assez considérable. Le corps était tout chaud. En l'examinant, on découvrit de nombreuses excoriations, occasionnées sans doute par la violence avec laquelle il y avait été fourré et qu'il avait fallu employer pour le dégager. La figure portait quelques fortes égratignures, et la gorge était stigmatisée par des meurtrissures noires et de profondes traces d'ongles, comme si la mort avait eu lieu par strangulation.

« Après un examen minutieux de chaque partie de la maison, qui n'amena aucune découverte nouvelle, les voisins s'introduisirent dans une petite cour pavée, située sur le derrière du bâtiment. Là, gisait le cadavre de la vieille dame, avec la gorge si parfaitement coupée que, quand on essaya de le relever, la tête se détacha du tronc. Le corps, aussi bien que la tête, était terriblement mutilé, et celui-ci à ce point qu'il gardait à peine une apparence humaine.

« Toute cette affaire reste un horrible mystère, et jusqu'à présent on n'a pas encore découvert, que nous sachions, le moindre fil conducteur. »

Le numéro suivant portait ces détails additionnels :

« LE DRAME DE LA RUE MORGUE. – Bon nombre d'individus ont été interrogés relativement à ce terrible et extraordinaire événement, mais rien n'a transpiré qui puisse jeter quelque jour sur l'affaire. Nous donnons ci-dessous les dépositions obtenues :

« Pauline Dubourg, blanchisseuse, dépose qu'elle a connu les deux victimes pendant trois ans, et qu'elle a blanchi pour elles pendant tout ce temps. La vieille dame et sa fille semblaient en bonne intelligence – très affectueuses l'une envers l'autre. C'étaient de bonnes *payes*. Elle ne peut rien dire relativement à leur genre de vie et à leurs moyens d'existence. Elle croit que Mme l'Espanaye disait la bonne aventure pour vivre. Cette dame passait pour avoir de l'argent de côté. Elle n'a jamais rencontré personne dans la maison quand elle venait rapporter ou prendre le linge. Elle est sûre que ces dames n'avaient aucun domestique à leur service. Il lui a semblé qu'il n'y avait de meubles dans aucune partie de la maison, excepté au quatrième étage.

« Pierre Moreau, marchand de tabac, dépose qu'il fournissait habituellement Mme l'Espanaye, et lui vendait de petites quantités de tabac, quelquefois en poudre. Il est né dans le quartier et y a toujours demeuré. La défunte et sa fille occupaient depuis plus de six ans la maison où l'on a trouvé leurs cadavres. Primitivement elle était habitée par un bijoutier, qui sous-louait les appartements supérieurs à différentes personnes. La maison appartenait à Mme l'Espanaye. Elle s'était montrée très mécontente de son locataire, qui endommageait les lieux ; elle était venue habiter sa propre maison, refusant d'en louer une seule partie. La bonne dame était en enfance. Le témoin a vu la fille cinq ou six fois dans l'intervalle de ces six années. Elles menaient toutes deux une vie excessivement retirée ; elles passaient pour avoir de quoi. Il a entendu dire chez les voisins que Mme l'Espanaye disait la bonne aventure ; il ne le croit pas. Il n'a jamais vu personne franchir la porte, excepté la vieille dame et sa fille, un commissionnaire une ou deux fois, et un médecin huit ou dix.

« Plusieurs autres personnes du voisinage déposent dans le même sens. On ne cite personne comme ayant fréquenté la maison. On ne sait pas si la dame et sa fille avaient des parents vivants. Les volets des fenêtres de face s'ouvraient rarement. Ceux de derrière étaient toujours fermés, excepté aux fenêtres de la grande arrière-pièce du quatrième étage. La maison était une assez bonne maison, pas trop vieille.

« Isidore Muset, gendarme, dépose qu'il a été mis en réquisition, vers trois heures du matin, et qu'il a trouvé à la grande porte vingt ou trente personnes qui s'efforçaient de pénétrer dans la maison. Il l'a forcée avec une baïonnette et non pas avec une pince. Il n'a pas eu grand-peine à l'ouvrir, parce qu'elle était à deux battants et n'était verrouillée ni par en haut ni par en bas. Les cris ont continué jusqu'à ce que la porte fût enfoncée, puis ils ont soudainement cessé. On eût dit les cris d'une ou de plusieurs personnes en proie aux plus vives douleurs ; des cris très hauts, très prolongés, – non pas des cris brefs, ni précipités. Le témoin a grimpé l'escalier. En arrivant au premier palier, il a entendu deux voix qui se disputaient très haut et très aigrement ; – l'une, une voix rude, l'autre beaucoup plus aiguë, une voix très singulière. Il a distingué quelques mots de la première, c'était celle d'un Français. Il est certain que ce n'est pas une voix de femme. Il a pu distinguer les mots *sacré* et *diable*. La voix aiguë était celle d'un étranger. Il ne sait pas précisément si c'était une voix d'homme ou de femme. Il n'a pu deviner ce qu'elle disait, mais il présume qu'elle parlait espagnol. Ce témoin rend compte de l'état de la chambre et des cadavres dans les mêmes termes que nous l'avons fait hier.

« Henri Duval, un voisin, et orfèvre de son état, dépose qu'il faisait partie du groupe de ceux qui sont entrés les premiers dans la maison. Confirme généralement le témoignage de Muset. Aussitôt qu'ils se sont introduits dans la maison, ils ont refermé la porte pour barrer le passage à la foule qui s'amassait considérablement, malgré l'heure plus que matinale. La voix aiguë, à en croire le témoin, était une voix d'Italien. À coup sûr, ce n'était pas une voix française. Il ne sait pas au juste si c'était une voix de femme ; cependant, cela pourrait bien être. Le témoin n'est pas familiarisé avec la langue italienne ; il n'a pu distinguer les paroles, mais il est convaincu d'après l'intonation que l'individu qui parlait était un Italien. Le témoin a connu Mme l'Espanaye et sa fille. Il a fréquemment causé avec elles. Il est certain que la voix aiguë n'était celle d'aucune des victimes.

« Odenheimer, restaurateur. Ce témoin s'est offert de lui-même. Il ne parle pas français, et on l'a interrogé par le canal d'un interprète. Il est né à Amsterdam. Il passait devant la maison au moment des cris. Ils ont duré quelques minutes, dix minutes peut-être. C'étaient des cris prolongés, très hauts, très effrayants, – des cris navrants. Odenheimer est un de ceux qui ont pénétré dans la maison. Il confirme le témoignage précédent, à l'exception d'un seul point. Il est sûr que la voix aiguë était celle d'un homme, – d'un Français. Il n'a pu distinguer les mots articulés. On parlait haut et vite, – d'un ton inégal, – et qui exprimait la crainte aussi bien que la colère. La voix était âpre, plutôt âpre qu'aiguë. Il ne peut appeler cela précisément une voix aiguë. La grosse voix dit à plusieurs reprises : *Sacré*, – *diable*, – et une fois : *Mon Dieu !*

« Jules Mignaud, banquier, de la maison Mignaud et fils, rue Deloraine. Il est l'aîné des Mignaud. Mme l'Espanaye avait quelque fortune. Il lui avait ouvert un compte dans sa maison, huit ans auparavant, au printemps. Elle a souvent déposé chez lui de petites sommes d'argent. Il ne lui a rien délivré jusqu'au troisième jour avant sa mort, où elle est venue lui demander en personne une somme de quatre mille francs. Cette somme lui a été payée en or, et un commis a été chargé de la lui porter chez elle.

« Adolphe Lebon, commis chez Mignaud et fils, dépose que, le jour en question, vers midi, il a accompagné Mme l'Espanaye à son logis, avec les quatre mille francs, en deux sacs. Quand la porte s'ouvrit, Mlle l'Espanaye parut, et lui prit des mains l'un des deux sacs, pendant que la vieille dame le déchargeait de l'autre. Il les salua et partit. Il n'a vu personne dans la rue en ce moment. C'est une rue borgne, très solitaire.

« William Bird, tailleur, dépose qu'il est un de ceux qui se sont introduits dans la maison. Il est anglais. Il a vécu deux ans à Paris. Il est un des premiers qui ont monté l'escalier. Il a entendu les voix qui se disputaient. La voix rude était celle d'un Français, il a pu distinguer quelques mots, mais il ne se les rappelle pas. Il a entendu distinctement *sacré* et *mon Dieu*. C'était en ce moment un bruit comme de plusieurs personnes qui se battent, – le tapage d'une lutte et d'objets qu'on brise. La voix aiguë était très forte, plus forte que la voix rude. Il est sûr que ce n'était pas une voix d'Anglais. Elle lui sembla une voix d'Allemand ; peut-être bien une voix de femme. Le témoin ne sait pas l'allemand.

« Quatre des témoins ci-dessus mentionnés ont été assignés de nouveau et ont déposé que la porte de la chambre où fut trouvé le corps de Mlle l'Espanaye était fermée en dedans quand ils y arrivèrent. Tout était parfaitement silencieux ; ni gémissements ni bruits d'aucune espèce. Après avoir forcé la porte, ils ne virent personne.

« Les fenêtres, dans la chambre de derrière et dans celle de face, étaient fermées et solidement assujetties en dedans. Une porte de communication était fermée, mais pas à clef. La porte qui conduit de la chambre du devant au corridor était fermée à clef, et la clef en dedans ; une petite pièce sur le devant de la maison, au quatrième

étage, à l'entrée du corridor, ouverte, et la porte entre-
bâillée ; cette pièce, encombrée de vieux bois de lits, de
malles, etc. On a soigneusement dérangé et visité tous ces
objets. Il n'y a pas un pouce d'une partie quelconque de
la maison qui n'ait été soigneusement visité. On a fait
pénétrer des ramoneurs dans les cheminées. La maison
est à quatre étages avec des mansardes. Une trappe qui
donne sur le toit était condamnée et solidement fermée
avec des clous ; elle ne semblait pas avoir été ouverte
depuis des années. Les témoins varient sur la durée du
temps écoulé entre le moment où l'on a entendu les voix
qui se disputaient et celui où l'on a forcé la porte de la
chambre. Quelques-uns l'évaluent très court, – deux ou
trois minutes, – d'autres, cinq minutes. La porte ne fut
ouverte qu'à grand-peine.

« Alfonso Garcio, entrepreneur des pompes funèbres,
dépose qu'il demeure rue Morgue. Il est né en Espagne.
Il est un de ceux qui ont pénétré dans la maison. Il n'a
pas monté l'escalier. Il a les nerfs très délicats, et redoute
les conséquences d'une violente agitation nerveuse. Il a
entendu les voix qui se disputaient. La grosse voix était
celle d'un Français. Il n'a pu distinguer ce qu'elle disait.
La voix aiguë était celle d'un Anglais, il en est bien sûr.
Le témoin ne sait pas l'anglais, mais il juge d'après
l'intonation.

« Alberto Montani, confiseur, dépose qu'il fut des premiers qui montèrent l'escalier. Il a entendu les voix en
question. La voix rauque était celle d'un Français. Il a
distingué quelques mots. L'individu qui parlait semblait
faire des remontrances. Il n'a pas pu deviner ce que disait
la voix aiguë. Elle parlait vite et par saccades. Il l'a prise
pour la voix d'un Russe. Il confirme en général les témoignages précédents. Il est italien ; il avoue qu'il n'a jamais
causé avec un Russe.

« Quelques témoins, rappelés, certifient que les cheminées dans toutes les chambres, au quatrième étage, sont

trop étroites pour livrer passage à un être humain. Quand ils ont parlé de ramonage, ils voulaient parler de ces brosses en forme de cylindres dont on se sert pour nettoyer les cheminées. On a fait passer ces brosses du haut en bas dans tous les tuyaux de la maison. Il n'y a sur le derrière aucun passage qui ait pu favoriser la fuite d'un assassin, pendant que les témoins montaient l'escalier. Le corps de Mlle l'Espanaye était si solidement engagé dans la cheminée qu'il a fallu, pour le retirer, que quatre ou cinq des témoins réunissent leurs forces.

« Paul Dumas, médecin, dépose qu'il a été appelé au point du jour pour examiner les cadavres. Ils gisaient tous les deux sur le fond de sangle du lit dans la chambre où avait été trouvée Mlle l'Espanaye. Le corps de la jeune dame était fortement meurtri et excorié. Ces particularités s'expliquent suffisamment par le fait de son introduction dans la cheminée. La gorge était singulièrement écorchée. Il y avait, juste au-dessous du menton, plusieurs égratignures profondes, avec une rangée de taches livides, résultant évidemment de la pression des doigts. La face était affreusement décolorée, et les globes des yeux sortaient de la tête. La langue était coupée à moitié. Une large meurtrissure se manifestait au creux de l'estomac, produite, selon toute apparence, par la pression d'un genou. Dans l'opinion de M. Dumas, Mlle l'Espanaye avait été étranglée par un ou plusieurs individus inconnus.

« Le corps de la mère était horriblement mutilé. Tous les os de la jambe et du bras gauche plus ou moins fracassés ; le tibia gauche brisé en esquilles, ainsi que les côtes du même côté. Tout le corps affreusement meurtri et décoloré. Il était impossible de dire comment de pareils coups avaient été portés. Une lourde massue de bois ou une large pince de fer, une arme grosse, pesante et contondante, aurait pu produire de pareils résultats, et encore, maniée par les mains d'un homme excessivement robuste. Avec n'importe quelle arme, aucune femme n'aurait pu frapper de tels coups. La tête de la défunte, quand le témoin la vit, était entièrement séparée du tronc, et, comme le reste, singulièrement broyée. La gorge évidemment avait été tranchée avec un instrument très affilé, très probablement un rasoir.

« Alexandre Étienne, chirurgien, a été appelé en même temps que M. Dumas pour visiter les cadavres ; il confirme le témoignage et l'opinion de M. Dumas.

« Quoique plusieurs autres personnes aient été interrogées, on n'a pu obtenir aucun autre renseignement d'une valeur quelconque. Jamais assassinat si mystérieux, si embrouillé n'a été commis à Paris, si toutefois il y a eu assassinat.

« La police est absolument déroutée, – cas fort usité dans les affaires de cette nature. Il est vraiment impossible de retrouver le fil de cette affaire. »

L'édition du soir constatait qu'il régnait une agitation permanente dans le quartier Saint-Roch ; que les lieux avaient été l'objet d'un second examen, que les témoins avaient été interrogés de nouveau, mais tout cela sans résultat. Cependant, un post-scriptum annonçait qu'Adolphe Lebon, le commis de la maison de banque, avait été arrêté et incarcéré, bien que rien des faits déjà connus ne parût suffisant pour l'incriminer.

Dupin semblait s'intéresser singulièrement à la marche de cette affaire, autant, du moins, que j'en pouvais juger par ses manières, car il ne faisait aucun commentaire. Ce fut seulement après que le journal eût annoncé l'emprisonnement de Lebon qu'il me demanda quelle opinion j'avais relativement à ce double meurtre.

Je ne pus que lui confesser que j'étais comme tout Paris, et que je le considérais comme un mystère insoluble. Je ne voyais aucun moyen d'attraper la trace du meurtrier.

– Nous ne devons pas juger des moyens possibles, dit Dupin, par une construction embryonnaire. La police parisienne, si vantée pour sa pénétration, est très rusée, rien de plus. Elle procède sans méthode, elle n'a pas d'autre méthode que celle du moment. On fait ici un grand étalage de mesures, mais il arrive souvent qu'elles sont si intempestives et si mal appropriées au but qu'elles font penser à M. Jourdain, qui demandait *sa robe de chambre – pour mieux entendre la musique.* Les résultats obtenus sont quelquefois surprenants, mais ils sont, pour la plus grande partie, simplement dus à la diligence et à l'activité. Dans le cas où ces facultés sont insuffisantes, les plans ratent. Vidocq, par exemple, était bon pour deviner ; c'était un homme de patience ; mais, sa pensée n'étant pas suffisamment éduquée, il faisait continuellement fausse route, par l'ardeur même de ses investigations. Il diminuait la force de sa vision en regardant l'objet de trop près. Il pouvait peut-être voir un ou deux points avec une netteté singulière, mais, par le fait même de son procédé, il perdait l'aspect de l'affaire prise dans son ensemble. Cela peut s'appeler le moyen d'être trop profond. La vérité n'est pas toujours dans un puits. En somme, quant à ce qui regarde les notions qui nous intéressent de plus près, je crois qu'elle est invariablement à la surface. Nous la cherchons dans la profondeur de la vallée : c'est au sommet des montagnes que nous la découvrirons.

« On trouve dans la contemplation des corps célestes des exemples et des échantillons excellents de ce genre d'erreur. Jetez sur une étoile un rapide coup d'œil, regardez-la obliquement, en tournant vers elle la partie latérale de la rétine (beaucoup plus sensible à une lumière faible que la partie centrale), et vous verrez l'étoile distinctement ; vous aurez l'appréciation la plus juste de son éclat, éclat qui s'obscurcit à proportion que vous dirigez votre point de vue en plein sur elle.

« Dans le dernier cas, il tombe sur l'œil un plus grand nombre de rayons ; mais, dans le premier, il y a une réceptibilité plus complète, une susceptibilité beaucoup plus vive. Une profondeur outrée affaiblit la pensée et la rend perplexe ; et il est possible de faire disparaître Vénus elle-même du firmament par une attention trop soutenue, trop concentrée, trop directe.

« Quant à cet assassinat, faisons nous-mêmes un examen avant de nous former une opinion. Une enquête nous procurera de l'amusement (je trouvai cette expression bizarre, appliquée au cas en question, mais je ne dis mot) ; et, en outre, Lebon m'a rendu un service pour lequel je ne veux pas me montrer ingrat. Nous irons sur les lieux, nous les examinerons de nos propres yeux. Je connais G..., le préfet de police, et nous obtiendrons sans peine l'autorisation nécessaire.

L'autorisation fut accordée, et nous allâmes tout droit à la rue Morgue. C'est un de ces misérables passages qui relient la rue Richelieu à la rue Saint-Roch. C'était dans l'après-midi, et il était déjà tard quand nous y arrivâmes, car ce quartier est situé à une grande distance de celui que nous habitions. Nous trouvâmes bien vite la maison, car il y avait une multitude de gens qui contemplaient de l'autre côté de la rue les volets fermés avec une curiosité badaude. C'était une maison comme toutes les maisons de Paris, avec une porte cochère, et sur l'un des côtés une niche vitrée avec un carreau mobile, représentant la loge du concierge. Avant d'entrer, nous remontâmes la rue, nous tournâmes dans une allée, et nous passâmes ainsi sur les derrières de la maison. Dupin, pendant ce temps, examinait tous les alentours, aussi bien que la maison, avec une attention minutieuse dont je ne pouvais pas deviner l'objet.

Nous revînmes sur nos pas vers la façade de la maison ; nous sonnâmes, nous montrâmes notre pouvoir, et les agents nous permirent d'entrer. Nous montâmes jusqu'à la chambre où l'on avait trouvé le corps de Mlle l'Espanaye, et où gisaient encore les deux cadavres. Le désordre de la chambre avait été respecté, comme cela se pratique en pareil cas. Je ne vis rien de plus que ce qu'avait constaté la *Gazette des tribunaux*. Dupin analysait minutieusement toutes choses, sans en excepter les corps des victimes. Nous passâmes ensuite dans les autres chambres, et nous descendîmes dans les cours, toujours accompagnés par un gendarme. Cet examen dura fort longtemps, et il était nuit quand nous quittâmes la maison. En retournant chez nous, mon camarade s'arrêta quelques minutes dans les bureaux d'un journal quotidien.

J'ai dit que mon ami avait toutes sortes de bizarreries, et que *je les ménageais* (car ce mot n'a pas d'équivalent en anglais). Il entrait maintenant dans sa fantaisie de se refuser à toute conversation relativement à l'assassinat, jusqu'au lendemain à midi. Ce fut alors qu'il me demanda brusquement si j'avais remarqué quelque chose de *particulier* sur le théâtre du crime.

Il y eut dans sa manière de prononcer le mot *particulier* un accent qui me donna le frisson sans que je susse pourquoi.

– Non, rien de particulier, dis-je, rien autre, du moins, que ce que nous avons lu tous deux dans le journal.

– La *Gazette*, reprit-il, n'a pas, je le crains, pénétré l'horreur insolite de l'affaire. Mais laissons là les opinions niaises de ce papier. Il me semble que le mystère est considéré comme insoluble, par la raison même qui devrait le faire regarder comme facile à résoudre, – je veux parler du caractère excessif sous lequel il apparaît. Les gens de police sont confondus par l'absence apparente de motifs légitimant, non le meurtre en lui-même, mais l'atrocité du meurtre. Ils sont embarrassés aussi par l'impossibilité apparente de concilier les voix qui se disputaient avec ce fait qu'on n'a trouvé en haut de l'escalier d'autre personne que Mlle l'Espanaye, assassinée, et qu'il n'y avait aucun moyen de sortir sans être vu des gens qui montaient l'escalier. L'étrange désordre de la chambre, – le corps fourré, la tête en bas, dans la cheminée, – l'effrayante mutilation du corps de la vieille dame, – ces considérations, jointes à celles que j'ai mentionnées et à d'autres dont je n'ai pas besoin de parler, ont suffi pour paralyser l'action des agents du ministère et pour dérouter complètement leur perspicacité si vantée. Ils ont commis la très grosse et très commune faute de confondre l'extraordinaire avec l'abstrus. Mais c'est justement en suivant ces déviations du cours ordinaire de la nature que la raison trouvera son chemin, si la chose est possible, et marchera vers la vérité. Dans des investigations du genre de celle qui nous occupe, il ne faut pas tant se demander comment les choses se sont passées qu'étudier en quoi elles se distinguent de tout ce qui est arrivé jusqu'à présent. Bref, la facilité avec laquelle j'arriverai, – ou je suis déjà arrivé, – à la solution du mystère, est en raison directe de son insolubilité apparente aux yeux de la police.

Je fixai mon homme avec un étonnement muet.

– J'attends maintenant, continua-t-il en jetant un regard sur la porte de notre chambre, j'attends un individu qui, bien qu'il ne soit peut-être pas l'auteur de cette boucherie, doit se trouver en partie impliqué dans sa perpétration. Il est probable qu'il est innocent de la partie atroce du crime. J'espère ne pas me tromper dans cette hypothèse ; car c'est sur cette hypothèse que je fonde l'espérance de déchiffrer l'énigme entière. J'attends l'homme ici, – dans cette chambre, – d'une minute à l'autre. Il est vrai qu'il peut fort bien ne pas venir, mais il y a quelques probabilités pour qu'il vienne. S'il vient, il sera nécessaire de le garder. Voici des pistolets, et nous savons tous deux à quoi ils servent quand l'occasion l'exige.

Je pris les pistolets, sans trop savoir ce que je faisais, pouvant à peine en croire mes oreilles, – pendant que

Dupin continuait à peu près comme dans un monologue. J'ai déjà parlé de ses manières distraites, dans ces moments-là. Son discours s'adressait à moi ; mais sa voix, quoique montée à un diapason fort ordinaire, avait cette intonation que l'on prend d'habitude en parlant à quelqu'un placé à une grande distance. Ses yeux, d'une expression vague, ne regardaient que le mur.

– Les voix qui se disputaient, disait-il, les voix entendues par les gens qui montaient l'escalier n'étaient pas celles de ces malheureuses femmes, – cela est plus que prouvé par l'évidence. Cela nous débarrasse pleinement de la question de savoir si la vieille dame aurait assassiné sa fille et se serait ensuite suicidée.

« Je ne parle de ce cas que par amour de la méthode ; car la force de Mme l'Espanaye eût été absolument insuffisante pour introduire le corps de sa fille dans la cheminée de la façon où on l'a découvert ; et la nature des blessures trouvées sur sa propre personne exclut entièrement l'idée de suicide. Le meurtre a donc été commis par des tiers, et les voix de ces tiers sont celles qu'on a entendues se quereller.

« Permettez-moi maintenant d'appeler votre attention, – non pas sur les dépositions relatives à ces voix, – mais sur ce qu'il y a de *particulier* dans ces dépositions. Y avez-vous remarqué quelque chose de particulier ?

– Je remarquai que, pendant que tous les témoins s'accordaient à considérer la grosse voix comme étant celle d'un Français, il y avait un grand désaccord relativement à la voix aiguë, ou, comme l'avait définie un seul individu, à la voix âpre.

– Cela constitue l'évidence, dit Dupin, mais non la particularité de l'évidence. Vous n'avez rien observé de distinctif ; – cependant il y avait *quelque chose* à observer. Les témoins, remarquez-le bien, sont d'accord sur la grosse voix ; là-dessus, il y a unanimité. Mais, relativement à la voix aiguë, il y a une particularité, – elle ne

consiste pas dans leur désaccord – mais en ceci que, quand
un Italien, un Anglais, un Espagnol, un Hollandais
essayent de la décrire, chacun en parle comme d'une voix
d'*étranger*, chacun est sûr que ce n'était pas la voix d'un
de ses compatriotes.

« Chacun la compare, non pas à la voix d'un individu
dont la langue lui serait familière, mais justement au
contraire. Le Français présume que c'était une voix
d'Espagnol, et *il aurait pu distinguer quelques mots s'il
était familiarisé avec l'espagnol*. Le Hollandais affirme
que c'était la voix d'un Français ; mais il est établi que le
témoin, ne sachant pas le français, a été interrogé par le
canal d'un interprète. L'Anglais pense que c'était la voix
d'un Allemand, et *il n'entend pas l'allemand*. L'Espagnol
est *positivement sûr* que c'était une voix d'un Anglais, mais
il en juge uniquement par l'intonation, car *il n'a aucune
connaissance de l'anglais*. L'Italien croit à une voix de
Russe, mais *il n'a jamais causé avec une personne native
de Russie*. Un autre Français, cependant, diffère du premier, et il est certain que c'était une voix d'Italien ; mais,
n'ayant pas la connaissance de cette langue, il fait comme
l'Espagnol, *il tire sa certitude de l'intonation*. Or, cette
voix était donc bien insolite et bien étrange qu'on ne pût
obtenir à son égard que de pareils témoignages ? Une
voix dans les intonations de laquelle des citoyens des cinq
grandes parties de l'Europe n'ont rien pu reconnaître qui
leur fût familier ! Vous me direz que c'était peut-être la
voix d'un Asiatique ou d'un Africain. Les Africains et
les Asiatiques n'abondent pas à Paris ; mais, sans nier la
possibilité du cas, j'appellerai simplement votre attention
sur trois points.

« Un témoin dépeint la voix ainsi : *plutôt âpre qu'aiguë*.
Deux autres en parlent comme d'une voix *brève et saccadée*. Ces témoins n'ont distingué aucune parole, – aucun
son ressemblant à des paroles.

« Je ne sais pas, continua Dupin, quelle impression j'ai pu faire sur votre entendement ; mais je n'hésite pas à affirmer qu'on peut tirer des déductions légitimes de cette partie même des dépositions, – la partie relative aux deux voix – la grosse voix et la voix aiguë – très suffisantes en elles-mêmes pour créer un soupçon qui indiquerait la route dans toute investigation ultérieure du mystère.

« J'ai dit : déductions légitimes, mais cette expression ne rend pas complètement ma pensée. Je voulais faire entendre que ces déductions sont les seules convenables, et que ce soupçon en surgit inévitablement comme le seul résultat possible. Cependant, de quelle nature est ce soupçon, je ne vous le dirai pas immédiatement. Je désire simplement vous démontrer que ce soupçon était plus que suffisant pour donner un caractère décidé, une tendance positive à l'enquête que je voulais faire dans la chambre.

« Maintenant, transportons-nous en imagination dans cette chambre. Quel sera le premier objet de notre recherche ? Les moyens d'évasion employés par les meurtriers. Nous pouvons affirmer, – n'est-ce pas ? – que nous ne croyons ni l'un ni l'autre aux événements surnaturels. Mmes l'Espanaye n'ont pas été assassinées par les esprits. Les auteurs du meurtre étaient des êtres matériels, et ils ont fui matériellement.

« Or, comment ? Heureusement, il n'y a qu'une manière de raisonner sur ce point, et cette manière nous conduira à une conclusion positive. Examinons donc un à un les moyens possibles d'évasion. Il est clair que les assassins étaient dans la chambre où l'on a trouvé Mlle l'Espanaye, ou au moins dans la chambre adjacente quand la foule a monté l'escalier. Ce n'est donc que dans ces deux chambres que nous avons à chercher des issues. La police a levé les parquets, ouvert les plafonds, sondé la maçonnerie des murs. Aucune issue secrète n'a pu échapper à sa perspicacité. Mais je ne me suis pas fié à ses yeux, et j'ai examiné avec les miens ; il n'y a réellement pas d'issue secrète. Les deux portes qui conduisent des chambres dans le corridor étaient solidement fermées et les clefs en dedans. Voyons les cheminées. Celles-ci, qui sont d'une largeur ordinaire jusqu'à une distance de huit ou dix pieds au-dessus du foyer, ne livreraient pas au-delà un passage suffisant à un gros chat.

« L'impossibilité de la fuite, du moins par les voies ci-dessus indiquées, étant donc absolument établie, nous en sommes réduits aux fenêtres. Personne n'a pu fuir par celles de la chambre du devant sans être vu par la foule du dehors. Il a donc *fallu* que les meurtriers s'échappassent par celles de la chambre de derrière.

« Maintenant, amenés, comme nous le sommes, à cette conclusion par des déductions aussi irréfragables, nous n'avons pas le droit, en tant que raisonneurs, de la rejeter en raison de son apparente impossibilité. Il ne nous reste donc qu'à démontrer que cette impossibilité apparente n'existe pas en réalité.

« Il y a deux fenêtres dans la chambre. L'une des deux n'est pas obstruée par l'ameublement, et est restée entièrement visible. La partie inférieure de l'autre est cachée par le chevet du lit, qui est fort massif et qui est poussé tout contre. On a constaté que la première était solidement assujettie en dedans. Elle a résisté aux efforts les plus violents de ceux qui ont essayé de la lever. On avait percé dans son châssis, à gauche, un grand trou avec une vrille, et on y trouva un gros clou enfoncé presque jusqu'à la tête. En examinant l'autre fenêtre, on y a trouvé fiché un clou semblable ; et un vigoureux effort pour lever le châssis n'a pas eu plus de succès que de l'autre côté. La police était dès lors pleinement convaincue qu'aucune fuite n'avait pu s'effectuer par ce chemin. Il fut donc considéré comme superflu de retirer les clous et d'ouvrir les fenêtres.

« Mon examen fut un peu plus minutieux, et cela par la raison que je vous ai donnée, tout à l'heure. C'était le cas, je le savais, où il *fallait* démontrer que l'impossibilité n'était qu'apparente.

« Je continuai à raisonner ainsi, – *a posteriori*. – Les meurtriers s'étaient évadés par l'une de ces fenêtres. Cela étant, ils ne pouvaient pas avoir réassujetti les châssis en dedans, comme on les a trouvés ; considération qui, par son évidence, a borné les recherches de la police dans ce sens-là. Cependant, ces châssis étaient bien fermés. Il *faut* donc qu'ils puissent se fermer d'eux-mêmes. Il n'y avait pas moyen d'échapper à cette conclusion. J'allai droit à la fenêtre non bouchée, je retirai le clou avec quelque difficulté, et j'essayai de lever le châssis. Il a résisté à tous mes efforts, comme je m'y attendais. Il y avait donc, j'en étais sûr maintenant, un ressort caché ; et ce fait corroborant mon idée me convainquit au moins de la justesse de mes prémisses, quelque mystérieuses que m'apparussent toujours les circonstances relatives aux clous. Un examen minutieux me fit bientôt découvrir le ressort secret. Je le poussai, et, satisfait de ma découverte, je m'abstins de lever le châssis.

« Je remis alors le clou en place et l'examinai attentivement. Une personne passant par la fenêtre pouvait l'avoir refermée, et le ressort aurait fait son office ; mais le clou n'aurait pas été replacé. Cette conclusion était nette et rétrécissait encore le champ de mes investigations. Il *fallait* que les assassins se fussent enfuis par l'autre fenêtre. En supposant donc que les ressorts des deux croisées fussent semblables, comme il était probable, il *fallait* cependant trouver une différence dans les clous, ou au moins dans la manière dont ils avaient été fixés. Je montai sur le fond de sangle du lit, et je regardai minutieusement l'autre fenêtre par-dessus le chevet du lit. Je passai ma main derrière, je découvris aisément le ressort, et je le fis jouer ; – il était, comme je l'avais deviné, identique au premier. Alors, j'examinai le clou. Il était aussi gros que l'autre, et fixé de la même manière, enfoncé presque jusqu'à la tête.

« Vous direz que j'étais embarrassé ; mais, si vous avez une pareille pensée, c'est que vous vous êtes mépris sur la nature de mes inductions. Pour me servir d'un terme de jeu, je n'avais pas commis une seule faute ; je n'avais pas perdu la piste un seul instant ; il n'y avait pas une lacune d'un anneau à la chaîne. J'avais suivi le secret jusque dans sa dernière phase, et cette phase, c'était le clou. Il ressemblait, dis-je, sous tous les rapports, à son voisin de l'autre fenêtre ; mais ce fait, quelque concluant qu'il fût en apparence, devenait absolument nul, en face de cette considération dominante, à savoir que là, à ce clou, finissait le fil conducteur. Il faut, me dis-je, qu'il y ait dans ce clou quelque chose de défectueux. Je le touchai, et la tête, avec un petit morceau de la tige, un quart de pouce environ, me resta dans les doigts. Le reste de la tige était dans le trou, où elle s'était cassée. Cette fracture était fort ancienne, car les bords étaient incrustés de rouille, et elle avait été opérée par un coup de marteau, qui avait enfoncé en partie la tête du clou dans le fond du châssis. Je rajustai soigneusement la tête avec le morceau qui la continuait, et le tout figura un clou intact ; la fissure était inappréciable. Je pressai le ressort, je levai doucement la croisée de quelques pouces ; la tête du clou vint avec elle, sans bouger de son trou. Je refermai la croisée, et le clou offrit de nouveau le semblant d'un clou complet.

« Jusqu'ici l'énigme était débrouillée. L'assassin avait fui par la fenêtre qui touchait au lit. Qu'elle fût retombée d'elle-même après la fuite ou qu'elle eût été fermée par une main humaine, elle était retenue par le ressort, et la police avait attribué cette résistance au clou ; aussi toute enquête ultérieure avait été jugée superflue.

« La question, maintenant, était celle du mode de descente. Sur ce point, j'avais satisfait mon esprit dans notre promenade autour du bâtiment. À cinq pieds et demi environ de la fenêtre en question court une chaîne de paratonnerre. De cette chaîne, il eût été impossible à n'importe qui d'atteindre la fenêtre, à plus forte raison d'entrer.

« Toutefois, j'ai remarqué que les volets du quatrième étage étaient du genre particulier que les menuisiers parisiens appellent *ferrades*, genre de volets fort peu usité aujourd'hui, mais qu'on rencontre fréquemment dans de vieilles maisons de Lyon et de Bordeaux. Ils sont faits comme une porte ordinaire (porte simple, et non pas à double battant), à l'exception que la partie inférieure est façonnée à jour et treillissée, ce qui donne aux mains une excellente prise.

« Dans le cas en question, ces volets sont larges de trois bons pieds et demi. Quand nous les avons examinés du derrière de la maison, ils étaient tous les deux ouverts à moitié, c'est-à-dire qu'ils faisaient angle droit avec le mur. Il est présumable que la police a examiné comme moi les derrières du bâtiment ; mais, en regardant ces *ferrades* dans le sens de leur largeur (comme elle les a vues inévitablement), elle n'a sans doute pas pris garde à cette largeur même, ou du moins elle n'y a pas attaché l'importance nécessaire. En somme, les agents, quand il a été démontré pour eux que la fuite n'avait pu s'effectuer de ce côté, ne leur ont appliqué qu'un examen succinct.

« Toutefois, il était évident pour moi que le volet appartenant à la fenêtre située au chevet du lit, si on le supposait rabattu contre le mur, se trouverait à deux pieds de la chaîne du paratonnerre. Il était clair aussi que, par l'effort d'une énergie et d'un courage insolites, on pouvait, à l'aide de la chaîne, avoir opéré une invasion par la fenêtre. Arrivé à cette distance de deux pieds et demi (je suppose maintenant le volet complètement ouvert), un voleur aurait pu trouver dans le treillage une prise solide. Il aurait pu dès lors, en lâchant la chaîne, en assurant bien ses pieds contre le mur et en s'élançant vivement, tomber dans la chambre, et attirer violemment le volet avec lui de manière à le fermer, – en supposant, toutefois, la fenêtre ouverte en ce moment-là.

« Remarquez bien, je vous prie, que j'ai parlé d'une énergie très peu commune, nécessaire pour réussir dans une entreprise aussi difficile, aussi hasardeuse. Mon but est de vous prouver d'abord que la chose a pu se faire, – en second lieu et, *principalement*, d'attirer votre attention sur le caractère *très extraordinaire*, presque surnaturel, de l'agilité nécessaire pour l'accomplir.

« Vous direz sans doute, en vous servant de la langue judiciaire, que, pour donner ma preuve *a fortiori*, je devrais plutôt *sous-évaluer* l'énergie nécessaire dans ce cas que réclamer son exacte estimation. C'est peut-être la pratique des tribunaux, mais cela ne rentre pas dans les us de la raison. Mon objet final, c'est la vérité. Mon but actuel, c'est de vous induire à rapprocher cette énergie tout à fait insolite de cette voix si particulière, de cette voix aiguë (ou âpre), de cette voix saccadée dont la nationalité n'a pu être constatée par l'accord de deux témoins, et dans laquelle personne n'a saisi de mots articulés, de syllabisation.

À ces mots, une conception vague et embryonnaire de la pensée de Dupin passa dans mon esprit. Il me semblait être sur la limite de la compréhension sans pouvoir comprendre ; comme les gens qui sont quelquefois sur le bord du souvenir, et qui cependant ne parviennent pas à se rappeler. Mon ami continua son argumentation :

– Vous voyez, dit-il, que j'ai transporté la question du mode de sortie au mode d'entrée. Il était dans mon plan de démontrer qu'elles se sont effectuées de la même manière et sur le même point. Retournons maintenant dans l'intérieur de la chambre. Examinons toutes les particularités. Les tiroirs de la commode, dit-on, ont été mis au pillage, et cependant on y a trouvé plusieurs articles de toilette intacts. Cette conclusion est absurde ; c'est une simple conjecture, – une conjecture passablement niaise, et rien de plus. Comment pouvons-nous savoir que les articles trouvés dans les tiroirs ne représentent pas tout ce que les tiroirs contenaient ? Mme l'Espanaye et sa fille menaient une vie excessivement retirée, ne voyaient pas le monde, sortaient rarement, avaient donc peu d'occasions de changer de toilette. Ceux qu'on a trouvés étaient au moins d'aussi bonne qualité qu'aucun de ceux que possédaient vraisemblablement ces dames. Et si un voleur en avait pris quelques-uns, pourquoi n'aurait-il pas pris les meilleurs, – pourquoi ne les aurait-il pas tous pris ? Bref, pourquoi aurait-il abandonné les quatre mille francs en or pour s'empêtrer d'un paquet de linge ? L'or a été abandonné. La presque totalité de la somme désignée par le banquier Mignaud a été trouvée sur le parquet, dans les sacs. Je tiens donc à écarter de votre pensée l'idée saugrenue d'un *intérêt*, idée engendrée dans le cerveau de la police par les dépositions qui parlent d'argent délivré à la porte même de la maison. Des coïncidences dix fois plus remarquables que celle-ci (la livraison de l'argent et le meurtre commis trois jours après sur le propriétaire) se présentent dans chaque heure de notre vie sans attirer notre attention, même une minute. En général, les coïncidences sont de grosses pierres d'achoppement dans la route de ces pauvres penseurs mal éduqués qui ne savent pas le premier mot de la théorie des probabilités, théorie à laquelle le savoir humain doit ses plus glorieuses conquêtes et ses plus belles découvertes. Dans le cas présent, si l'or avait disparu, le fait qu'il avait été délivré trois jours auparavant créerait quelque chose de plus qu'une coïncidence. Cela corroborerait l'idée d'intérêt. Mais, dans les circonstances réelles où nous sommes placés, si nous supposons que l'or a été le mobile de l'attaque, il nous faut supposer ce criminel assez indécis et assez idiot pour oublier à la fois son or et le mobile qui l'a fait agir.

« Mettez donc bien dans votre esprit les points sur lesquels j'ai attiré votre attention, – cette voix particulière, cette agilité sans pareille, et cette absence frappante d'intérêt dans un meurtre aussi singulièrement atroce que celui-ci. – Maintenant, examinons la boucherie en elle-même. Voilà une femme étranglée par la force des mains, et introduite dans une cheminée, la tête en bas. Des assassins ordinaires n'emploient pas de tels procédés pour tuer. Encore moins cachent-ils ainsi les cadavres de leurs victimes. Dans cette façon de fourrer le corps dans la cheminée, vous admettrez qu'il y a quelque chose d'excessif et de bizarre – quelque chose d'absolument inconciliable avec tout ce que nous connaissons en général des actions humaines, même en supposant que les auteurs fussent les plus pervertis des hommes. Songez aussi quelle force prodigieuse il a fallu pour pousser ce corps dans une pareille ouverture, et l'y pousser si puissamment que les efforts réunis de plusieurs personnes furent à peine suffisants pour l'en retirer.

« Portons maintenant notre attention sur d'autres indices de cette vigueur merveilleuse. Dans le foyer, on a trouvé des mèches de cheveux, – des mèches très épaisses de cheveux gris. Ils ont été arrachés avec leurs racines. Vous savez quelle puissante force il faut pour arracher seulement de la tête vingt ou trente cheveux à la fois. Vous avez vu les mèches en question aussi bien que moi. À leurs racines grumelées – affreux spectacle ! – adhéraient des fragments de cuir chevelu, – preuve certaine de la prodigieuse puissance qu'il a fallu déployer pour déraciner peut-être cinq cent mille cheveux d'un seul coup.

« Non seulement le cou de la vieille dame était coupé, mais la tête absolument séparée du corps : l'instrument était un simple rasoir. Je vous prie de remarquer cette férocité *bestiale*. Je ne parle pas des meurtrissures du corps de Mme l'Espanaye ; M. Dumas et son honorable confrère, M. Étienne, ont affirmé qu'elles avaient été produites par un instrument contondant ; et en cela ces messieurs furent tout à fait dans le vrai. L'instrument contondant a été évidemment le pavé de la cour sur lequel la victime est tombée de la fenêtre qui donne sur le lit. Cette idée, quelque simple qu'elle apparaisse maintenant, a échappé à la police par la même raison qui l'a empêchée de remarquer la largeur des volets ; parce que, grâce à la circonstance des clous, sa perception était hermétiquement bouchée à l'idée que les fenêtres eussent jamais pu être ouvertes.

« Si maintenant, – subsidiairement – vous avez convenablement réfléchi au désordre bizarre de la chambre, nous sommes allés assez avant pour combiner les idées d'une agilité merveilleuse, d'une férocité bestiale, d'une boucherie sans motif, d'une *grotesquerie* dans l'horrible absolument étrangère à l'humanité, et d'une voix dont l'accent est inconnu à l'oreille d'hommes de plusieurs nations, d'une voix dénuée de toute syllabisation distincte et intelligible. Or, pour vous, qu'en ressort-il ? Quelle impression ai-je faite sur votre imagination ?

Je sentis un frisson courir dans ma chair quand Dupin me fit cette question.

– Un fou, dis-je, aura commis ce meurtre, – quelque maniaque furieux échappé à une maison de santé du voisinage.

– Pas trop mal, répliqua-t-il, votre idée est presque applicable. Mais les voix des fous, même dans leurs plus sauvages paroxysmes, ne se sont jamais accordées avec ce qu'on dit de cette singulière voix entendue dans l'escalier. Les fous font partie d'une nation quelconque, et leur langage, pour incohérent qu'il soit dans les paroles, est toujours syllabifié. En outre, le cheveu d'un fou ne ressemble pas à celui que je tiens maintenant dans ma main. J'ai dégagé cette petite touffe des doigts rigides et crispés de Mme l'Espanaye. Dites-moi ce que vous en pensez.

– Dupin ! dis-je, complètement bouleversé, ces cheveux sont bien extraordinaires, – ce ne sont pas là des cheveux *humains* !

– Je n'ai pas affirmé qu'ils fussent tels, dit-il ; mais, avant de nous décider sur ce point, je désire que vous jetiez un coup d'œil sur le petit dessin que j'ai tracé sur ce bout de papier. C'est un *fac-similé* qui représente ce que certaines dépositions définissent les *meurtrissures noirâtres et les profondes marques d'ongles* trouvées sur le cou de Mlle l'Espanaye, et que MM. Dumas et Étienne appellent *une série de taches livides, évidemment causées par l'impression des doigts.*

– Vous voyez, continua mon ami en déployant le papier sur la table, que ce dessin donne l'idée d'une poigne solide et ferme. Il n'y a pas d'apparence que les doigts aient glissé. Chaque doigt a gardé, peut-être jusqu'à la mort de la victime, la terrible prise qu'il s'était faite, et dans laquelle il s'est moulé. Essayez maintenant de placer tous vos doigts, en même temps, chacun dans la marque analogue que vous voyez.

J'essayai, mais inutilement.

– Il est possible, dit Dupin, que nous ne fassions pas cette expérience d'une manière décisive. Le papier est déployé sur une surface plane, et la gorge humaine est cylindrique. Voici un rouleau de bois dont la circonférence est à peu près celle d'un cou. Étalez le dessin tout autour et recommencez l'expérience.

J'obéis ; mais la difficulté fut encore plus évidente que la première fois.

– Ceci, dis-je, n'est pas la trace d'une main humaine.

– Maintenant, dit Dupin, lisez ce passage de Cuvier.

C'était l'histoire minutieuse, anatomique et descriptive du grand orang-outang fauve des îles de l'Inde orientale. Tout le monde connaît suffisamment la gigantesque stature, la force et l'agilité prodigieuses, la férocité sauvage et les facultés d'imitation de ce mammifère. Je compris d'un seul coup tout l'horrible du meurtre.

– La description des doigts, dis-je quand j'eus fini la lecture, s'accorde parfaitement avec le dessin. Je vois qu'aucun animal, – excepté un orang-outang, et de l'espèce en question, – n'aurait pu faire des marques telles que celles que vous avez dessinées. Cette touffe de poils fauves est aussi d'un caractère identique à celui de l'animal de Cuvier. Mais je ne me rends pas facilement compte des détails de cet effroyable mystère. D'ailleurs, on a entendu *deux* voix se disputer, et l'une d'elles était incontestablement la voix d'un Français.

– C'est vrai ; et vous vous rappellerez une expression attribuée unanimement à cette voix, – l'expression *Mon Dieu !* Ces mots, dans les circonstances présentes, ont été caractérisés par l'un des témoins (Montani, le confiseur) comme exprimant un reproche et une remontrance. C'est donc sur ces deux mots que j'ai fondé l'espérance de débrouiller complètement l'énigme. Un Français a eu connaissance du meurtre. Il est possible, – il est même plus que probable qu'il est innocent de toute participation à cette sanglante affaire. L'orang-outang a pu lui échapper. Il est possible qu'il ait suivi sa trace jusqu'à la chambre, mais que, dans les circonstances terribles qui ont suivi, il n'ait pu s'emparer de lui. L'animal est encore libre. Je ne poursuivrai pas ces conjectures, je n'ai pas le droit d'appeler ces idées d'un autre nom, puisque les ombres de réflexions qui leur servent de base sont d'une profondeur à peine suffisante pour être appréciées par ma propre raison, et que je ne prétendrais pas qu'elles fussent appréciables pour une autre intelligence. Nous les nommerons donc des conjectures, et nous ne les prendrons que pour telles. Si le Français en question est, comme je le suppose, innocent de cette atrocité, cette annonce que j'ai laissée hier au soir, pendant que nous retournions au logis, dans les bureaux du journal *le Monde* (feuille consacrée aux intérêts maritimes, et très recherchée par les marins) l'amènera chez nous.

Il me tendit un papier, et je lus :

AVIS. – On a trouvé dans le bois de Boulogne, le matin du… courant (c'était le matin de l'assassinat), de fort bonne heure, un énorme orang-outang, fauve de l'espèce de Bornéo. Le propriétaire (qu'on sait être un marin appartenant à l'équipage d'un navire maltais) peut retrouver l'animal, après en avoir donné un signalement satisfaisant et remboursé quelques frais à la personne qui s'en est emparée et qui l'a gardé. S'adresser rue…, n°…, faubourg Saint-Germain, au troisième.

– Comment avez-vous pu, demandai-je à Dupin, savoir que l'homme était un marin, et qu'il appartenait à un navire maltais ?

– Je ne le sais pas, dit-il, je n'en suis pas sûr. Voici toutefois un petit morceau de ruban qui, j'en juge par sa forme et son aspect graisseux, a évidemment servi à nouer les cheveux en une de ces longues queues qui rendent les marins si fiers et si farauds. En outre, ce nœud est un de ceux que peu de personnes savent faire, excepté les marins et il est particulier aux Maltais. J'ai ramassé le ruban au bas de la chaîne du paratonnerre. Il est impossible qu'il ait appartenu à l'une des deux victimes. Après tout, si je me suis trompé en induisant de ce ruban que le Français est un marin appartenant à un navire maltais, je n'aurai fait de mal à personne avec mon annonce. Si je suis dans l'erreur, il supposera simplement que j'ai été fourvoyé par quelque circonstance dont il ne prendra pas la peine de s'enquérir. Mais, si je suis dans

le vrai, il y a un grand point de gagné. Le Français qui
a connaissance du meurtre, bien qu'il en soit innocent,
hésitera naturellement à répondre à l'annonce, – à réclamer son orang-outang. Il raisonnera ainsi : « Je suis innocent ; je suis pauvre ; mon orang-outang est d'un grand
prix ; – c'est presque une fortune dans une situation
comme la mienne ; – pourquoi le perdrais-je par quelques
niaises appréhensions de danger ? Le voilà, il est sous ma
main. On l'a trouvé dans le bois de Boulogne – à une
grande distance du théâtre du meurtre. Soupçonnera-
t-on jamais qu'une bête brute ait pu faire le coup ? La
police est dépistée, – elle n'a pu retrouver le plus petit fil
conducteur. Quand même on serait sur la piste de l'animal, il serait impossible de me prouver que j'ai eu
connaissance de ce meurtre, ou de m'incriminer en raison
de cette connaissance. Enfin, et avant tout, *je suis connu*.
Le rédacteur de l'annonce me désigne comme le propriétaire de la bête. Mais je ne sais pas jusqu'à quel point
s'étend sa certitude. Si j'évite de réclamer une propriété
d'une aussi grosse valeur, qui est connue pour m'apparte-
nir, je puis attirer sur l'animal un dangereux soupçon.
Ce serait de ma part une mauvaise politique d'appeler
l'attention sur moi ou sur la bête. Je répondrai décidément à l'avis du journal, je reprendrai mon orang-
outang, et je l'enfermerai solidement jusqu'à ce que cette
affaire soit oubliée. »

En ce moment, nous entendîmes un pas qui montait
l'escalier.

– Apprêtez-vous, dit Dupin, prenez vos pistolets, mais
ne vous en servez pas, – ne les montrez pas avant un
signal de moi.

On avait laissé ouverte la porte cochère, et le visiteur
était entré sans sonner et avait gravi plusieurs marches de
l'escalier. Mais on eût dit maintenant qu'il hésitait. Nous
l'entendions redescendre. Dupin se dirigea vivement vers
la porte, quand nous l'entendîmes qui remontait. Cette

fois, il ne battit pas en retraite, mais s'avança délibérément et frappa à la porte de notre chambre.

– Entrez, dit Dupin d'une voix gaie et cordiale.

Un homme se présenta. C'était évidemment un marin, – un grand, robuste et musculeux individu, avec une expression d'audace de tous les diables qui n'était pas du tout déplaisante. Sa figure, fortement hâlée, était plus qu'à moitié cachée par les favoris et les moustaches. Il portait un gros bâton de chêne, mais ne semblait pas autrement armé. Il nous salua gauchement, et nous souhaita le bonsoir avec un accent français qui, bien que légèrement bâtardé de suisse, rappelait suffisamment une origine parisienne.

– Asseyez-vous, mon ami, dit Dupin ; je suppose que vous venez pour votre orang-outang. Sur ma parole, je vous l'envie presque ; il est remarquablement beau et c'est sans doute une bête d'un grand prix. Quel âge lui donnez-vous bien ?

Le matelot aspira longuement, de l'air d'un homme qui se trouve soulagé d'un poids intolérable, et répliqua d'une voix assurée :

– Je ne saurais trop vous dire ; cependant, il ne peut guère avoir plus de quatre ou cinq ans. Est-ce que vous l'avez ici ?

– Oh ! non ; nous n'avions pas de lieu commode pour l'enfermer. Il est dans une écurie de manège près d'ici, rue Dubourg. Vous pourrez l'avoir demain matin. Ainsi vous êtes en mesure de prouver votre droit de propriété ?

– Oui, monsieur, certainement.

– Je serais vraiment peiné de m'en séparer, dit Dupin.

– Je n'entends pas, dit l'homme, que vous ayez pris tant de peine pour rien ; je n'y ai pas compté. Je payerai volontiers une récompense à la personne qui a retrouvé l'animal, une récompense raisonnable, s'entend.

– Fort bien, répliqua mon ami, tout cela est fort juste, en vérité. Voyons, – que donneriez-vous bien ? Ah ! je vais vous le dire. Voici quelle sera ma récompense : vous me raconterez tout ce que vous savez relativement aux assassinats de la rue Morgue.

Dupin prononça ces derniers mots d'une voix très basse et fort tranquillement. Il se dirigea vers la porte avec la même placidité, la ferma, et mit la clef dans sa poche. Il tira alors un pistolet de son sein, et le posa sans le moindre émoi sur la table.

La figure du marin devint pourpre, comme s'il en était aux agonies d'une suffocation. Il se dressa sur ses pieds et saisit son bâton ; mais, une seconde après, il se laissa retomber sur son siège, tremblant violemment et la mort sur le visage. Il ne pouvait articuler une parole. Je le plaignais du plus profond de mon cœur.

– Mon ami, dit Dupin d'une voix pleine de bonté, vous vous alarmez sans motif, – je vous assure. Nous ne voulons vous faire aucun mal. Sur mon honneur de galant homme et de Français, nous n'avons aucun mauvais dessein contre vous. Je sais parfaitement que vous êtes innocent des horreurs de la rue Morgue. Cependant, cela ne veut pas dire que vous n'y soyez pas quelque peu impliqué. Le peu que je vous ai dit doit vous prouver que j'ai sur cette affaire des moyens d'information dont vous ne vous seriez jamais douté. Maintenant, la chose est claire pour nous. Vous n'avez rien fait que vous ayez pu éviter, – rien, à coup sûr, qui vous rende coupable. Vous auriez pu voler impunément ; vous n'avez même pas été coupable de vol. Vous n'avez rien à cacher ; vous n'avez aucune raison de cacher quoi que ce soit. D'un autre côté, vous êtes contraint par tous les principes de l'honneur à confesser tout ce que vous savez. Un homme innocent est actuellement en prison, accusé de crimes dont vous pouvez indiquer l'auteur.

Pendant que Dupin prononçait ces mots, le matelot avait recouvré, en grande partie, sa présence d'esprit ; mais toute sa première hardiesse avait disparu.

– Que Dieu me soit en aide ! dit-il après une petite pause, – je vous dirai tout ce que je sais sur cette affaire ; mais je n'espère pas que vous en croyiez la moitié, – je serais vraiment un sot, si je l'espérais ! Cependant, je suis innocent, et je dirai tout ce que j'ai sur le cœur, quand même il m'en coûterait la vie.

Voici en substance ce qu'il nous raconta : il avait fait dernièrement un voyage dans l'archipel indien. Une bande de matelots, dont il faisait partie, débarqua à Bornéo et pénétra dans l'intérieur pour y faire une excursion d'amateurs. Lui et un de ses camarades avaient pris l'orang-outang. Ce camarade mourut, et l'animal devint donc sa propriété exclusive, à lui. Après bien des embarras causés par l'indomptable férocité du captif pendant la traversée, il réussit à la longue à le loger sûrement dans sa propre demeure à Paris, et, pour ne pas attirer sur lui-même l'insupportable curiosité des voisins, il avait soigneusement enfermé l'animal, jusqu'à ce qu'il l'eût guéri d'une blessure au pied qu'il s'était faite à bord avec une esquille. Son projet, finalement, était de le vendre.

Comme il revenait, une nuit, ou plutôt un matin, – le matin du meurtre, – d'une petite orgie de matelots, il trouva la bête installée dans sa chambre à coucher ; elle s'était échappée du cabinet voisin, où il la croyait solidement enfermée. Un rasoir à la main et toute barbouillée de savon, elle était assise devant un miroir, et essayait de se raser, comme sans doute elle l'avait vu faire à son maître en l'épiant par le trou de la serrure. Terrifié en voyant une arme si dangereuse dans les mains d'un animal aussi féroce, parfaitement capable de s'en servir, l'homme, pendant quelques instants, n'avait su quel parti prendre. D'habitude, il avait dompté l'animal, même dans ses accès les plus furieux, par les coups de fouet, et il voulut y recourir cette fois encore. Mais, en voyant le fouet, l'orang-outang bondit à travers la porte de la chambre, dégringola par les escaliers, et, profitant d'une fenêtre ouverte par malheur, il se jeta dans la rue.

Le Français, désespéré, poursuivit le singe ; celui-ci, tenant toujours son rasoir d'une main, s'arrêtait de temps en temps, se retournait, et faisait des grimaces à l'homme qui le poursuivait, jusqu'à ce qu'il se vît près d'être atteint, puis il reprenait sa course. Cette chasse dura ainsi un bout de temps. Les rues étaient profondément tranquilles, et il pouvait être trois heures du matin. En traversant un passage derrière la rue Morgue, l'attention du fugitif fut attirée par une lumière qui partait de la fenêtre de Mme l'Espanaye, au quatrième étage de sa maison. Il se précipita vers le mur, il aperçut la chaîne du paratonnerre, y grimpa avec une inconcevable agilité, saisit le volet, qui était complètement rabattu contre le mur, et, en s'appuyant dessus, il s'élança droit sur le chevet du lit.

Toute cette gymnastique ne dura pas une minute. Le volet avait été repoussé contre le mur par le bond que l'orang-outang avait fait en se jetant dans la chambre.

Cependant, le matelot était à la fois joyeux et inquiet. Il avait donc bonne espérance de ressaisir l'animal, qui pouvait difficilement s'échapper de la trappe où il s'était aventuré, et d'où on pouvait lui barrer la fuite. D'un autre côté, il y avait lieu d'être fort inquiet de ce qu'il pouvait faire dans la maison. Cette dernière réflexion incita l'homme à se remettre à la poursuite de son fugitif. Il n'est pas difficile pour un marin de grimper à une chaîne de paratonnerre ; mais, quand il fut arrivé à la hauteur de la fenêtre, située assez loin sur sa gauche, il se trouva fort empêché ; tout ce qu'il put faire de mieux fut de se dresser de manière à jeter un coup d'œil dans l'intérieur de la chambre. Mais ce qu'il vit lui fit presque lâcher prise dans l'excès de sa terreur. C'était alors que s'élevaient les horribles cris, qui, à travers le silence de la nuit, réveillèrent en sursaut les habitants de la rue Morgue.

Mme l'Espanaye et sa fille, vêtues de leurs toilettes de nuit, étaient sans doute occupées à ranger quelques papiers dans le coffret de fer dont il a été fait mention, et qui avait été traîné au milieu de la chambre. Il était ouvert, et tout son contenu était éparpillé sur le parquet. Les victimes avaient sans doute le dos tourné à la fenêtre ; à en juger par le temps qui s'écoula entre l'invasion de la bête et les premiers cris, il est probable qu'elles ne l'aperçurent pas tout de suite. Le claquement du volet a pu être vraisemblablement attribué au vent.

Quand le matelot regarda dans la chambre, le terrible animal avait empoigné Mme l'Espanaye par ses cheveux qui étaient épars et qu'elle peignait, et il agitait le rasoir autour de sa figure, en imitant les gestes d'un barbier. La fille était par terre, immobile ; elle s'était évanouie. Les cris et les efforts de la vieille dame, pendant lesquels les cheveux lui furent arrachés de la tête, eurent pour effet de changer en fureur les dispositions probablement pacifiques de l'orang-outang. D'un coup rapide de son bras musculeux, il sépara presque la tête du corps. La vue du sang transforma sa fureur en frénésie. Il grinçait des dents, il lançait du feu par les yeux. Il se jeta sur le corps de la jeune personne, il lui ensevelit ses griffes dans la gorge, et les y laissa jusqu'à ce qu'elle fût morte. Ses yeux égarés et sauvages tombèrent en ce moment sur le chevet du lit, au-dessus duquel il put apercevoir la face de son maître, paralysée par l'horreur.

La furie de la bête, qui sans aucun doute se souvenait du terrible fouet, se changea immédiatement en frayeur. Sachant bien qu'elle avait mérité un châtiment, elle semblait vouloir cacher les traces sanglantes de son action, et bondissait à travers la chambre dans un accès d'agitation nerveuse, bousculant et brisant les meubles à chacun de

ses mouvements, et arrachant les matelas du lit. Finalement, elle s'empara du corps de la fille, et le poussa dans
la cheminée, dans la posture où elle fut trouvée, puis de
celui de la vieille dame qu'elle précipita la tête la première à travers la fenêtre.

Comme le singe s'approchait de la fenêtre avec son
fardeau tout mutilé, le matelot épouvanté se baissa, et,
se laissant couler le long de la chaîne sans précautions,
il s'enfuit tout d'un trait jusque chez lui, redoutant les
conséquences de cette atroce boucherie, et, dans sa terreur, abandonnant volontiers tout souci de la destinée de
son orang-outang. Les voix entendues par les gens de
l'escalier étaient ses exclamations d'horreur et d'effroi
mêlées aux glapissements diaboliques de la bête.

Je n'ai presque rien à ajouter. L'orang-outang s'était
sans doute échappé de la chambre par la chaîne du paratonnerre juste avant que la porte fût enfoncée. En passant
par la fenêtre, il l'avait évidemment refermée. Il fut rat-
trapé plus tard par le propriétaire lui-même, qui le vendit
pour un bon prix au Jardin des Plantes.

Lebon fut immédiatement relâché, après que nous
eûmes raconté toutes les circonstances de l'affaire, assai-
sonnées de quelques commentaires de Dupin, dans le
cabinet même du préfet de police. Ce fonctionnaire,
quelque bien disposé qu'il fût envers mon ami, ne pouvait pas absolument déguiser sa mauvaise humeur en
voyant l'affaire prendre cette tournure, et se laissa aller à
un ou deux sarcasmes sur la manie des personnes qui se
mêlaient de ses fonctions.

– Laissez-le parler, dit Dupin, qui n'avait pas jugé à
propos de répliquer. Laissez-le jaser, cela allégera sa
conscience. Je suis content de l'avoir battu sur son propre
terrain. Néanmoins, qu'il n'ait pas pu débrouiller ce mystère, il n'y a nullement lieu de s'en étonner, et cela est
moins singulier qu'il ne le croit ; car, en vérité, notre ami
le préfet est un peu trop fin pour être profond. Sa science

n'a pas de base. Elle est toute en tête et n'a pas de corps,
comme les portraits de la déesse Laverna, – ou, si vous
aimez mieux, toute en tête et en épaules, comme une
morue. Mais, après tout, c'est un brave homme. Je
l'adore particulièrement pour un merveilleux genre de
cant auquel il doit sa réputation de génie. Je veux parler
de sa manie *de nier ce qui est et d'expliquer ce qui n'est
pas*[1].

---

1. *Rousseau*, Nouvelle Héloïse. – *E. A. P.*

LA LETTRE VOLÉE

Nil sapientiae odiosius acumine nimio.

SÉNÈQUE.

J'étais à Paris en 18… Après une sombre et orageuse soirée d'automne, je jouissais de la double volupté de la méditation et d'une pipe d'écume de mer, en compagnie de mon ami Dupin, dans sa petite bibliothèque ou cabinet d'étude, rue Dunot, n° 33, au troisième, faubourg Saint-Germain. Pendant une bonne heure, nous avions gardé le silence ; chacun de nous, pour le premier observateur venu, aurait paru profondément et exclusivement occupé des tourbillons frisés de fumée qui chargeaient l'atmosphère de la chambre. Pour mon compte, je discutais en moi-même certains points qui avaient été dans la première partie de la soirée l'objet de notre conversation ; je veux parler de l'affaire de la rue Morgue, et du mystère relatif à l'assassinat de Marie Roget[1]. Je rêvais donc à l'espèce d'analogie qui reliait ces deux affaires, quand la porte de notre appartement s'ouvrit et donna passage à notre vieille connaissance, à M. G…, le préfet de police de Paris.

---

1. *Encore un meurtre dont Dupin refait l'instruction.* – Le Double Assassinat dans la rue Morgue, le Mystère de Marie Roget *et la Lettre volée font une espèce de trilogie.* – C. B.

Nous lui souhaitâmes cordialement la bienvenue ; car l'homme avait son côté charmant comme son côté méprisable, et nous ne l'avions pas vu depuis quelques années. Comme nous étions assis dans les ténèbres, Dupin se leva pour allumer une lampe ; mais il se rassit et n'en fit rien, en entendant G... dire qu'il était venu pour nous consulter, ou plutôt pour demander l'opinion de mon ami relativement à une affaire qui lui avait causé une masse d'embarras.

– Si c'est un cas qui demande de la réflexion, observa Dupin, s'abstenant d'allumer la mèche, nous l'examinerons plus convenablement dans les ténèbres.

– Voilà encore une de vos idées bizarres, dit le préfet, qui avait la manie d'appeler bizarres toutes les choses situées au-delà de sa compréhension, et qui vivait ainsi au milieu d'une immense légion de bizarreries.

– C'est ma foi vrai ! dit Dupin en présentant une pipe à notre visiteur, et roulant vers lui un excellent fauteuil.

– Et maintenant, quel est le cas embarrassant ? demandai-je ; j'espère bien que ce n'est pas encore dans le genre assassinat.

– Oh ! non. Rien de pareil. Le fait est que l'affaire est vraiment très simple, et je ne doute pas que nous ne puissions nous en tirer fort bien nous-mêmes ; mais j'ai pensé que Dupin ne serait pas fâché d'apprendre les détails de cette affaire, parce qu'elle est excessivement *bizarre*.

– Simple et bizarre, dit Dupin.

– Mais oui ; et cette expression n'est pourtant pas exacte ; l'un ou l'autre, si vous aimez mieux. Le fait est que nous avons été tous là-bas fortement embarrassés par cette affaire ; car, toute simple qu'elle est, elle nous déroute complètement.

– Peut-être est-ce la simplicité même de la chose qui vous induit en erreur, dit mon ami.

– Quel non-sens nous dites-vous là ! répliqua le préfet, en riant de bon cœur.

– Peut-être le mystère est-il un peu *trop* clair, dit Dupin.

– Oh ! bonté du ciel ! qui a jamais ouï parler d'une idée pareille.

– Un peu *trop* évident.

– Ha ! ha ! – ha ! ha ! – oh ! oh ! criait notre hôte, qui se divertissait profondément. Oh ! Dupin, vous me ferez mourir de joie, voyez-vous.

– Et enfin, demandai-je, quelle est la chose en question ?

– Mais, je vous la dirai, répliqua le préfet, en lâchant une longue, solide et contemplative bouffée de fumée et s'établissant dans son fauteuil. Je vous la dirai en peu de mots. Mais, avant de commencer, laissez-moi vous avertir que c'est une affaire qui demande le plus grand secret, et que je perdrais très probablement le poste que j'occupe si l'on savait que je l'ai confiée à qui que ce soit.

– Commencez, dis-je.

– Ou ne commencez pas, dit Dupin.

– C'est bien ; je commence. J'ai été informé personnellement, et en très haut lieu, qu'un certain document de la plus grande importance avait été soustrait dans les appartements royaux. On sait quel est l'individu qui l'a volé ; cela est hors de doute ; on l'a vu s'en emparer. On sait aussi que ce document est toujours en sa possession.

– Comment sait-on cela ? demanda Dupin.

– Cela est clairement déduit de la nature du document et de la non-apparition de certains résultats qui surgiraient immédiatement s'il sortait des mains du voleur ; en d'autres termes, s'il était employé en vue du but que celui-ci doit évidemment se proposer.

– Veuillez être un peu plus clair, dis-je.

– Eh bien, j'irai jusqu'à dire que ce papier confère à son détenteur un certain pouvoir dans un certain lieu où ce pouvoir est d'une valeur inappréciable. – Le préfet raffolait du *cant* diplomatique.

– Je continue à ne rien comprendre, dit Dupin.

– Rien, vraiment ? Allons ! Ce document, révélé à un troisième personnage, dont je tairai le nom, mettrait en question l'honneur d'une personne du plus haut rang ; et voilà ce qui donne au détenteur du document un ascendant sur l'illustre personne dont l'honneur et la sécurité sont ainsi mis en péril.

– Mais cet ascendant, interrompis-je, dépend de ceci : le voleur sait-il que la personne volée connaît son voleur ? Qui oserait… ?

– Le voleur, dit G…, c'est D…, qui ose tout ce qui est indigne d'un homme, aussi bien que ce qui est digne de lui. Le procédé du vol a été aussi ingénieux que hardi. Le document en question, une lettre, pour être franc, a été reçu par la personne volée pendant qu'elle était seule dans le boudoir royal. Pendant qu'elle le lisait, elle fut soudainement interrompue par l'entrée de l'autre illustre personnage à qui elle désirait particulièrement le cacher. Après avoir essayé en vain de le jeter rapidement dans un tiroir, elle fut obligée de le déposer tout ouvert sur une table. La lettre, toutefois, était retournée, la suscription en dessus, et, le contenu étant ainsi caché, elle n'attira pas l'attention. Sur ces entrefaites arriva le ministre D… Son œil de lynx perçoit immédiatement le papier, reconnaît l'écriture de la suscription, remarque l'embarras de la personne à qui elle était adressée et pénètre son secret.

« Après avoir traité quelques affaires, expédiées tambour battant, à sa manière habituelle, il tire de sa poche une lettre à peu près semblable à la lettre en question, l'ouvre, fait semblant de la lire, et la place juste à côté de l'autre. Il se remet à causer, pendant un quart d'heure environ, des affaires publiques. À la longue, il prend congé, et met la main sur la lettre à laquelle il n'a aucun droit. La personne volée le vit, mais, naturellement, n'osa pas attirer l'attention sur ce fait en présence du troisième personnage qui était à son côté. Le ministre décampa, laissant sur la table sa propre lettre, une lettre sans importance.

– Ainsi, dit Dupin en se tournant à moitié vers moi, voilà précisément le cas demandé pour rendre l'ascendant complet : le voleur sait que la personne volée connaît son voleur.

– Oui, répliqua le préfet, et, depuis quelques mois, il a été largement usé, dans un but politique, de l'empire conquis par ce stratagème, et jusqu'à un point fort dangereux. La personne volée est de jour en jour plus convaincue de la nécessité de retirer sa lettre. Mais, naturellement, cela ne peut pas se faire ouvertement. Enfin, poussée au désespoir, elle m'a chargé de la commission.

– Il n'était pas possible, je suppose, dit Dupin dans une auréole de fumée, de choisir ou même d'imaginer un agent plus sagace.

– Vous me flattez, répliqua le préfet ; mais il est bien possible qu'on ait conçu de moi quelque opinion de ce genre.

– Il est clair, dis-je, comme vous l'avez remarqué, que la lettre est toujours entre les mains du ministre ; puisque c'est le fait de la possession et non l'usage de la lettre qui crée l'ascendant. Avec l'usage, l'ascendant s'évanouit.

– C'est vrai, dit G..., et c'est d'après cette conviction que j'ai marché. Mon premier soin a été de faire une recherche minutieuse à l'hôtel du ministre ; et, là, mon principal embarras fut de chercher à son insu. Par-dessus tout, j'étais en garde contre le danger qu'il y aurait eu à lui donner un motif de soupçonner notre dessein.

– Mais, dis-je, vous êtes tout à fait à votre affaire dans ces espèces d'investigations. La police parisienne a pratiqué la chose plus d'une fois.

– Oh ! sans doute ; – et c'est pourquoi j'avais bonne espérance. Les habitudes du ministre me donnaient d'ailleurs un grand avantage. Il est souvent absent de chez lui toute la nuit. Ses domestiques ne sont pas nombreux. Ils couchent à une certaine distance de l'appartement de leur maître, et, comme ils sont napolitains avant tout, ils mettent de la bonne volonté à se laisser enivrer. J'ai, comme vous savez, des clefs avec lesquelles je puis ouvrir toutes les chambres et tous les cabinets de Paris. Pendant trois mois, il ne s'est pas passé une nuit dont je n'aie employé la plus grande partie à fouiller, en personne, l'hôtel D... Mon honneur y est intéressé, et, pour vous confier un grand secret, la récompense est énorme. Aussi je n'ai abandonné les recherches que lorsque j'ai été pleinement convaincu que le voleur était encore plus fin que moi. Je crois que j'ai scruté tous les coins et recoins de la maison dans lesquels il était possible de cacher un papier.

– Mais ne serait-il pas possible, insinuai-je, que, bien que la lettre fût au pouvoir du ministre, – elle y est indubitablement, – il l'eût cachée ailleurs que dans sa propre maison ?

– Cela n'est guère possible, dit Dupin. La situation particulière, actuelle, des affaires de la cour, spécialement la nature de l'intrigue dans laquelle D... a pénétré, comme on sait, font de l'efficacité immédiate du document, – de la possibilité de le produire à la minute, – un point d'une importance presque égale à sa possession.

– La possibilité de le produire ? dis-je.

– Ou, si vous aimez mieux, de l'annihiler, dit Dupin.

– C'est vrai, remarquai-je. Le papier est donc évidemment dans l'hôtel. Quant au cas où il serait sur la personne même du ministre, nous le considérons comme tout à fait hors de question.

– Absolument, dit le préfet. Je l'ai fait arrêter deux fois par de faux voleurs, et sa personne a été scrupuleusement fouillée sous mes propres yeux.

– Vous auriez pu vous épargner cette peine, dit Dupin. – D... n'est pas absolument fou, je présume, et dès lors il a dû prévoir ces guets-apens comme choses naturelles.

– Pas *absolument* fou, c'est vrai, dit G..., – toutefois, c'est un poète, ce qui, je crois, n'en est pas fort éloigné.

– C'est vrai, dit Dupin, après avoir longuement et pensivement poussé la fumée de sa pipe d'écume, bien que je me sois rendu moi-même coupable de certaine rapsodie.

– Voyons, dis-je, racontez-nous les détails précis de votre recherche.

– Le fait est que nous avons pris notre temps, et que nous avons cherché *partout*. J'ai une vieille expérience de ces sortes d'affaires. Nous avons entrepris la maison de chambre en chambre ; nous avons consacré à chacune les nuits de toute une semaine. Nous avons d'abord examiné les meubles de chaque appartement. Nous avons ouvert tous les tiroirs possibles ; et je présume que vous n'ignorez pas que, pour un agent de police bien dressé, un tiroir *secret* est une chose qui n'existe pas. Tout homme qui, dans une perquisition de cette nature, permet à un tiroir secret de lui échapper est une brute. La besogne est si facile ! Il y a dans chaque pièce une certaine quantité de volumes et de surfaces dont on peut se rendre compte. Nous avons pour cela des règles exactes. La cinquième partie d'une ligne ne peut pas nous échapper.

« Après les chambres, nous avons pris les sièges. Les coussins ont été sondés avec ces longues et fines aiguilles que vous m'avez vu employer. Nous avons enlevé les dessus des tables.

– Et pourquoi ?

– Quelquefois le dessus d'une table ou de toute autre pièce d'ameublement analogue est enlevé par une personne qui désire cacher quelque chose ; elle creuse le pied

de la table ; l'objet est déposé dans la cavité, et le dessus
replacé. On se sert de la même manière des montants
d'un lit.

– Mais ne pourrait-on pas deviner la cavité par l'aus-
cultation ? demandai-je.

– Pas le moins du monde, si, en déposant l'objet, on
a eu soin de l'entourer d'une bourre de coton suffisante.
D'ailleurs, dans notre cas, nous étions obligés de procéder sans bruit.

– Mais vous n'avez pas pu défaire, – vous n'avez pas
pu démonter toutes les pièces d'ameublement dans lesquelles on aurait pu cacher un dépôt de la façon dont
vous parlez. Une lettre peut être roulée en une spirale
très mince, ressemblant beaucoup par sa forme et son
volume à une grosse aiguille à tricoter, et être ainsi insé-
rée dans un bâton de chaise, par exemple. Avez-vous
démonté toutes les chaises ?

– Non certainement, mais nous avons fait mieux, nous
avons examiné les bâtons de toutes les chaises de l'hôtel,
et même les jointures de toutes les pièces de l'ameublement, à l'aide d'un puissant microscope. S'il y avait eu la
moindre trace d'un désordre récent, nous l'aurions
infailliblement découvert à l'instant. Un seul grain de
poussière causé par la vrille, par exemple, nous aurait
sauté aux yeux comme une pomme. La moindre altération dans la colle, – un simple bâillement dans les jointures aurait suffi pour révéler la cachette.

– Je présume que vous avez examiné les glaces entre
la glace et le planchéiage, et que vous avez fouillé les lits
et les courtines des lits, aussi bien que les rideaux et les
tapis.

– Naturellement ; et, quand nous eûmes absolument
passé en revue tous les articles de ce genre, nous avons
examiné la maison elle-même. Nous avons divisé la totalité de sa surface en compartiments, que nous avons
numérotés, pour être sûrs de n'en omettre aucun ; nous

avons fait de chaque pouce carré l'objet d'un nouvel examen au microscope, et nous y avons compris les deux maisons adjacentes.

– Les deux maisons adjacentes ! m'écriai-je ; vous avez dû vous donner bien du mal.

– Oui, ma foi ! mais la récompense offerte est énorme.

– Dans les maisons, comprenez-vous le sol ?

– Le sol est partout pavé de briques. Comparativement, cela ne nous a pas donné grand mal. Nous avons examiné la mousse entre les briques, elle était intacte.

– Vous avez sans doute visité les papiers de D..., et les livres de la bibliothèque.

– Certainement ; nous avons ouvert chaque paquet et chaque article : nous n'avons pas seulement ouvert les livres, mais nous les avons parcourus feuillet par feuillet, ne nous contentant pas de les secouer simplement comme font plusieurs de nos officiers de police. Nous avons aussi mesuré l'épaisseur de chaque reliure avec la plus exacte minutie, et nous avons appliqué à chacune la curiosité jalouse du microscope. Si l'on avait récemment inséré quelque chose dans une des reliures, il eût été absolument impossible que le fait échappât à notre observation. Cinq ou six volumes qui sortaient des mains du relieur ont été soigneusement sondés longitudinalement avec les aiguilles.

– Vous avez exploré les parquets, sous les tapis.

– Sans doute. Nous avons enlevé chaque tapis, et nous avons examiné les planches au microscope.

– Et les papiers des murs ?

– Aussi.

– Vous avez visité les caves ?

– Nous avons visité les caves.

– Ainsi, dis-je, vous avez fait fausse route, et la lettre n'est pas dans l'hôtel, comme vous le supposiez.

– Je crains que vous n'ayez raison, dit le préfet. Et vous maintenant, Dupin, que me conseillez-vous de faire ?

– Faire une perquisition complète.

– C'est absolument inutile ! répliqua G... Aussi sûr que je vis, la lettre n'est pas dans l'hôtel !

– Je n'ai pas de meilleur conseil à vous donner, dit Dupin. Vous avez, sans doute, un signalement exact de la lettre.

– Oh ! oui !

Et ici, le préfet, tirant un agenda, se mit à nous lire à haute voix une description minutieuse du document perdu, de son aspect intérieur, et spécialement de l'extérieur. Peu de temps après avoir fini la lecture de cette description, cet excellent homme prit congé de nous, plus accablé et l'esprit plus complètement découragé que je ne l'avais vu jusqu'alors.

Environ un mois après, il nous fit une seconde visite, et nous trouva occupés à peu près de la même façon. Il prit une pipe et un siège, et causa de choses et d'autres. À la longue, je lui dis :

– Eh bien, mais, G..., et votre lettre volée ? Je présume qu'à la fin vous êtes résigné à comprendre que ce n'est pas une petite besogne que d'enfoncer le ministre.

– Que le diable l'emporte ! – J'ai pourtant recommencé cette perquisition, comme Dupin me l'avait conseillé ; mais comme je m'en doutais, ç'a été peine perdue.

– De combien est la récompense offerte ? vous nous avez dit..., demanda Dupin.

– Mais... elle est très forte..., une récompense vraiment magnifique, – je ne veux pas vous dire au juste combien ; mais une chose que je vous dirai, c'est que je m'engagerais bien à payer de ma bourse cinquante mille francs à celui qui pourrait me trouver cette lettre. Le fait est que la chose devient de jour en jour plus urgente, et la récompense a été doublée récemment. Mais, en vérité, on la triplerait que je ne pourrais faire mon devoir mieux que je l'ai fait.

– Mais... oui..., dit Dupin en traînant ses paroles au milieu des bouffées de sa pipe, je crois... réellement, G..., que vous n'avez pas fait... tout votre possible... vous n'êtes pas allé au fond de la question. Vous pourriez faire... un peu plus, je pense du moins, hein ?

– Comment ? dans quel sens ?

– Mais... (une bouffée de fumée) vous pourriez... (bouffée sur bouffée) – prendre conseil en cette matière, hein ? – (Trois bouffées de fumée). – Vous rappelez-vous l'histoire qu'on raconte d'Abernethy [1].

– Non ! au diable votre Abernethy !

– Assurément ! au diable, si cela vous amuse ! – Or donc, une fois, un certain riche, fort avare, conçut le dessein de soutirer à Abernethy une consultation médicale. Dans ce but, il entama avec lui, au milieu d'une société, une conversation ordinaire, à travers laquelle il insinua au médecin son propre cas comme celui d'un individu imaginaire. « Nous supposerons, dit l'avare, que les symptômes sont tels et tels ; maintenant, docteur, que lui conseillerez-vous de prendre ? – Que prendre ? dit Abernethy, mais prendre conseil, à coup sûr. »

– Mais, dit le préfet, un peu décontenancé, je suis tout disposé à prendre conseil, et à payer pour cela. Je donnerais *vraiment* cinquante mille francs à quiconque me tirerait d'affaire...

– Dans ce cas, répliqua Dupin, ouvrant un tiroir et en tirant un livre de mandats, vous pouvez aussi bien me faire un bon pour la somme susdite. Quand vous l'aurez signé, je vous remettrai votre lettre.

Je fus stupéfié. Quant au préfet, il semblait absolument foudroyé. Pendant quelques minutes, il resta muet et

---

1. *Médecin anglais très célèbre et très excentrique – C. B.*

immobile, regardant mon ami, la bouche béante, avec un air incrédule et des yeux qui semblaient lui sortir de la tête ; enfin, il parut revenir un peu à lui, il saisit une plume, et, après quelques hésitations, le regard ébahi et vide, il remplit et signa un bon de cinquante mille francs, et le tendit à Dupin par-dessus la table. Ce dernier l'examina soigneusement et le serra dans son portefeuille ; puis, ouvrant un pupitre, il en tira une lettre et la donna au préfet. Notre fonctionnaire l'agrippa dans une parfaite agonie de joie, l'ouvrit d'une main tremblante, jeta un coup d'œil sur son contenu, puis, attrapant précipitamment la porte, se rua sans plus de cérémonie hors de la chambre et de la maison, sans avoir prononcé une syllabe depuis le moment où Dupin l'avait prié de remplir le mandat.

Quand il fut parti, mon ami entra dans quelques explications.

– La police parisienne, dit-il, est excessivement habile dans son métier. Ses agents sont persévérants, ingénieux, rusés, et possèdent à fond toutes les connaissances que requièrent spécialement leurs fonctions. Aussi, quand G... nous détaillait son mode de perquisition dans l'hôtel D..., j'avais une entière confiance dans ses talents, et j'étais sûr qu'il avait fait une investigation pleinement suffisante, dans le cercle de sa spécialité.

– Dans le cercle de sa spécialité ? dis-je.

– Oui, dit Dupin ; les mesures adoptées n'étaient pas seulement les meilleures dans l'espèce, elles furent aussi poussées à une absolue perfection. Si la lettre avait été cachée dans le rayon de leur investigation, ces gaillards l'auraient trouvée, cela ne fait pas pour moi l'ombre d'un doute.

Je me contentai de rire ; mais Dupin semblait avoir dit cela fort sérieusement.

– Donc, les mesures, continua-t-il, étaient bonnes dans l'espèce et admirablement exécutées ; elles avaient pour défaut d'être inapplicables au cas et à l'homme en question. Il y a tout un ordre de moyens singulièrement ingénieux qui sont pour le préfet une sorte de lit de Procuste, sur lequel il adapte et garrotte tous ses plans. Mais il erre sans cesse par trop de profondeur ou par trop de superficialité pour le cas en question, et plus d'un écolier raisonnerait mieux que lui.

« J'ai connu un enfant de huit ans, dont l'infaillibilité au jeu de pair ou impair faisait l'admiration universelle. Ce jeu est simple, on y joue avec des billes. L'un des joueurs tient dans sa main un certain nombre de ses billes, et demande à l'autre : "Pair ou non ?" Si celui-ci devine juste, il gagne une bille ; s'il se trompe, il en perd une. L'enfant dont je parle gagnait toutes les billes de l'école. Naturellement, il avait un mode de divination, lequel consistait dans la simple observation et dans l'appréciation de la finesse de ses adversaires. Supposons que son adversaire soit un parfait nigaud et, levant sa main fermée, lui demande : "Pair ou impair ?" Notre écolier répond : "Impair !" et il a perdu. Mais à la seconde épreuve, il gagne, car il se dit en lui-même : "Le niais avait mis pair la première fois, et toute sa ruse ne va qu'à lui faire mettre impair à la seconde ; je dirai donc : Impair !" Il dit : "Impair", et il gagne.

« Maintenant, avec un adversaire un peu moins simple, il aurait raisonné ainsi : "Ce garçon voit que, dans le premier cas, j'ai dit impair, et que, dans le second, il se proposera, – c'est la première idée qui se présentera à lui, – une simple variation de pair à impair comme a fait le premier bêta ; mais une seconde réflexion lui dira que c'est là un changement trop simple, et finalement il se décidera à mettre pair comme la première fois. – Je dirai donc : Pair !" Il dit pair et gagne. Maintenant, ce mode de raisonnement de notre écolier, que ses camarades appellent la chance, – en dernière analyse, qu'est-ce que c'est ?

– C'est simplement, dis-je, une identification de l'intellect de notre raisonneur avec celui de son adversaire.

– C'est cela même, dit Dupin ; et, quand je demandai à ce petit garçon par quel moyen il effectuait cette parfaite identification qui faisait tout son succès, il me fit la réponse suivante : « Quand je veux savoir jusqu'à quel point quelqu'un est circonspect ou stupide, jusqu'à quel point il est bon ou méchant, ou quelles sont actuellement ses pensées, je compose mon visage d'après le sien, aussi exactement que possible, et j'attends alors pour savoir quels pensers ou quels sentiments naîtront dans mon esprit ou dans mon cœur, comme pour s'appareiller et correspondre avec ma physionomie. »

« Cette réponse de l'écolier enfonce de beaucoup toute la profondeur sophistique attribuée à La Rochefoucauld, à La Bruyère, à Machiavel et à Campanella.

– Et l'identification de l'intellect du raisonneur avec celui de son adversaire dépend, si je vous comprends bien, de l'exactitude avec laquelle l'intellect de l'adversaire est apprécié.

– Pour la valeur pratique, c'est en effet la condition, répliqua Dupin, et, si le préfet et toute sa bande se sont trompés si souvent, c'est, d'abord, faute de cette identification, en second lieu, par une appréciation inexacte, ou plutôt par la non-appréciation de l'intelligence avec laquelle ils se mesurent. Ils ne voient que leurs propres idées ingénieuses ; et, quand ils cherchent quelque chose de caché, ils ne pensent qu'aux moyens dont ils se seraient servis pour le cacher. Ils ont fortement raison en cela que leur propre ingéniosité est une représentation fidèle de celle de la foule ; mais, quand il se trouve un malfaiteur particulier dont la finesse diffère, en espèce, de la leur, ce malfaiteur, naturellement, les *roule*.

« Cela ne manque jamais quand son astuce est au-dessus de la leur, et cela arrive très fréquemment même quand elle est au-dessous. Ils ne varient pas leur système d'investigation ; tout au plus, quand ils sont incités par quelque cas insolite, – par quelque récompense extraordinaire, – ils exagèrent et poussent à outrance leurs vieilles routines ; mais ils ne changent rien à leurs principes.

« Dans le cas de D..., par exemple, qu'a-t-on fait pour changer le système d'opération ? Qu'est-ce que c'est que toutes ces perforations, ces fouilles, ces sondes, cet examen au microscope, cette division des surfaces en pouces carrés numérotés ? – qu'est-ce que tout cela, si ce n'est pas l'exagération, dans son application, d'un des principes ou de plusieurs principes d'investigation, qui sont basés sur un ordre d'idées relatif à l'ingéniosité humaine, et dont le préfet a pris l'habitude dans la longue routine de ses fonctions ?

« Ne voyez-vous pas qu'il considère comme chose démontrée que *tous* les hommes qui veulent cacher une lettre se servent, – si ce n'est précisément d'un trou fait à la vrille dans le pied d'une chaise, – au moins de quelque trou, de quelque coin tout à fait singulier dont ils ont puisé l'invention dans le même registre d'idées que le trou fait avec une vrille ?

« Et ne voyez-vous pas aussi que des cachettes aussi *originales* ne sont employées que dans des occasions ordinaires, et ne sont adoptées que par des intelligences ordinaires ; car, dans tous les cas d'objets cachés, cette manière ambitieuse et torturée de cacher l'objet est, dans le principe, présumable et présumée ; ainsi, la découverte ne dépend nullement de la perspicacité, mais simplement du soin, de la patience et de la résolution des chercheurs. Mais, quand le cas est important, ou, ce qui revient au même aux yeux de la police, quand la récompense est considérable, on voit toutes ces belles qualités échouer infailliblement. Vous comprenez maintenant ce que je

voulais dire en affirmant que, si la lettre volée avait été
cachée dans le rayon de la perquisition de notre préfet,
– en d'autres termes, si le principe inspirateur de la
cachette avait été compris dans les principes du préfet,
– il l'eût infailliblement découverte. Cependant, ce fonctionnaire a été complètement mystifié ; et la cause première, originelle de sa défaite gît dans la supposition que
le ministre est un fou, parce qu'il s'est fait une réputation
de poète. Tous les fous sont poètes, – c'est la manière de
voir du préfet, – et il n'est coupable que d'une fausse
distribution du terme moyen, en inférant de là que tous
les poètes sont fous.

– Mais est-ce vraiment le poète ? demandai-je. Je sais
qu'ils sont deux frères, et ils se sont fait tous deux une
réputation dans les lettres. Le ministre, je crois, a écrit un
livre fort remarquable sur le calcul différentiel et intégral.
Il est le mathématicien, et non pas le poète.

– Vous vous trompez ; je le connais fort bien ; il est
poète et mathématicien. Comme poète *et* mathématicien,
il a dû raisonner juste ; comme simple mathématicien, il
n'aurait pas raisonné du tout, et se serait ainsi mis à la
merci du préfet.

– Une pareille opinion, dis-je, est faite pour m'étonner ; elle est démentie par la voix du monde entier. Vous
n'avez pas l'intention de mettre à néant l'idée mûrie par
plusieurs siècles. La raison mathématique est depuis
longtemps regardée comme la raison *par excellence*.

– *Il y a à parier*, répliqua Dupin, en citant Chamfort,
*que toute idée publique, toute convention reçue est une sot-
tise, car elle a convenu au plus grand nombre.* Les mathé-
maticiens, – je vous accorde cela, – ont fait de leur mieux
pour propager l'erreur populaire dont vous parlez, et qui,
bien qu'elle ait été propagée comme vérité, n'en est pas
moins une parfaite erreur. Par exemple, ils nous ont, avec
un art digne d'une meilleure cause, accoutumés à appliquer le terme *analyse* aux opérations algébriques. Les

Français sont les premiers coupables de cette tricherie scientifique ; mais, si l'on reconnaît que les termes de la langue ont une réelle importance, – si les mots tirent leur valeur de leur application, – oh ! alors, je concède qu'*analyse* traduit *algèbre*, à peu près comme en latin *ambitus* signifie ambition ; *religio*, religion ; ou *homines honesti*, la classe des gens honorables.

— Je vois, dis-je, que vous allez vous faire une querelle avec un bon nombre d'algébristes de Paris ; – mais continuez.

— Je conteste la validité, et conséquemment les résultats d'une raison cultivée par tout procédé spécial autre que la logique abstraite. Je conteste particulièrement le raisonnement tiré de l'étude des mathématiques. Les mathématiques sont la science des formes et des quantités ; le raisonnement mathématique n'est autre que la simple logique appliquée à la forme et à la quantité. La grande erreur consiste à supposer que les vérités qu'on nomme *purement* algébriques sont des vérités abstraites ou générales. Et cette erreur est si énorme que je suis émerveillé de l'unanimité avec laquelle elle est accueillie. Les axiomes mathématiques ne sont pas des axiomes d'une vérité générale. Ce qui est vrai d'un rapport de forme ou de quantité est souvent une grosse erreur relativement à la morale, par exemple. Dans cette dernière science, il est très communément faux que la somme des fractions soit égale au tout. De même en chimie, l'axiome a tort. Dans l'appréciation d'une force motrice, il a également tort ; car deux moteurs, chacun étant d'une puissance donnée, n'ont pas nécessairement, quand ils sont associés, une puissance égale à la somme de leurs puissances prises séparément. Il y a une foule d'autres vérités mathématiques qui ne sont des vérités que dans des limites de *rapport*. Mais le mathématicien argumente incorrigiblement d'après ses *vérités finies*, comme si elles étaient d'une application générale et absolue, – valeur que d'ailleurs le monde leur attribue. Bryant, dans sa très remarquable *Mythologie*, mentionne une source analogue d'erreurs quand il dit que, bien que personne ne croie aux fables du paganisme, cependant nous nous oublions nous-mêmes sans cesse au point d'en tirer des déductions, comme si elles étaient des réalités vivantes. Il y a d'ailleurs, chez nos algébristes, qui sont eux-mêmes des païens, de certaines fables païennes auxquelles on ajoute foi, et dont on a tiré des conséquences, non pas tant par une absence de mémoire que par un incompréhensible trouble du cerveau. Bref je n'ai jamais rencontré de pur mathématicien en qui on pût avoir confiance en dehors de ses racines et de ses équations ; je n'en ai pas connu un seul qui ne tînt pas clandestinement pour article de foi que $x^2 + px$ est absolument et inconditionnellement égal à q. Dites à l'un de ces messieurs, en matière d'expérience, si cela vous amuse, que vous croyez à la possibilité de cas où $x^2 + px$ ne serait pas absolument égal à q ; et, quand vous lui aurez fait comprendre ce que vous voulez dire, mettez-vous hors de sa portée et le plus lestement possible, car, sans aucun doute, il essayera de vous assommer.

« Je veux dire, continua Dupin, pendant que je me contentais de rire de ses dernières observations, que, si le ministre n'avait été qu'un mathématicien, le préfet n'aurait pas été dans la nécessité de me souscrire ce billet. Je le connaissais pour un mathématicien et un poète, et j'avais pris mes mesures en raison de sa capacité, et en tenant compte des circonstances où il se trouvait placé. Je savais que c'était un homme de cour et un intrigant déterminé. Je réfléchis qu'un pareil homme devait indubitablement être au courant des pratiques de la police. Évidemment, il devait avoir prévu – et l'événement l'a prouvé – les guets-apens qui lui ont été préparés. Je me dis qu'il avait prévu les perquisitions secrètes dans son hôtel. Ces fréquentes absences nocturnes que notre bon préfet avait saluées comme des adjuvants positifs de son futur succès, je les regardais simplement comme des ruses pour faciliter les libres recherches de la police et lui persuader plus facilement que la lettre n'était pas dans l'hôtel. Je sentais aussi que toute la série d'idées relatives aux principes invariables de l'action policière dans le cas de perquisition, – idées que je vous expliquai tout à l'heure, non sans quelque peine, – je sentais, dis-je, que toute cette série d'idées avait dû nécessairement se dérouler dans l'esprit du ministre.

« Cela devait impérativement le conduire à dédaigner toutes les cachettes vulgaires. Cet homme-là ne pouvait pas être assez faible pour ne pas deviner que la cachette la plus compliquée, la plus profonde de son hôtel serait aussi peu secrète qu'une antichambre ou une armoire pour les yeux, les sondes, les vrilles et les microscopes du préfet. Enfin je voyais qu'il avait dû viser nécessairement à la simplicité, s'il n'y avait pas été induit par un goût naturel. Vous vous rappelez sans doute avec quels éclats de rire le préfet accueillit l'idée que j'exprimai dans notre première entrevue, à savoir que si le mystère l'embarrassait si fort, c'était peut-être en raison de son absolue simplicité.

– Oui, dis-je, je me rappelle parfaitement son hilarité. Je croyais vraiment qu'il allait tomber dans des attaques de nerfs.

– Le monde matériel, continua Dupin, est plein d'analogies exactes avec l'immatériel, et c'est ce qui donne une couleur de vérité à ce dogme de rhétorique qu'une métaphore ou une comparaison peut fortifier un argument aussi bien qu'embellir une description.

« Le principe de la force d'inertie, par exemple, semble identique dans les deux natures, physique et métaphysique ; un gros corps est plus difficilement mis en mouvement qu'un petit, et sa quantité de mouvement est en proportion de cette difficulté ; voilà qui est aussi positif que cette proposition analogue : les intellects d'une vaste capacité, qui sont en même temps plus impétueux, plus constants et plus accidentés dans leur mouvement que ceux d'un degré inférieur, sont ceux qui se meuvent le moins aisément, et qui sont les plus embarrassés d'hésitation quand ils se mettent en marche. Autre exemple : avez-vous jamais remarqué quelles sont les enseignes de boutique qui attirent le plus l'attention ?

– Je n'ai jamais songé à cela, dis-je.

– Il existe, reprit Dupin, un jeu de divination qu'on joue avec une carte géographique. Un des joueurs prie quelqu'un de deviner un mot donné, – un nom de ville, de rivière, d'État ou d'empire, – enfin un mot quelconque compris dans l'étendue bigarrée et embrouillée de la carte. Une personne novice dans le jeu cherche en général à embarrasser ses adversaires en leur donnant à deviner des noms écrits en caractères imperceptibles ; mais les adeptes du jeu choisissent des mots en gros caractères qui s'étendent d'un bout de la carte à l'autre. Ces mots-là, comme les enseignes et les affiches à lettres énormes, échappent à l'observateur par le fait même de leur excessive évidence ; et, ici, l'oubli matériel est précisément analogue à l'inattention morale d'un esprit qui laisse échapper les considérations trop palpables, évidentes jusqu'à la banalité et l'importunité. Mais c'est là un cas, à ce qu'il semble, un peu au-dessus ou au-dessous de l'intelligence du préfet. Il n'a jamais cru probable ou possible que le ministre eût déposé sa lettre juste sous le nez du monde entier, comme pour mieux empêcher un individu quelconque de l'apercevoir.

« Mais plus je réfléchissais à l'audacieux, au distinctif et brillant esprit de D…, – à ce fait qu'il avait dû toujours avoir le document sous la main, pour en faire immédiatement usage, si besoin était, – et à cet autre fait que, d'après la démonstration décisive fournie par le préfet, ce document n'était pas caché dans les limites d'une perquisition ordinaire et en règle, – plus je me sentais convaincu que le ministre, pour cacher sa lettre, avait eu recours à l'expédient le plus ingénieux du monde, le plus large, qui était de ne pas même essayer de la cacher.

« Pénétré de ces idées, j'ajustai sur mes yeux une paire de lunettes vertes, et je me présentai un beau matin, comme par hasard, à l'hôtel du ministre. Je trouve D... chez lui, bâillant, flânant, musant, et se prétendant accablé d'un suprême ennui. D... est peut-être l'homme le plus réellement énergique qui soit aujourd'hui, mais c'est seulement quand il est sûr de n'être vu de personne.

« Pour n'être pas en reste avec lui, je me plaignais de la faiblesse de mes yeux et de la nécessité de porter des lunettes. Mais, derrière ces lunettes, j'inspectais soigneusement et minutieusement tout l'appartement, en faisant semblant d'être tout à la conversation de mon hôte.

« Je donnai une attention spéciale à un vaste bureau auprès duquel il était assis, et sur lequel gisaient pêle-mêle des lettres diverses et d'autres papiers, avec un ou deux instruments de musique et quelques livres. Après un long examen, fait à loisir, je n'y vis rien qui pût exciter particulièrement mes soupçons.

« À la longue, mes yeux, en faisant le tour de la chambre, tombèrent sur un misérable porte-cartes, orné de clinquant, et suspendu par un ruban bleu crasseux à un petit bouton de cuivre au-dessus du manteau de la cheminée. Ce porte-cartes, qui avait trois ou quatre compartiments, contenait cinq ou six cartes de visite et une lettre unique. Cette dernière était fortement salie et chiffonnée. Elle était presque déchirée en deux par le milieu, comme si on avait eu d'abord l'intention de la déchirer entièrement, ainsi qu'on fait d'un objet sans valeur ; mais on avait vraisemblablement changé d'idée. Elle portait un large sceau noir avec le chiffre de D... très en évidence, et était adressée au ministre lui-même.

La suscription était d'une écriture de femme très fine. On l'avait jetée négligemment, et même, à ce qu'il semblait, assez dédaigneusement dans l'un des compartiments supérieurs du porte-cartes.

« À peine eus-je jeté un coup d'œil sur cette lettre que je conclus que c'était celle dont j'étais en quête. Évidemment elle était, par son aspect, absolument différente de celle dont le préfet nous avait lu une description si minutieuse. Ici, le sceau était large et noir avec le chiffre de D... ; dans l'autre, il était petit et rouge, avec les armes ducales de la famille S... Ici, la suscription était d'une écriture menue et féminine ; dans l'autre, l'adresse, portant le nom d'une personne royale, était d'une écriture hardie, décidée et caractérisée ; les deux lettres ne se ressemblaient qu'en un point, la dimension. Mais le caractère excessif de ces différences, fondamentales en somme, la saleté, l'état déplorable du papier, fripé et déchiré, qui contredisaient les véritables habitudes de D..., si méthodique, et qui dénonçaient l'intention de dérouter un indiscret en lui offrant toutes les apparences d'un document sans valeur, – tout cela, en y ajoutant la situation impudente du document mis en plein sous les yeux de tous les visiteurs et concordant ainsi exactement avec mes conclusions antérieures, – tout cela, dis-je, était fait pour corroborer décidément les soupçons de quelqu'un venu avec le parti pris du soupçon.

« Je prolongeai ma visite aussi longtemps que possible, et, tout en soutenant une discussion très vive avec le ministre sur un point que je savais être pour lui d'un intérêt toujours nouveau, je gardais invariablement mon attention braquée sur la lettre. Tout en faisant cet examen, je réfléchissais sur son aspect extérieur et sur la manière dont elle était arrangée dans le porte-cartes, et à la longue je tombai sur une découverte qui mit à néant le léger doute qui pouvait me rester encore. En analysant les bords du papier, je remarquai qu'ils étaient plus éraillés que *nature*. Ils présentaient l'aspect cassé d'un papier dur, qui, ayant été plié et foulé par le couteau à papier, a été replié dans le sens inverse, mais dans les mêmes plis qui constituaient sa forme première. Cette découverte me suffisait. Il était clair pour moi que la lettre avait été retournée comme un gant, repliée et recachetée. Je souhaitai le bonjour au ministre, et je pris soudainement congé de lui, en oubliant une tabatière en or sur son bureau.

« Le matin suivant, je vins pour chercher ma tabatière, et nous reprîmes très vivement la conversation de la veille. Mais, pendant que la discussion s'engageait, une détonation très forte, comme un coup de pistolet, se fit entendre sous les fenêtres de l'hôtel, et fut suivie des cris et des vociférations d'une foule épouvantée. D... se précipita vers une fenêtre, l'ouvrit, et regarda dans la rue. En même temps, j'allai droit au porte-cartes, je pris la lettre, je la mis dans ma poche, et je la remplaçai par une autre, une espèce de *fac-similé* (quant à l'extérieur), que j'avais soigneusement préparé chez moi, – en contrefaisant le chiffre D... à l'aide d'un sceau de mie de pain.

« Le tumulte de la rue avait été causé par le caprice insensé d'un homme armé d'un fusil. Il avait déchargé son arme au milieu d'une foule de femmes et d'enfants. Mais, comme elle n'était pas chargée à balle, on prit ce drôle pour un lunatique ou un ivrogne, et on lui permit de continuer son chemin. Quand il fut parti, D... se retira de la fenêtre, où je l'avais suivi immédiatement après m'être assuré de la précieuse lettre. Peu d'instants après, je lui dis adieu. Le prétendu fou était un homme payé par moi.

– Mais quel était votre but, demandai-je à mon ami, en remplaçant la lettre par une contrefaçon ? N'eût-il pas été plus simple, dès votre première visite, de vous en emparer, sans autres précautions, et de vous en aller ?

– D..., répliqua Dupin, est capable de tout, et, de plus, c'est un homme solide. D'ailleurs, il a dans son hôtel des serviteurs à sa dévotion. Si j'avais fait l'extravagante tentative dont vous parlez, je ne serais pas sorti vivant de chez lui. Le bon peuple de Paris n'aurait plus entendu parler de moi. Mais, à part ces considérations, j'avais un but particulier. Vous connaissez mes sympathies politiques. Dans cette affaire, j'agis comme partisan de la dame en question. Voilà dix-huit mois que le ministre la tient en son pouvoir. C'est elle maintenant qui le tient, puisqu'il ignore que la lettre n'est plus chez lui, et qu'il va vouloir procéder à son chantage habituel. Il va donc infailliblement opérer lui-même et du premier coup sa ruine politique. Sa chute ne sera pas moins précipitée que ridicule. On parle fort lestement du *facilis descensus Averni* ; mais, en matière d'escalades, on peut dire ce que la Catalani disait du chant : il est plus facile de monter que de descendre. Dans le cas présent, je n'ai aucune sympathie, pas même de pitié pour celui qui va descendre. D..., c'est le vrai *monstrum horrendum*, – un homme de génie sans principes. Je vous avoue, cependant, que je ne serais pas fâché de connaître le caractère exact de ses pensées, quand, mis au défi par celle que le préfet appelle *une certaine personne*, il sera réduit à ouvrir la lettre que j'ai laissée pour lui dans son porte-cartes.

– Comment ! est-ce que vous y avez mis quelque chose de particulier ?

– Eh mais ! il ne m'a pas semblé tout à fait convenable de laisser l'intérieur en blanc, – cela aurait eu l'air d'une insulte. Une fois, à Vienne, D... m'a joué un vilain tour, et je lui dis d'un ton tout à fait gai que je m'en souviendrais. Aussi, comme je savais qu'il éprouverait une certaine curiosité relativement à la personne par qui il se trouvait joué, je pensai que ce serait vraiment dommage de ne pas lui laisser un indice quelconque. Il connaît fort bien mon écriture, et j'ai copié tout au beau milieu de la page blanche ces mots :

> ...Un dessein si funeste,
> S'il n'est digne d'Atrée, est digne de Thyeste.

Vous trouverez cela dans *l'Atrée* de Crébillon.

LE SCARABÉE D'OR

> Oh! oh! qu'est-ce que cela? Ce garçon
> a une folie dans les jambes? Il a été
> mordu par la tarentule.
>
> (Tout de travers.)

Il y a quelques années, je me liai intimement avec un
M. William Legrand. Il était d'une ancienne famille pro-
testante, et jadis il avait été riche ; mais une série de mal-
heurs l'avait réduit à la misère. Pour éviter l'humiliation
de ses désastres, il quitta La Nouvelle-Orléans, la ville de
ses aïeux, et établit sa demeure dans l'île de Sullivan, près
Charleston, dans la Caroline du Sud.

Cette île est des plus singulières. Elle n'est guère
composée que de sable de mer et a environ trois milles
de long. En largeur, elle n'a jamais plus d'un quart de
mille. Elle est séparée du continent par une crique à peine
visible, qui filtre à travers une masse de roseaux et de
vase, rendez-vous habituel des poules d'eau. La végéta-
tion, comme on peut le supposer, est pauvre, ou, pour
ainsi dire, naine. On n'y trouve pas d'arbres d'une certaine dimension. Vers l'extrémité occidentale, à l'endroit
où s'élèvent le fort Moultrie et quelques misérables
bâtisses de bois habitées pendant l'été par les gens qui
fuient les poussières et les fièvres de Charleston, on rencontre, il est vrai, le palmier nain sétigère ; mais toute
l'île, à l'exception de ce point occidental et d'un espace

triste et blanchâtre qui borde la mer, est couverte
d'épaisses broussailles de myrte odoriférant, si estimé par
les horticulteurs anglais. L'arbuste y monte souvent à une
hauteur de quinze ou vingt pieds ; il y forme un taillis
presque impénétrable et charge l'atmosphère de ses
parfums.

Au plus profond de ce taillis, non loin de l'extrémité
orientale de l'île, c'est-à-dire de la plus éloignée, Legrand
s'était bâti lui-même une petite hutte, qu'il occupait
quand, pour la première fois et par hasard, je fis sa
connaissance. Cette connaissance mûrit bien vite en amitié, – car il y avait, certes, dans le cher reclus de quoi
exciter l'intérêt et l'estime. Je vis qu'il avait reçu une forte
éducation, heureusement servie par des facultés spirituelles peu communes, mais qu'il était infecté de misan-
thropie et sujet à de malheureuses alternatives
d'enthousiasme et de mélancolie. Bien qu'il eût chez lui
beaucoup de livres, il s'en servait rarement. Ses principaux amusements consistaient à chasser et à pêcher, ou
à flâner sur la plage et à travers les myrtes, en quête de
coquillages et d'échantillons entomologiques ; – sa collection aurait pu faire envie à un Swammerdam. Dans
ces excursions, il était ordinairement accompagné par un
vieux nègre nommé Jupiter, qui avait été affranchi avant
les revers de la famille, mais qu'on n'avait pu décider, ni
par menaces ni par promesses, à abandonner son jeune
massa Will ; il considérait comme son droit de le suivre
partout. Il n'est pas improbable que les parents de
Legrand, jugeant que celui-ci avait la tête un peu déran-
gée, se soient appliqués à confirmer Jupiter dans son
obstination, dans le but de mettre une espèce de gardien
et de surveillant auprès du fugitif.

Sous la latitude de l'île de Sullivan, les hivers sont rarement rigoureux, et c'est un événement quand, au déclin
de l'année, le feu devient indispensable. Cependant, vers
le milieu d'octobre 18.., il y eut une journée d'un froid

remarquable. Juste avant le coucher du soleil, je me frayai un chemin à travers les taillis vers la hutte de mon ami, que je n'avais pas vu depuis quelques semaines ; je demeurais alors à Charleston, à une distance de neuf milles de l'île, et les facilités pour aller et revenir étaient bien moins grandes qu'aujourd'hui. En arrivant à la hutte, je frappai selon mon habitude, et, ne recevant pas de réponse, je cherchai la clef où je savais qu'elle était cachée, j'ouvris la porte et j'entrai. Un beau feu flambait dans le foyer. C'était une surprise, et, à coup sûr, une des plus agréables. Je me débarrassai de mon paletot, je traînai un fauteuil auprès des bûches pétillantes, et j'attendis patiemment l'arrivée de mes hôtes.

Peu après la tombée de la nuit, ils arrivèrent et me firent un accueil tout à fait cordial. Jupiter, tout en riant d'une oreille à l'autre, se donnait du mouvement et préparait quelques poules d'eau pour le souper. Legrand était dans une de ses *crises* d'enthousiasme ; – car de quel autre nom appeler cela ? Il avait trouvé un bivalve inconnu, formant un genre *nouveau*, et, mieux encore, il avait chassé et attrapé, avec l'assistance de Jupiter, un scarabée qu'il croyait tout à fait nouveau et sur lequel il désirait avoir mon opinion le lendemain matin.

– Et pourquoi pas ce soir ? demandai-je en me frottant les mains devant la flamme, et envoyant mentalement au diable toute la race des scarabées.

– Ah ! si j'avais seulement su que vous étiez ici ! dit Legrand ; mais il y a si longtemps que je ne vous ai vu ! Et comment pouvais-je deviner que vous me rendriez visite justement cette nuit ? En revenant au logis, j'ai rencontré le lieutenant G..., du fort, et très étourdiment je lui ai prêté le scarabée ; de sorte qu'il vous sera impossible de le voir avant demain matin. Restez ici cette nuit, et j'enverrai Jupiter le chercher au lever du soleil. C'est bien la plus ravissante chose de la création !

– Quoi ? le lever du soleil ?

– Eh non ! que diable ! – le scarabée. Il est d'une brillante couleur d'or, – gros à peu près comme une grosse noix, avec deux taches d'un noir de jais à une extrémité du dos, et une troisième, un peu plus allongée, à l'autre. Les antennes sont…

– Il n'y a pas du tout d'étain sur lui [1], massa Will, je vous le parie, interrompit Jupiter ; le scarabée est un scarabée d'or, d'or massif, d'un bout à l'autre, dedans et partout, excepté les ailes ; – je n'ai jamais vu de ma vie un scarabée à moitié aussi lourd.

– C'est bien, mettons que vous ayez raison, Jup, répliqua Legrand un peu plus vivement, à ce qu'il me sembla, que ne le comportait la situation, est-ce une raison pour laisser brûler les poules ? La couleur de l'insecte, – et il se tourna vers moi, – suffirait en vérité à rendre plausible l'idée de Jupiter. Vous n'avez jamais vu un éclat métallique plus brillant que celui de ses élytres ; mais vous ne pourrez en juger que demain matin. En attendant, j'essayerai de vous donner une idée de sa forme.

Tout en parlant, il s'assit à une petite table sur laquelle il y avait une plume et de l'encre, mais pas de papier. Il chercha dans un tiroir, mais n'en trouva pas.

– N'importe, dit-il à la fin, cela suffira.

Et il tira de la poche de son gilet quelque chose qui me fit l'effet d'un morceau de vieux vélin fort sale, et il fit dessus une espèce de croquis à la plume. Pendant ce temps, j'avais gardé ma place auprès du feu, car j'avais toujours très froid. Quand son dessin fut achevé, il me le

---

1. *La prononciation du mot* antennae *fait commettre une méprise au nègre, qui croit qu'il est question d'étain :* Dey aint no tin in him. *Calembour intraduisible. Le nègre parlera toujours dans une espèce de patois anglais, que le patois nègre français n'imiterait pas mieux que le bas normand ou le breton ne traduirait l'irlandais. En se rappelant les orthographes figuratives de Balzac, on se fera une idée de ce que ce moyen un peu physique peut ajouter de pittoresque et de comique, mais j'ai dû renoncer à m'en servir, faute d'équivalent. – C. B.*

passa, sans se lever. Comme je le recevais de sa main, un fort grognement se fit entendre, suivi d'un grattement à la porte. Jupiter ouvrit, et un énorme terre-neuve, appartenant à Legrand, se précipita dans la chambre, sauta sur mes épaules et m'accabla de caresses ; car je m'étais fort occupé de lui dans mes visites précédentes. Quand il eut fini ses gambades, je regardai le papier, et pour dire la vérité, je me trouvai passablement intrigué par le dessin de mon ami.

– Oui ! dis-je après l'avoir contemplé quelques minutes, c'est là un étrange scarabée, je le confesse ; il est nouveau pour moi ; je n'ai jamais rien vu d'approchant, à moins que ce ne soit un crâne ou une tête de mort, à quoi il ressemble plus qu'aucune autre chose qu'il m'ait jamais été donné d'examiner.

– Une tête de mort ! répéta Legrand. Ah ! oui, il y a un peu de cela sur le papier, je comprends. Les deux taches noires supérieures font les yeux, et la plus longue qui est plus bas figure une bouche, n'est-ce pas ? D'ailleurs, la forme générale est ovale.

– C'est peut-être cela, dis-je ; mais je crains, Legrand, que vous ne soyez pas très artiste. J'attendrai que j'aie vu la bête elle-même pour me faire une idée quelconque de sa physionomie.

– Fort bien ! Je ne sais comment cela se fait, dit-il, un peu piqué, je dessine assez joliment, ou du moins, je le devrais, – car j'ai eu de bons maîtres, et je me flatte de n'être pas tout à fait une brute.

– Mais alors, mon cher camarade, dis-je, vous plaisantez ; ceci est un crâne fort passable, je puis même dire que c'est un crâne parfait, d'après toutes les idées reçues relativement à cette partie de l'ostéologie, et votre scarabée serait le plus étrange de tous les scarabées du monde, s'il ressemblait à ceci. Nous pourrions établir là-dessus quelque petite superstition naissante. Je présume que vous nommerez votre insecte *scarabaeus caput hominis*,

ou quelque chose d'approchant ; il y a dans les livres
d'histoire naturelle beaucoup d'appellations de ce genre.
– Mais où sont les antennes dont vous parliez ?

   – Les antennes ! dit Legrand, qui s'échauffait inexplicablement ; vous devez voir les antennes, j'en suis sûr. Je
les ai faites aussi distinctes qu'elles le sont dans l'original,
et je présume que cela est bien suffisant.

   – À la bonne heure, dis-je ; mettons que vous les ayez
faites ; toujours est-il vrai que je ne les vois pas.

   Et je lui tendis le papier, sans ajouter aucune
remarque, ne voulant pas le pousser à bout ; mais j'étais
fort étonné de la tournure que l'affaire avait prise ; sa
mauvaise humeur m'intriguait, – et, quant au croquis de
l'insecte, il n'y avait positivement pas d'antennes visibles,
et l'ensemble ressemblait, à s'y méprendre, à l'image ordinaire d'une tête de mort.

   Il reprit son papier d'un air maussade, et il était au
moment de le froisser, sans doute pour le jeter dans le
feu, quand, son regard étant tombé par hasard sur le
dessin, toute son attention y parut enchaînée. En un
instant, son visage devint d'un rouge intense, puis excessivement pâle. Pendant quelques minutes, sans bouger de
sa place, il continua à examiner minutieusement le dessin.
À la longue, il se leva, prit une chandelle sur la table, et
alla s'asseoir sur un coffre, à l'autre extrémité de la
chambre. Là, il recommença à examiner curieusement le
papier, le tournant dans tous les sens. Néanmoins, il ne
dit rien, et sa conduite me causait un étonnement
extrême ; mais je jugeai prudent de n'exaspérer par aucun
commentaire sa mauvaise humeur croissante. Enfin, il
tira de la poche de son habit un portefeuille, y serra soigneusement le papier, et déposa le tout dans un pupitre
qu'il ferma à clef. Il revint dès lors à des allures plus
calmes, mais son premier enthousiasme avait totalement
disparu. Il avait l'air plutôt concentré que boudeur. À
mesure que la soirée s'avançait, il s'absorbait de plus en

plus dans sa rêverie, et aucune de mes saillies ne put l'en arracher. Primitivement, j'avais eu l'intention de passer la nuit dans la cabane, comme j'avais déjà fait plus d'une fois ; mais, en voyant l'humeur de mon hôte, je jugeai plus convenable de prendre congé. Il ne fit aucun effort pour me retenir ; mais, quand je partis, il me serra la main avec une cordialité encore plus vive que de coutume.

Un mois environ après cette aventure, – et durant cet intervalle je n'avais pas entendu parler de Legrand, – je reçus à Charleston une visite de son serviteur Jupiter. Je n'avais jamais vu le bon vieux nègre si complètement abattu, et je fus pris de la crainte qu'il ne fût arrivé à mon ami quelque sérieux malheur.

– Eh bien, Jup, dis-je, quoi de neuf ? Comment va ton maître ?

– Dame ! pour dire la vérité, massa, il ne va pas aussi bien qu'il devrait.

– Pas bien ! vraiment, je suis navré d'apprendre cela. Mais de quoi se plaint-il ?

– Ah ! voilà la question ! il ne se plaint jamais de rien, mais il est tout de même bien malade.

– Bien malade, Jupiter ! – Eh ! que ne disais-tu cela tout de suite ? Est-il au lit ?

– Non, non, il n'est pas au lit ! Il n'est bien nulle part ; – voilà justement où le soulier me blesse ; – j'ai l'esprit très inquiet au sujet du pauvre massa Will.

– Jupiter, je voudrais bien comprendre quelque chose à tout ce que tu me racontes là. Tu dis que ton maître est malade. Ne t'a-t-il pas dit de quoi il souffre ?

– Oh ! massa, c'est bien inutile de se creuser la tête. Massa Will dit qu'il n'a absolument rien ; – mais, alors, pourquoi donc s'en va-t-il, deçà et delà, tout pensif, les regards sur son chemin, la tête basse, les épaules voûtées, et pâle comme une oie ? Et pourquoi donc fait-il toujours et toujours des chiffres ?

– Il fait quoi, Jupiter ?

– Il fait des chiffres avec des signes sur une ardoise, – les signes les plus bizarres que j'aie jamais vus. Je commence à avoir peur, tout de même. Il faut que j'aie toujours un œil braqué sur lui, rien que sur lui. L'autre jour, il m'a échappé avant le lever du soleil, et il a décampé pour toute la sainte journée. J'avais coupé un bon bâton exprès pour lui administrer une correction de tous les diables quand il reviendrait : mais je suis si bête que je n'en ai pas eu le courage ; il a l'air si malheureux !

– Ah ! vraiment ! – Eh bien, après tout, je crois que tu as mieux fait d'être indulgent pour le pauvre garçon. Il ne faut pas lui donner le fouet, Jupiter – il n'est peut-être pas en état de le supporter. – Mais ne peux-tu pas te faire une idée de ce qui a occasionné cette maladie, ou plutôt ce changement de conduite ? Lui est-il arrivé quelque chose de fâcheux depuis que je vous ai vus ?

– Non, massa, il n'est rien arrivé de fâcheux *depuis* lors, – mais *avant* cela, – oui, – j'en ai peur, – c'était le jour même que vous étiez là-bas.

– Comment ? que veux-tu dire ?

– Eh ! massa, je veux parler du scarabée, voilà tout.

– Du quoi ?

– Du scarabée… – Je suis sûr que massa Will a été mordu quelque part à la tête par ce scarabée d'or.

– Et quelle raison as-tu, Jupiter, pour faire une pareille supposition ?

– Il a bien assez de pinces pour cela, massa, et une bouche aussi. Je n'ai jamais vu un scarabée aussi endiablé ; – il attrape et il mord tout ce qui l'approche. Massa Will l'avait d'abord attrapé, mais il l'a bien vite lâché, je vous assure ; – C'est alors, sans doute, qu'il a été mordu. La mine de ce scarabée et sa bouche ne me plaisaient guère, certes ; – aussi je ne voulus pas le prendre avec mes doigts ; mais je pris un morceau de papier, et j'empoignai le scarabée dans le papier ; je l'enveloppai donc dans le

papier, avec un petit morceau de papier dans la bouche ;
– voilà comment je m'y pris.

– Et tu penses donc que ton maître a été réellement
mordu par le scarabée, et que cette morsure l'a rendu
malade ?

– Je ne pense rien du tout, – je le sais [1]. Pourquoi donc
rêve-t-il toujours d'or, si ce n'est parce qu'il a été mordu
par le scarabée d'or ? J'en ai déjà entendu parler, de ces
scarabées d'or.

– Mais comment sais-tu qu'il rêve d'or ?

– Comment je le sais ? parce qu'il en parle, même en
dormant ; – voilà comment je le sais.

– Au fait, Jupiter, tu as peut-être raison ; mais à quelle
bienheureuse circonstance dois-je l'honneur de ta visite
aujourd'hui ?

– Que voulez-vous dire, massa ?

– M'apportes-tu un message de M. Legrand ?

– Non, massa, je vous apporte une lettre que voici. Et
Jupiter me tendit un papier où je lus :

« Mon cher,

« Pourquoi donc ne vous ai-je pas vu depuis si longtemps ? J'espère que vous n'avez pas été assez enfant
pour vous formaliser d'une petite brusquerie de ma part ;
mais non, – cela est par trop improbable.

« Depuis que je vous ai vu, j'ai eu un grand sujet
d'inquiétude. J'ai quelque chose à vous dire, mais à peine
sais-je comment vous le dire. Sais-je même si je vous le
dirai ?

« Je n'ai pas été tout à fait bien depuis quelques jours,
et le pauvre vieux Jupiter m'ennuie insupportablement
par toutes ses bonnes intentions et attentions. Le
croiriez-vous ? Il avait, l'autre jour, préparé un gros bâton
à l'effet de me châtier, pour lui avoir échappé et avoir

---

1. *Calembour*. I nose *pour* I know. – Je le sens *pour* Je le sais. – *C. B.*

passé la journée seul, au milieu des collines, sur le continent. Je crois vraiment que ma mauvaise mine m'a seule
sauvé de la bastonnade.

« Je n'ai rien ajouté à ma collection depuis que nous
nous sommes vus.

« Revenez avec Jupiter si vous le pouvez sans trop
d'inconvénients. *Venez, venez.* Je désire vous voir ce soir
pour affaire grave. Je vous assure que c'est de *la plus
haute importance.*

« Votre tout dévoué,

« WILLIAM LEGRAND. »

Il y avait dans le ton de cette lettre quelque chose qui
me causa une forte inquiétude. Ce style différait absolument du style habituel de Legrand. À quoi diable rêvait-
il ? Quelle nouvelle lubie avait pris possession de sa trop
excitable cervelle ? Quelle affaire de *si haute importance*
pouvait-il avoir à accomplir ? Le rapport de Jupiter ne
présageait rien de bon ; je tremblais que la pression continue de l'infortune n'eût, à la longue, singulièrement
dérangé la raison de mon ami. Sans hésiter un instant, je
me préparai donc à accompagner le nègre.

En arrivant au quai, je remarquai une faux et trois
bêches, toutes également neuves, qui gisaient au fond du
bateau dans lequel nous allions nous embarquer.

– Qu'est-ce que tout cela signifie, Jupiter ?
demandai-je.

– Ça, c'est une faux, massa, et des bêches.

– Je le vois bien ; mais qu'est-ce que tout cela fait ici ?

– Massa Will m'a dit d'acheter pour lui cette faux et
ces bêches à la ville, et je les ai payées bien cher ; cela
nous coûte un argent de tous les diables.

– Mais au nom de tout ce qu'il y a de mystérieux,
qu'est-ce que ton massa Will a à faire de faux et de
bêches ?

– Vous m'en demandez plus que je ne sais ; lui-même, massa, n'en sait pas davantage ; le diable m'emporte si je n'en suis pas convaincu. Mais tout cela vient du scarabée.

Voyant que je ne pouvais tirer aucun éclaircissement de Jupiter dont tout l'entendement paraissait absorbé par le scarabée, je descendis dans le bateau et je déployai la voile. Une belle et forte brise nous poussa bien vite dans la petite anse au nord du fort Moultrie, et, après une promenade de deux milles environ, nous arrivâmes à la hutte. Il était à peu près trois heures de l'après-midi. Legrand nous attendait avec une vive impatience. Il me serra la main avec un empressement nerveux qui m'alarma et renforça mes soupçons naissants. Son visage était d'une pâleur spectrale, et ses yeux, naturellement fort enfoncés, brillaient d'un éclat surnaturel. Après quelques questions relatives à sa santé, je lui demandai, ne trouvant rien de mieux à dire, si le lieutenant G… lui avait enfin rendu son scarabée.

– Oh ! oui, répliqua-t-il en rougissant beaucoup ; je le lui ai repris le lendemain matin. Pour rien au monde je ne me séparerais de ce scarabée. Savez-vous bien que Jupiter a tout à fait raison à son égard ?

– En quoi ? demandai-je avec un triste pressentiment dans le cœur.

– En supposant que c'est un scarabée d'or véritable.

Il dit cela avec un sérieux profond, qui me fit indiciblement mal.

– Ce scarabée est destiné à faire ma fortune, continuat-il avec un sourire de triomphe, à me réintégrer dans mes possessions de famille. Est-il donc étonnant que je le tienne en si haut prix ? Puisque la Fortune a jugé bon de me l'octroyer, je n'ai qu'à en user convenablement et j'arriverai jusqu'à l'or dont il est l'indice. Jupiter, apporte-le-moi.

– Quoi ? le scarabée, massa ? J'aime mieux n'avoir rien
à démêler avec le scarabée ; vous saurez bien le prendre
vous-même.

Là-dessus, Legrand se leva avec un air grave et impo-
sant, et alla me chercher l'insecte sous un globe de verre
où il était déposé. C'était un superbe scarabée, inconnu
à cette époque aux naturalistes, et qui devait avoir un
grand prix au point de vue scientifique. Il portait à l'une
des extrémités du dos deux taches noires et rondes, et à
l'autre une tache de forme allongée. Les élytres étaient
excessivement dures et luisantes et avaient positivement
l'aspect de l'or bruni. L'insecte était remarquablement
lourd, et, tout bien considéré, je ne pouvais pas trop blâ-
mer Jupiter de son opinion ; mais que Legrand s'entendît
avec lui sur ce sujet, voilà ce qu'il m'était impossible de
comprendre, et, quand il se serait agi de ma vie, je
n'aurais pas trouvé le mot de l'énigme.

– Je vous ai envoyé chercher, dit-il d'un ton magnifique, quand j'eus achevé d'examiner l'insecte, je vous ai
envoyé chercher pour vous demander conseil et assistance dans l'accomplissement des vues de la Destinée et
du scarabée…

– Mon cher Legrand, m'écriai-je en l'interrompant,
vous n'êtes certainement pas bien, et vous feriez beaucoup mieux de prendre quelques précautions. Vous allez
vous mettre au lit, et je resterai auprès de vous quelques
jours, jusqu'à ce que vous soyez rétabli. Vous avez la
fièvre, et…

– Tâtez mon pouls, dit-il.

Je le tâtai, et, pour dire la vérité, je ne trouvai pas le
plus léger symptôme de fièvre.

– Mais vous pourriez bien être malade sans avoir la
fièvre. Permettez-moi, pour cette fois seulement, de faire
le médecin avec vous. Avant toute chose, allez vous
mettre au lit. Ensuite…

– Vous vous trompez, interrompit-il ; je suis aussi bien que je puis espérer de l'être dans l'état d'excitation que j'endure. Si réellement vous voulez me voir tout à fait bien, vous soulagerez cette excitation.

– Et que faut-il faire pour cela ?

– C'est très facile. Jupiter et moi nous partons pour une expédition dans les collines, sur le continent, et nous avons besoin de l'aide d'une personne en qui nous puissions absolument nous fier. Vous êtes cette personne unique. Que notre entreprise échoue ou réussisse, l'excitation que vous voyez en moi maintenant sera également apaisée.

– J'ai le vif désir de vous servir en toute chose, répliquai-je ; mais prétendez-vous dire que cet infernal scarabée ait quelque rapport avec votre expédition dans les collines ?

– Oui, certes.

– Alors, Legrand, il m'est impossible de coopérer à une entreprise aussi parfaitement absurde.

– J'en suis fâché, – très fâché, – car il nous faudra tenter l'affaire à nous seuls.

– À vous seuls ! Ah ! le malheureux est fou, à coup sûr ! – Mais, voyons, combien de temps durera votre absence ?

– Probablement toute la nuit. Nous allons partir immédiatement, et, dans tous les cas, nous serons de retour au lever du soleil.

– Et vous me promettez, sur votre honneur, que ce caprice passé, et l'affaire du scarabée – bon Dieu ! – vidée à votre satisfaction, vous rentrerez au logis, et que vous y suivrez exactement mes prescriptions, comme celles de votre médecin ?

– Oui, je vous le promets ; et maintenant partons, car nous n'avons pas de temps à perdre.

J'accompagnai mon ami, le cœur gros. À quatre heures, nous nous mîmes en route, Legrand, Jupiter, le

chien et moi. Jupiter prit la faux et les bêches ; il insista
pour s'en charger, plutôt, à ce qu'il me parut, par crainte
de laisser un de ces instruments dans la main de son
maître que par excès de zèle et de complaisance. Il était
d'ailleurs d'une humeur de chien, et ces mots : *Damné
scarabée !* furent les seuls qui lui échappèrent tout le long
du voyage. J'avais, pour ma part, la charge de deux lanternes sourdes ; quant à Legrand, il s'était contenté du
scarabée, qu'il portait attaché au bout d'un morceau de
ficelle, et qu'il faisait tourner autour de lui, tout en mar-
chant, avec des airs de magicien. Quand j'observais ce
symptôme suprême de démence dans mon pauvre ami,
je pouvais à peine retenir mes larmes. Je pensai toutefois
qu'il valait mieux épouser sa fantaisie, au moins pour le
moment, ou jusqu'à ce que je pusse prendre quelques
mesures énergiques avec chance de succès. Cependant,
j'essayais, mais fort inutilement, de le sonder relativement
au but de l'expédition. Il avait réussi à me persuader de
l'accompagner, et semblait désormais peu disposé à lier
conversation sur un sujet d'une si maigre importance. À
toutes mes questions, il ne daignait répondre que par un
« Nous verrons bien ! ».

Nous traversâmes dans un esquif la crique à la pointe
de l'île, et, grimpant sur les terrains montueux de la rive
opposée, nous nous dirigeâmes vers le nord-ouest, à travers un pays horriblement sauvage et désolé, où il était
impossible de découvrir la trace d'un pied humain.
Legrand suivait sa route avec décision, s'arrêtant seulement de temps en temps pour consulter certaines indications qu'il paraissait avoir laissées lui-même dans une
occasion précédente.

Nous marchâmes ainsi deux heures environ, et le soleil
était au moment de se coucher quand nous entrâmes
dans une région infiniment plus sinistre que tout ce que
nous avions vu jusqu'alors. C'était une espèce de plateau
près du sommet d'une montagne affreusement escarpée,

couverte de bois de la base au sommet, et semée d'énormes blocs de pierre qui semblaient éparpillés pêle-mêle sur le sol, et dont plusieurs se seraient infailliblement précipités dans les vallées inférieures sans le secours des arbres contre lesquels ils s'appuyaient. De profondes ravines irradiaient dans diverses directions et donnaient à la scène un caractère de solennité plus lugubre.

La plate-forme naturelle sur laquelle nous étions grimpés était si profondément encombrée de ronces que nous vîmes bien que, sans la faux, il nous eût été impossible de nous frayer un passage. Jupiter, d'après les ordres de son maître, commença à nous éclaircir un chemin jusqu'au pied d'un tulipier gigantesque qui se dressait, en compagnie de huit ou dix chênes, sur la plate-forme, et les surpassait tous, ainsi que tous les arbres que j'avais vus jusqu'alors, par la beauté de sa forme et de son feuillage, par l'immense développement de son branchage et par la majesté générale de son aspect. Quand nous eûmes atteint cet arbre, Legrand se tourna vers Jupiter, et lui demanda s'il se croyait capable d'y grimper. Le pauvre vieux parut légèrement étourdi par cette question, et resta quelques instants sans répondre. Cependant, il s'approcha de l'énorme tronc, en fit lentement le tour et l'examina avec une attention minutieuse. Quand il eut achevé son examen, il dit simplement :

– Oui, massa ; Jup n'a pas vu d'arbre où il ne puisse grimper.

– Alors, monte ; allons, allons ! et rondement ! car il fera bientôt trop noir pour voir ce que nous faisons.

– Jusqu'où faut-il monter, massa ? demanda Jupiter.

– Grimpe d'abord sur le tronc, et puis je te dirai quel chemin tu dois suivre. – Ah ! un instant ! – prends ce scarabée avec toi.

– Le scarabée, massa Will ! – le scarabée d'or ! cria le nègre en reculant de frayeur ; pourquoi donc faut-il que

je porte avec moi ce scarabée sur l'arbre ? Que je sois
damné si je le fais !

– Jup, si vous avez peur, vous, un grand nègre, un gros
et fort nègre, de toucher à un petit insecte mort et inoffensif, eh bien, vous pouvez l'emporter avec cette ficelle ;
– mais, si vous ne l'emportez pas avec vous d'une manière
ou d'une autre, je serai dans la cruelle nécessité de vous
fendre la tête avec cette bêche.

– Mon Dieu ! qu'est-ce qu'il y a donc, massa ? dit Jup,
que la honte rendait évidemment plus complaisant ; il
faut toujours que vous cherchiez noise à votre vieux
nègre. C'est une farce, voilà tout. Moi, avoir peur du scarabée ! je m'en soucie bien, du scarabée !

Et il prit avec précaution l'extrême bout de la corde,
et, maintenant l'insecte aussi loin de sa personne que les
circonstances le permettaient, il se mit en devoir de grimper à l'arbre.

Dans sa jeunesse, le tulipier, ou *liriodendron tulipife-
rum*, le plus magnifique des forestiers américains, a un
tronc singulièrement lisse et s'élève souvent à une grande
hauteur sans pousser de branches latérales ; mais, quand
il arrive à sa maturité, l'écorce devient rugueuse et
inégale, et de petits rudiments de branches se manifestent
en grand nombre sur le tronc. Aussi l'escalade, dans le
cas actuel, était beaucoup plus difficile en apparence
qu'en réalité. Embrassant de son mieux l'énorme
cylindre avec ses bras et ses genoux, empoignant avec les
mains quelques-unes des pousses, appuyant ses pieds nus
sur les autres, Jupiter, après avoir failli tomber une ou
deux fois, se hissa à la longue jusqu'à la première grande
fourche, et sembla dès lors regarder la besogne comme
virtuellement accompli. En effet, le risque principal de
l'entreprise avait disparu, bien que le brave nègre se trou-
vât à soixante ou soixante-dix pieds du sol.

– De quel côté faut-il que j'aille maintenant, massa
Will ? demanda-t-il.

– Suis toujours la plus grosse branche, celle de ce côté,
dit Legrand.

Le nègre lui obéit promptement, et apparemment sans
trop de peine ; il monta, monta toujours plus haut, de
sorte qu'à la fin sa personne rampante et ramassée disparut dans l'épaisseur du feuillage ; il était tout à fait invisible. Alors, sa voix lointaine se fit entendre ; il criait :

– Jusqu'où faut-il monter encore ?

– À quelle hauteur es-tu ? demanda Legrand.

– Si haut, si haut, répliqua le nègre, que je peux voir
le ciel à travers le sommet de l'arbre.

– Ne t'occupe pas du ciel, mais fais attention à ce que
je te dis. Regarde le tronc, et compte les branches au-
dessous de toi, de ce côté. Combien de branches as-tu
passé ?

– Une, deux, trois, quatre, cinq ; – j'ai passé cinq
grosses branches, massa, de ce côté-ci.

– Alors, monte encore d'une branche.

Au bout de quelques minutes, sa voix se fit entendre
de nouveau. Il annonçait qu'il avait atteint la septième
branche.

– Maintenant, Jup, cria Legrand, en proie à une agitation manifeste, il faut que tu trouves le moyen de t'avancer sur cette branche aussi loin que tu pourras. Si tu vois
quelque chose de singulier, tu me le diras.

Dès lors, les quelques doutes que j'avais essayé de
conserver relativement à la démence de mon pauvre ami
disparurent complètement. Je ne pouvais plus ne pas le
considérer comme frappé d'aliénation mentale, et je
commençai à m'inquiéter sérieusement des moyens de le
ramener au logis. Pendant que je méditais sur ce que
j'avais de mieux à faire, la voix de Jupiter se fit entendre
de nouveau.

– J'ai bien peur de m'aventurer un peu loin sur cette
branche ; – c'est une branche morte presque dans toute
sa longueur.

– Tu dis bien que c'est une branche morte, Jupiter ? cria Legrand d'une voix tremblante d'émotion.

– Oui, massa, morte comme un vieux clou de porte, c'est une affaire faite, – elle est bien morte, tout à fait sans vie.

– Au nom du ciel, que faire ? demanda Legrand qui semblait en proie à un vrai désespoir.

– Que faire ? dis-je, heureux de saisir l'occasion pour placer un mot raisonnable : retourner au logis et nous aller coucher. Allons, venez ! – Soyez gentil, mon camarade. – Il se fait tard, et puis souvenez-vous de votre promesse.

– Jupiter, criait-il, sans m'écouter le moins du monde, m'entends-tu ?

– Oui, massa Will, je vous entends parfaitement.

– Entame donc le bois avec ton couteau, et dis-moi si tu le trouves bien pourri.

– Pourri, massa, assez pourri, répliqua bientôt le nègre, mais pas aussi pourri qu'il pourrait l'être. Je pourrais m'aventurer un peu plus sur la branche, mais moi seul.

– Toi seul ! – qu'est-ce que tu veux dire ?

– Je veux parler du scarabée. Il est bien lourd, le scarabée. Si je le lâchais d'abord, la branche porterait bien, sans casser, le poids d'un nègre tout seul.

– Infernal coquin ! cria Legrand, qui avait l'air fort soulagé, quelles sottises me chantes-tu là ? Si tu laisses tomber l'insecte, je te tords le cou. Fais-y attention, Jupiter ; – tu m'entends, n'est-ce pas ?

– Oui, massa, ce n'est pas la peine de traiter comme ça un pauvre nègre.

– Eh bien, écoute-moi, maintenant ! Si tu te hasardes sur la branche aussi loin que tu pourras le faire sans danger et sans lâcher le scarabée, je te ferai cadeau d'un dollar d'argent aussitôt que tu seras descendu.

– J'y vais, massa Will, – m'y voilà, répliqua lestement le nègre, je suis presque au bout.

– Au bout ! cria Legrand, très radouci. Veux-tu dire que tu es au bout de cette branche ?

– Je suis bientôt au bout, massa ; – oh ! oh ! oh ! Seigneur Dieu ! miséricorde ! qu'y a-t-il sur l'arbre ?

– Eh bien, cria Legrand, au comble de la joie, qu'est-ce qu'il y a ?

– Eh ! ce n'est rien qu'un crâne ; – quelqu'un a laissé sa tête sur l'arbre, et les corbeaux ont becqueté toute la viande.

– Un crâne, dis-tu ? – Très bien ! – Comment est-il attaché à la branche ? – qu'est-ce qui le retient ?

– Oh ! il tient bien – mais il faut voir. – Ah ! c'est une drôle de chose, sur ma parole ; – il y a un gros clou dans le crâne, qui le retient à l'arbre.

– Bien ! maintenant, Jupiter, fais exactement ce que je vais te dire ! – tu m'entends ?

– Oui, massa.

– Fais bien attention ! – trouve l'œil gauche du crâne.

– Oh ! oh ! voilà qui est drôle ! il n'y a pas d'œil gauche du tout.

– Maudite stupidité ! Sais-tu distinguer ta main droite de ta main gauche ?

– Oui, je sais, – je sais tout cela ; ma main gauche est celle avec laquelle je fends le bois.

– Sans doute, tu es gaucher ; et ton œil gauche est du même côté que ta main gauche. Maintenant, je suppose, tu peux trouver l'œil gauche du crâne, ou la place où était l'œil gauche. As-tu trouvé ?

Il y eut ici une longue pause. Enfin le nègre demanda :

– L'œil gauche du crâne est aussi du même côté que la main gauche du crâne ? – Mais le crâne n'a pas de mains du tout ! – Cela ne fait rien ! j'ai trouvé l'œil gauche, – voilà l'œil gauche ! Que faut-il faire, maintenant ?

– Laisse filer le scarabée à travers, aussi loin que la ficelle peut aller ; mais prends bien garde de lâcher le bout de la corde.

– Voilà qui est fait, massa Will ; c'était chose facile de faire passer le scarabée par le trou ; – tenez, voyez-le descendre.

Pendant tout ce dialogue, la personne de Jupiter était restée invisible ; mais l'insecte qu'il laissait filer apparaissait maintenant au bout de la ficelle, et brillait comme une boule d'or brunie aux derniers rayons du soleil couchant, dont quelques-uns éclairaient encore faiblement l'éminence où nous étions placés. Le scarabée en descendant émergeait des branches, et, si Jupiter l'avait laissé tomber, il serait tombé à nos pieds. Legrand prit immédiatement la faux et éclaircit un espace circulaire de trois ou quatre yards de diamètre, juste au-dessous de l'insecte, et, ayant achevé cette besogne, ordonna à Jupiter de lâcher la corde et de descendre de l'arbre.

Avec un soin scrupuleux, mon ami enfonça dans la terre une cheville à l'endroit précis où le scarabée était tombé, et tira de sa poche un ruban à mesurer. Il l'attacha par un bout à l'endroit du tronc de l'arbre qui était le plus près de la cheville, le déroula jusqu'à la cheville, et continua ainsi à le dérouler dans la direction donnée par ces deux points, – la cheville et le tronc, – jusqu'à la distance de cinquante pieds. Pendant ce temps, Jupiter nettoyait les ronces avec la faux. Au point ainsi trouvé, il enfonça une seconde cheville, qu'il prit comme centre, et autour duquel il décrivit grossièrement un cercle de quatre pieds de diamètre environ. Il s'empara alors d'une bêche, en donna une à Jupiter, une à moi, et nous pria de creuser aussi vivement que possible.

Pour parler franchement, je n'avais jamais eu beaucoup de goût pour un pareil amusement, et, dans le cas présent, je m'en serais bien volontiers passé ; car la nuit s'avançait, et je me sentais passablement fatigué de l'exercice que j'avais déjà pris ; mais je ne voyais aucun moyen de m'y soustraire, et je tremblais de troubler par un refus la prodigieuse sérénité de mon pauvre ami. Si j'avais pu compter sur l'aide de Jupiter, je n'aurais pas hésité à ramener par la force notre fou chez lui ; mais je connaissais trop bien le caractère du vieux nègre pour espérer son assistance, dans le cas d'une lutte personnelle avec son maître et dans n'importe quelle circonstance. Je ne doutais pas que Legrand n'eût le cerveau infecté de quelqu'une des innombrables superstitions du Sud relatives aux trésors enfouis, et que cette imagination n'eût été confirmée par la trouvaille du scarabée, ou peut-être même par l'obstination de Jupiter à soutenir que c'était un scarabée d'or véritable. Un esprit tourné à la folie pouvait bien se laisser entraîner par de pareilles suggestions, surtout quand elles s'accordaient avec ses idées favorites préconçues ; puis je me rappelais le discours du pauvre garçon relativement au scarabée, *indice de sa fortune* ! Par-dessus tout j'étais cruellement tourmenté et embarrassé ; mais enfin je résolus de faire contre fortune bon cœur et de bêcher de bonne volonté, pour convaincre mon visionnaire le plus tôt possible, par une démonstration oculaire, de l'inanité de ses rêveries.

Nous allumâmes les lanternes, et nous attaquâmes notre besogne avec un ensemble et un zèle dignes d'une cause plus rationnelle ; et, comme la lumière tombait sur nos personnes et nos outils, je ne pus m'empêcher de songer que nous composions un groupe vraiment pittoresque, et que, si quelque intrus était tombé par hasard au milieu de nous, nous lui aurions apparu comme faisant une besogne bien étrange et bien suspecte.

Nous creusâmes ferme deux heures durant. Nous parlions peu. Notre principal embarras était causé par les aboiements du chien, qui prenait un intérêt excessif à nos travaux. À la longue, il devint tellement turbulent que

nous craignîmes qu'il ne donnât l'alarme à quelques
rôdeurs du voisinage, – ou, plutôt, c'était la grande
appréhension de Legrand, – car, pour mon compte, je me
serais réjoui de toute interruption qui m'aurait permis de
ramener mon vagabond à la maison. À la fin, le vacarme
fut étouffé grâce à Jupiter, qui, s'élançant hors du trou
avec un air furieusement décidé, musela la gueule de
l'animal avec une de ses bretelles et puis retourna à sa
tâche avec un petit rire de triomphe très grave.

Les deux heures écoulées, nous avions atteint une profondeur de cinq pieds, et aucun indice de trésor ne se
montrait. Nous fîmes une pause générale, et je commençai à espérer que la farce touchait à sa fin. Cependant
Legrand, quoique évidemment très déconcerté, s'essuya
le front d'un air pensif et reprit sa bêche. Notre trou
occupait déjà toute l'étendue du cercle de quatre pieds
de diamètre ; nous entamâmes légèrement cette limite, et
nous creusâmes encore de deux pieds. Rien n'apparut.
Mon chercheur d'or, dont j'avais sérieusement pitié,
sauta enfin du trou avec le plus affreux désappointement
écrit sur le visage, et se décida, lentement et comme à
regret, à reprendre son habit qu'il avait ôté avant de se
mettre à l'ouvrage. Pour moi, je me gardai bien de faire
aucune remarque. Jupiter, à un signal de son maître,
commença à rassembler les outils. Cela fait, et le chien
étant démuselé, nous reprîmes notre chemin dans un profond silence.

Nous avions peut-être fait une douzaine de pas, quand
Legrand, poussant un terrible juron, sauta sur Jupiter et
l'empoigna au collet. Le nègre stupéfait ouvrit les yeux
et la bouche dans toute leur ampleur, lâcha les bêches et
tomba sur les genoux.

– Scélérat ! criait Legrand en faisant siffler les syllabes
entre ses dents, infernal noir ! gredin de noir ! – parle, te
dis-je ! – réponds-moi à l'instant, et surtout ne prévarique
pas ! – Quel est, quel est ton œil gauche ?

– Ah ! miséricorde, massa Will ! n'est-ce pas là, pour
sûr, mon œil gauche ? rugissait Jupiter épouvanté, plaçant sa main sur l'organe *droit* de la vision, et l'y maintenant avec l'opiniâtreté du désespoir, comme s'il eût craint
que son maître ne voulût le lui arracher.

– Je m'en doutais ! – je le savais bien ! hourra ! vociféra
Legrand, en lâchant le nègre et en exécutant une série de
gambades et de cabrioles, au grand étonnement de son
domestique, qui, en se relevant, promenait, sans mot dire,
ses regards de son maître à moi et de moi à son maître.

– Allons, il nous faut retourner, dit celui-ci ; la partie
n'est pas perdue.

Et il reprit son chemin vers le tulipier.

– Jupiter, dit-il quand nous fûmes arrivés au pied de
l'arbre, viens ici ! Le crâne est-il cloué à la branche avec
la face tournée à l'extérieur ou tournée contre la
branche ?

– La face est tournée à l'extérieur, massa, de sorte que
les corbeaux ont pu manger les yeux sans aucune peine.

– Bien. Alors, est-ce par cet œil-ci ou par celui-là que
tu as fait couler le scarabée ?

Et Legrand touchait alternativement les deux yeux de
Jupiter.

– Par cet œil-ci, massa, – par l'œil gauche, – juste
comme vous me l'aviez dit.

Et c'était encore son œil droit qu'indiquait le pauvre
nègre !

– Allons, allons ! il nous faut recommencer.

Alors, mon ami, dans la folie duquel je voyais maintenant, ou croyais voir certains indices de méthode, reporta
la cheville qui marquait l'endroit où le scarabée était
tombé, à trois pouces vers l'ouest de sa première position. Étalant de nouveau son cordeau du point le plus
rapproché du tronc jusqu'à la cheville, comme il avait
déjà fait, et continuant à l'étendre en ligne droite à une
distance de cinquante pieds, il marqua un nouveau point

éloigné de plusieurs yards de l'endroit où nous avions précédemment creusé.

Autour de ce nouveau centre, un cercle fut tracé, un peu plus large que le premier, et nous nous mîmes derechef à jouer de la bêche. J'étais effroyablement fatigué ; mais, sans me rendre compte de ce qui occasionnait un changement dans ma pensée, je ne sentais plus une aussi grande aversion pour le labeur qui m'était imposé. Je m'y intéressais inexplicablement ; je dirai plus, je me sentais excité. Peut-être y avait-il dans toute l'extravagante conduite de Legrand un certain air délibéré, une certaine allure prophétique qui m'impressionnaient moi-même. Je bêchais ardemment et de temps à autre je me surprenais cherchant, pour ainsi dire, des yeux, avec un sentiment qui ressemblait à de l'attente, ce trésor imaginaire dont la vision avait affolé mon infortuné camarade. Dans un de ces moments où ces rêvasseries s'étaient plus singulièrement emparées de moi, et comme nous avions déjà travaillé une heure et demie à peu près, nous fûmes de nouveau interrompus par les violents hurlements du chien. Son inquiétude, dans le premier cas, n'était évidemment que le résultat d'un caprice ou d'une gaieté folle ; mais, cette fois, elle prenait un ton plus violent et plus caractérisé. Comme Jupiter s'efforçait de nouveau de le museler, il fit une résistance furieuse, et, bondissant dans le trou, il se mit à gratter frénétiquement la terre avec ses griffes. En quelques secondes, il avait découvert une masse d'ossements humains formant deux squelettes complets et mêlés de plusieurs boutons de métal, avec quelque chose qui nous parut être de la vieille laine pourrie et émiettée. Un ou deux coups de bêche firent sauter la lame d'un grand couteau espagnol ; nous creusâmes encore, et trois ou quatre pièces de monnaie d'or et d'argent apparurent éparpillées.

À cette vue, Jupiter put à peine contenir sa joie, mais la physionomie de son maître exprima un affreux désappointement. Il nous supplia toutefois de continuer nos efforts, et à peine avait-il fini de parler que je trébuchai et tombai en avant ; la pointe de ma botte s'était engagée dans un gros anneau de fer qui gisait à moitié enseveli sous un amas de terre fraîche.

Nous nous remîmes au travail avec une ardeur nouvelle ; jamais je n'ai passé dix minutes dans une aussi vive exaltation. Durant cet intervalle, nous déterrâmes complètement un coffre de forme oblongue, qui, à en juger par sa parfaite conservation et son étonnante dureté, avait été évidemment soumis à quelque procédé de minéralisation, – peut-être au bichlorure de mercure. Ce coffre avait trois pieds et demi de long, trois de large et deux et demi de profondeur. Il était solidement maintenu par des lames de fer forgé, rivées et formant tout autour une espèce de treillage. De chaque côté du coffre, près du couvercle, étaient trois anneaux de fer, six en tout, au moyen desquels six personnes pouvaient s'en emparer. Tous nos efforts réunis ne réussirent qu'à le déranger légèrement de son lit. Nous vîmes tout de suite l'impossibilité d'emporter un si énorme poids. Par bonheur, le couvercle n'était retenu que par deux verrous que nous fîmes glisser, – tremblants et pantelants d'anxiété. En un instant, un trésor d'une valeur incalculable s'épanouit, étincelant, devant nous. Les rayons des lanternes tombaient dans la fosse, et faisaient jaillir d'un amas confus d'or et de bijoux des éclairs et des splendeurs qui nous éclaboussaient positivement les yeux.

Je n'essayerai pas de décrire les sentiments avec lesquels je contemplais ce trésor. La stupéfaction, comme on peut le supposer, dominait tous les autres. Legrand paraissait épuisé par son excitation même, et ne prononça que quelques paroles. Quant à Jupiter, sa figure devint aussi mortellement pâle que cela est possible à une

figure de nègre. Il semblait stupéfié, foudroyé. Bientôt, il
tomba sur ses genoux dans la fosse, et plongeant ses bras
nus dans l'or jusqu'au coude, il les y laissa longtemps,
comme s'il jouissait des voluptés d'un bain. Enfin, il
s'écria avec un profond soupir, comme se parlant à lui-
même :

– Et tout cela vient du scarabée d'or ? Le joli scarabée
d'or ! le pauvre petit scarabée d'or que j'injuriais, que je
calomniais ! N'as-tu pas honte de toi, vilain nègre ? –
hein, qu'as-tu à répondre ?

Il fallut que je réveillasse, pour ainsi dire, le maître et
le valet, et que je leur fisse comprendre qu'il y avait
urgence à emporter le trésor. Il se faisait tard, et il nous
fallait déployer quelque activité si nous voulions que tout
fût en sûreté chez nous avant le jour. Nous ne savions
quel parti prendre, et nous perdions beaucoup de temps
en délibérations, tant nous avions les idées en désordre.
Finalement, nous allégeâmes le coffre en enlevant les
deux tiers de son contenu, et nous pûmes enfin, mais non
sans peine encore, l'arracher de son trou. Les objets que
nous en avions tirés furent déposés parmi les ronces, et
confiés à la garde du chien, à qui Jupiter enjoignit strictement de ne bouger sous aucun prétexte, et de ne pas
même ouvrir la bouche jusqu'à notre retour. Alors, nous
nous mîmes précipitamment en route avec le coffre ; nous
atteignîmes la hutte sans accident, mais après une fatigue
effroyable et à une heure du matin. Épuisés comme nous
l'étions, nous ne pouvions immédiatement nous remettre
à la besogne, c'eût été dépasser les forces de la nature.
Nous nous reposâmes jusqu'à deux heures, puis nous
soupâmes ; enfin, nous nous remîmes en route pour les
montagnes, munis de trois gros sacs que nous trouvâmes
par bonheur dans la hutte. Nous arrivâmes un peu avant
quatre heures à notre fosse, nous nous partageâmes aussi
également que possible le reste du butin, et, sans nous
donner la peine de combler le trou, nous nous remîmes

en marche vers notre case, où nous déposâmes pour la seconde fois nos précieux fardeaux, juste comme les premières bandes de l'aube apparaissaient à l'est, au-dessus de la cime des arbres.

Nous étions absolument brisés ; mais la profonde excitation actuelle nous refusa le repos. Après un sommeil inquiet de trois ou quatre heures, nous nous levâmes, comme si nous nous étions concertés, pour procéder à l'examen du trésor.

Le coffre avait été rempli jusqu'aux bords, et nous passâmes toute la journée et la plus grande partie de la nuit suivante à inventorier son contenu. On n'y avait mis aucune espèce d'ordre ni d'arrangement ; tout y avait été empilé pêle-mêle. Quand nous eûmes fait soigneusement un classement général, nous nous trouvâmes en possession d'une fortune qui dépassait tout ce que nous avions supposé. Il y avait en espèces plus de 450 000 dollars, – en estimant la valeur des pièces aussi rigoureusement que possible d'après les tables de l'époque. Dans tout cela, pas une parcelle d'argent. Tout était en or de vieille date et d'une grande variété : monnaies française, espagnole et allemande, quelques guinées anglaises, et quelques jetons dont nous n'avions jamais vu aucun modèle. Il y avait plusieurs pièces de monnaie, très grandes et très lourdes, mais si usées qu'il nous fut impossible de déchiffrer les inscriptions. Aucune monnaie américaine. Quant à l'estimation des bijoux, ce fut une affaire un peu plus difficile. Nous trouvâmes des diamants, dont quelques-uns très beaux et d'une grosseur singulière, – en tout, cent dix, dont pas un n'était petit ; dix-huit rubis d'un éclat remarquable ; trois cent dix émeraudes, toutes très belles ; vingt et un saphirs et une opale. Toutes ces pierres avaient été arrachées de leurs montures et jetées pêle-mêle dans le coffre. Quant aux montures elles-mêmes, dont nous fîmes une catégorie distincte de l'autre or, elles paraissaient avoir été broyées à coups de marteau comme pour rendre toute reconnaissance impossible. Outre tout cela, il y avait une énorme quantité d'ornements en or massif ; – près de deux cents bagues ou boucles d'oreilles massives ; de belles chaînes, au nombre de trente, si j'ai bonne mémoire ; quatre-vingt-trois crucifix très grands et très lourds ; cinq encensoirs d'or d'un grand prix ; un gigantesque bol à punch en or, orné de feuilles de vigne et de figures de bacchantes largement ciselées ; deux poignées d'épée merveilleusement travaillées, et une foule d'autres articles plus petits et dont j'ai perdu le souvenir. Le poids de toutes ces valeurs dépassait 350 livres ; et dans cette estimation j'ai omis cent quatre-vingt-dix-sept montres d'or superbes, dont trois valaient chacune cinq cents dollars. Plusieurs étaient très vieilles, et sans aucune valeur comme pièces d'horlogerie, les mouvements ayant plus ou moins souffert de l'action corrosive de la terre ; mais toutes étaient magnifiquement ornées de pierreries, et les boîtes étaient d'un grand prix. Nous évaluâmes cette nuit le contenu total du coffre à un million et demi de dollars ; et, lorsque plus tard nous disposâmes des bijoux et des pierreries, – après en avoir gardé quelques-uns pour notre usage personnel, – nous trouvâmes que nous avions singulièrement sous-évalué le trésor.

Lorsque nous eûmes enfin terminé notre inventaire et que notre terrible exaltation fut en grande partie apaisée, Legrand, qui voyait que je mourais d'impatience de posséder la solution de cette prodigieuse énigme, entra dans un détail complet de toutes les circonstances qui s'y rapportaient.

– Vous vous rappelez, dit-il, le soir où je vous fis passer la grossière esquisse que j'avais faite du scarabée. Vous vous souvenez aussi que je fus passablement choqué de votre insistance à me soutenir que mon dessin ressemblait à une tête de mort. La première fois que vous lâchâtes cette assertion, je crus que vous plaisantiez ; ensuite je me rappelai les taches particulières sur le dos de l'insecte, et je reconnus en moi-même que votre remarque avait en somme quelque fondement. Toutefois, votre ironie à l'endroit de mes facultés graphiques m'irritait, car on me regarde comme un artiste fort passable ; aussi, quand vous me tendîtes le morceau de parchemin, j'étais au moment de le froisser avec humeur et de le jeter dans le feu.

– Vous voulez parler du morceau de *papier*, dis-je.

– Non ; cela avait toute l'apparence du papier, et, moi-même, j'avais d'abord supposé que c'en était ; mais, quand je voulus dessiner dessus, je découvris tout de suite que c'était un morceau de parchemin très mince. Il était fort sale, vous vous le rappelez. Au moment même où j'allais le chiffonner, mes yeux tombèrent sur le dessin que vous aviez regardé et vous pouvez concevoir quel fut mon étonnement quand j'aperçus l'image positive d'une tête de mort à l'endroit même où j'avais cru dessiner un scarabée. Pendant un moment, je me sentis trop étourdi pour penser avec rectitude. Je savais que mon croquis différait de ce nouveau dessin par tous ses détails, bien qu'il y eût une certaine analogie dans le contour général. Je pris alors une chandelle, et, m'asseyant à l'autre bout de la chambre, je procédai à une analyse plus attentive du parchemin. En le retournant, je vis ma propre esquisse sur le revers, juste comme je l'avais faite. Ma première impression fut simplement de la surprise ; il y avait une analogie réellement remarquable dans le contour, et c'était une coïncidence singulière que ce fait de l'image d'un crâne, inconnue à moi, occupant l'autre côté du parchemin immédiatement au-dessous de mon dessin du scarabée, – et d'un crâne qui ressemblait si exactement à mon dessin, non seulement par le contour, mais aussi par la dimension. Je dis que la singularité de cette coïncidence me stupéfia positivement pour un instant. C'est l'effet ordinaire de ces sortes de coïncidences. L'esprit s'efforce d'établir un rapport, une liaison de cause à effet, – et, se trouvant impuissant à y réussir, subit une espèce de paralysie momentanée. Mais, quand je revins de cette stupeur, je sentis luire en moi par degrés une conviction qui me frappa bien autrement encore que cette coïncidence. Je commençai à me rappeler distinctement, positivement qu'il n'y avait aucun dessin sur le parchemin quand j'y fis mon croquis du scarabée. J'en acquis la parfaite certitude ; car je me souvins de l'avoir tourné et retourné en cherchant l'endroit le plus propre. Si le crâne avait été visible, je l'aurais infailliblement remarqué. Il y avait réellement là un mystère que je me sentais incapable de débrouiller ; mais, dès ce moment même, il me sembla voir prématurément poindre une faible lueur dans les régions les plus profondes et les plus secrètes de mon entendement, une espèce de ver luisant intellectuel, une conception embryonnaire de la vérité, dont notre aventure de l'autre nuit nous a fourni une si splendide démonstration. Je me levai décidément, et, serrant soigneusement le parchemin, je renvoyai toute réflexion ultérieure jusqu'au moment où je pourrais être seul.

« Quand vous fûtes parti et quand Jupiter fut bien endormi, je me livrai à une investigation un peu plus méthodique de la chose. Et d'abord je voulus comprendre de quelle manière ce parchemin était tombé dans mes mains. L'endroit où nous découvrîmes le scarabée était sur la côte du continent, à un mille environ à l'est de l'île, mais à une petite distance au-dessus du niveau de la marée haute. Quand je m'en emparai, il me mordit cruellement, et je le lâchai. Jupiter, avec sa prudence accoutumée, avant de prendre l'insecte, qui s'était envolé de son côté, chercha autour de lui une feuille ou quelque chose d'analogue avec quoi il pût s'en emparer. Ce fut en ce moment que ses yeux et les miens tombèrent sur le morceau de parchemin, que je pris alors pour du papier. Il était à moitié enfoncé dans le sable, avec un coin en l'air.

Près de l'endroit où nous le trouvâmes, j'observai les restes d'une coque de grande embarcation, autant du moins que j'en pus juger. Ces débris de naufrage étaient là probablement depuis bien longtemps, car à peine pouvait-on y trouver la physionomie d'une charpente de bateau.

« Jupiter ramassa donc le parchemin, enveloppa l'insecte et me le donna. Peu de temps après, nous reprîmes le chemin de la hutte, et nous rencontrâmes le lieutenant G... Je lui montrai l'insecte, et il me pria de lui permettre de l'emporter au fort. J'y consentis, et il le fourra dans la poche de son gilet sans le parchemin qui lui servait d'enveloppe, et que je tenais toujours à la main pendant qu'il examinait le scarabée. Peut-être eut-il peur que je ne changeasse d'avis, et jugea-t-il prudent de s'assurer d'abord de sa prise ; vous savez qu'il est fou d'histoire naturelle et de tout ce qui s'y rattache. Il est évident qu'alors, sans y penser, j'ai remis le parchemin dans ma poche.

« Vous vous rappelez que, lorsque je m'assis à la table pour faire un croquis du scarabée, je ne trouvai pas de papier à l'endroit où on le met ordinairement. Je regardai dans le tiroir, il n'y en avait point. Je cherchais dans mes poches, espérant trouver une vieille lettre, quand mes doigts rencontrèrent le parchemin. Je vous détaille minutieusement toute la série de circonstances qui l'ont jeté dans mes mains ; car toutes ces circonstances ont singulièrement frappé mon esprit.

« Sans aucun doute, vous me considérerez comme un rêveur, – mais j'avais déjà établi une espèce de connexion. J'avais uni deux anneaux d'une grande chaîne. Un bateau échoué à la côte, et non loin de ce bateau un parchemin, – non *pas un papier*, – portant l'image d'un crâne. Vous allez naturellement me demander où est le rapport ? Je répondrai que le crâne ou la tête de mort est l'emblème bien connu des pirates. Ils ont toujours, dans tous leurs engagements, hissé le pavillon à tête de mort.

« Je vous ai dit que c'était un morceau de parchemin et non pas de papier. Le parchemin est une chose durable, presque impérissable. On confie rarement au parchemin des documents d'une minime importance, puisqu'il répond beaucoup moins bien que le papier aux besoins ordinaires de l'écriture et du dessin. Cette réflexion m'induisit à penser qu'il devait y avoir dans la tête de mort quelque rapport, quelque sens singulier. Je ne faillis pas non plus à remarquer la forme du parchemin. Bien que l'un des coins eût été détruit par quelque accident, on voyait bien que la forme primitive était oblongue. C'était donc une de ces bandes qu'on choisit pour écrire, pour consigner un document important, une note qu'on veut conserver longtemps et soigneusement.

– Mais, interrompis-je, vous dites que le crâne n'était pas sur le parchemin quand vous y dessinâtes le scarabée. Comment donc pouvez-vous établir un rapport entre le bateau et le crâne, – puisque ce dernier, d'après votre propre aveu, a dû être dessiné – Dieu sait comment ou par qui ! – postérieurement à votre dessin du scarabée ?

– Ah ! c'est là-dessus que roule tout le mystère ; bien que j'aie eu comparativement peu de peine à résoudre ce point de l'énigme. Ma marche était sûre, et ne pouvait me conduire qu'à un seul résultat. Je raisonnais ainsi, par exemple : quand je dessinai mon scarabée, il n'y avait pas trace de crâne sur le parchemin ; quand j'eus fini mon dessin, je vous le fis passer, et je ne vous perdis pas de vue que vous ne me l'eussiez rendu. Conséquemment ce n'était pas vous qui aviez dessiné le crâne, et il n'y avait là aucune autre personne pour le faire. Il n'avait donc pas été créé par l'action humaine ; et cependant, il était là, sous mes yeux !

« Arrivé à ce point de mes réflexions, je m'appliquai à me rappeler et je me rappelai en effet, et avec une parfaite exactitude, tous les incidents survenus dans l'intervalle en question. La température était froide, – oh ! l'heureux, le rare accident ! – et un bon feu flambait dans la cheminée. J'étais suffisamment réchauffé par l'exercice, et je m'assis près de la table. Vous, cependant, vous aviez tourné votre chaise tout près de la cheminée. Juste au moment où je vous mis le parchemin dans la main, et comme vous alliez l'examiner, Wolf, mon terre-neuve, entra et vous sauta sur les épaules. Vous le caressiez avec la main gauche, et vous cherchiez à l'écarter, en laissant tomber nonchalamment votre main droite, celle qui tenait le parchemin, entre vos genoux et tout près du feu. Je crus un moment que la flamme allait l'atteindre, et j'allais vous dire de prendre garde ; mais, avant que j'eusse parlé, vous l'aviez retiré, et vous vous étiez mis à l'examiner. Quand j'eus bien considéré toutes ces circonstances, je ne doutai pas un instant que la chaleur n'eût été l'agent qui avait fait apparaître sur le parchemin le crâne dont je voyais l'image. Vous savez bien qu'il y a – il y en a eu de tout temps – des préparations chimiques, au moyen desquelles on peut écrire sur du papier ou sur du vélin des caractères qui ne deviennent visibles que lorsqu'ils sont soumis à l'action du feu. On emploie quelquefois le safre, digéré dans l'eau régale et délayé dans quatre fois son poids d'eau ; il en résulte une teinte verte. Le régule de cobalt dissous dans l'esprit de nitre donne une couleur rouge. Ces couleurs disparaissent plus ou moins longtemps après que la substance sur laquelle on a écrit s'est refroidie, mais reparaissent à volonté par une application nouvelle de la chaleur.

« J'examinai alors la tête de mort avec le plus grand soin. Les contours extérieurs, c'est-à-dire les plus rapprochés du bord du vélin, étaient beaucoup plus distincts que les autres. Évidemment l'action du calorique avait été imparfaite ou inégale. J'allumai immédiatement du feu, et je soumis chaque partie du parchemin à une chaleur brûlante. D'abord, cela n'eut d'autre effet que de renforcer les lignes un peu pâles du crâne ; mais, en continuant l'expérience, je vis apparaître, dans un coin de la bande, au coin diagonalement opposé à celui où était tracée la tête de mort, une figure que je supposai d'abord être celle d'une chèvre. Mais un examen plus attentif me convainquit qu'on avait voulu représenter un chevreau.

– Ah ! ah ! dis-je, je n'ai certes pas le droit de me moquer de vous ! – un million et demi de dollars ! c'est chose trop sérieuse pour qu'on en plaisante ! – mais vous n'allez pas ajouter un troisième anneau à votre chaîne ; vous ne trouverez aucun rapport spécial entre vos pirates et une chèvre ; – les pirates, vous le savez, n'ont rien à faire avec les chèvres. – Cela regarde les fermiers.

– Mais je viens de vous dire que l'image n'était pas celle d'une chèvre.

– Bon ! va pour un chevreau ; c'est presque la même chose.

– Presque, mais pas tout à fait, dit Legrand. – Vous avez entendu parler peut-être d'un certain capitaine Kidd. Je considérai tout de suite la figure de cet animal comme une espèce de signature logogriphique ou hiéroglyphique (*kid*, chevreau). Je dis signature, parce que la place qu'elle occupait sur le vélin suggérait naturellement cette idée. Quant à la tête de mort placée au coin diagonalement opposé, elle avait l'air d'un sceau, d'une estampille. Mais je fus cruellement déconcerté par l'absence du reste, – du corps même de mon document rêvé, – du texte de mon contexte.

– Je présume que vous espériez trouver une lettre entre le timbre et la signature.

– Quelque chose comme cela. Le fait est que je me sentais comme irrésistiblement pénétré du pressentiment d'une immense bonne fortune imminente. Pourquoi ? Je ne saurais trop le dire. Après tout, peut-être était-ce plutôt un désir qu'une croyance positive ; – mais croiriez-vous que le dire absurde de Jupiter que le scarabée était en or massif a eu une influence remarquable sur mon imagination ? Et puis cette série d'accidents et de coïncidences était vraiment si extraordinaire ! Avez-vous remarqué tout ce qu'il y a de forfuit là-dedans ? Il a fallu que tous ces événements arrivassent le seul jour de toute l'année où il a pu faire assez froid pour nécessiter du feu ; et, sans ce feu et sans l'intervention du chien au moment précis où il a paru, je n'aurais jamais eu connaissance de la tête de mort et n'aurais jamais possédé ce trésor.

– Allez, allez, je suis sur des charbons.

– Eh bien, vous avez donc connaissance d'une foule d'histoires qui courent, de mille rumeurs vagues relatives aux trésors enfouis quelque part sur la côte de l'Atlantique, par Kidd et ses associés ? En somme, tous ces bruits devaient avoir quelque fondement. Et si ces bruits duraient depuis si longtemps et avec tant de persistance, cela ne pouvait, selon moi, tenir qu'à un fait, c'est que le trésor enfoui était resté enfoui. Si Kidd avait caché son butin pendant un certain temps et l'avait ensuite repris, ces rumeurs ne seraient pas sans doute venues jusqu'à nous sous leur forme actuelle et invariable. Remarquez que les histoires en question roulent toujours sur des chercheurs et jamais sur des trouveurs de trésors. Si le pirate avait repris son argent, l'affaire en serait restée là. Il me semblait que quelque accident, par exemple la perte de la note qui indiquait l'endroit précis, avait dû le priver des moyens de le recouvrer. Je supposais que cet accident était arrivé à la connaissance de ses compagnons, qui autrement n'auraient jamais su qu'un trésor avait été enfoui, et qui, par leurs recherches infructueuses sans guide et sans notes positives, avaient donné naissance à cette rumeur universelle et à ces légendes aujourd'hui si

communes. Avez-vous jamais entendu parler d'un trésor
important qu'on aurait déterré sur la côte ?

– Jamais.

– Or, il est notoire que Kidd avait accumulé
d'immenses richesses. Je considérais donc comme chose
sûre que la terre les gardait encore ; et vous ne vous étonnerez pas trop quand je vous dirai que je sentais en moi
une espérance, – une espérance qui montait presque à
la certitude ; – c'est que le parchemin, si singulièrement
trouvé, contiendrait l'indication disparue du lieu où avait
été fait le dépôt.

– Mais comment avez-vous procédé ?

– J'exposai de nouveau le vélin au feu, après avoir
augmenté la chaleur ; mais rien ne parut. Je pensai que
la couche de crasse pouvait bien être pour quelque chose
dans cet insuccès ; aussi je nettoyai soigneusement le parchemin en versant de l'eau chaude dessus, puis je le plaçai dans une casserole de fer-blanc, le crâne en dessous,
et je posai la casserole sur un réchaud de charbons allumés. Au bout de quelques minutes, la casserole étant parfaitement chauffée, je retirai la bande de vélin, et je
m'aperçus, avec une joie inexprimable, qu'elle était mou-
chetée en plusieurs endroits de signes qui ressemblaient
à des chiffres rangés en lignes. Je replaçai la chose dans
la casserole, je l'y laissai encore une minute, et, quand je
l'en retirai, elle était juste comme vous allez la voir.

Ici, Legrand, ayant de nouveau chauffé le vélin, le sou-
mit à mon examen. Les caractères suivants apparaissaient en rouge, grossièrement tracés entre la tête de mort
et le chevreau :

53 ‡ ‡ + 305))6* ; 4826)4 ‡.)4 ‡);806* ; 48 +
8q60))85 ; 1 ‡ (; : ‡ *8 + 83(88)5* + ; 46(;88*96* ? ;8)*
‡ (;485) ;5* + 2 :* ‡ (;4956*2(5*–4)8q8* ;4069285) ;)6
+ 8)4 ‡ ‡ ;1(‡ 9 ;48081 ;8 :8 ‡ 1 ;48 + 85 ;4)485 +
528806*81(‡ 9 ;48 ;(88 ;4(‡ ?34 ;48)4 ‡ ; 161 : :188 ; ‡ ? ;

– Mais, dis-je, en lui rendant la bande de vélin, je n'y vois pas plus clair. Si tous les trésors de Golconde devaient être pour moi le prix de la solution de cette énigme, je serais parfaitement sûr de ne pas les gagner.

– Et cependant, dit Legrand, la solution n'est certainement pas aussi difficile qu'on se l'imaginerait au premier coup d'œil. Ces caractères, comme chacun pourrait le deviner facilement, forment un chiffre, c'est-à-dire qu'ils présentent un sens ; mais, d'après ce que nous savons de Kidd, je ne devais pas le supposer capable de fabriquer un échantillon de cryptographie bien abstruse. Je jugeai donc tout d'abord que celui-ci était d'une espèce simple, – tel cependant qu'à l'intelligence grossière du marin il dût paraître absolument insoluble sans la clef.

– Et vous l'avez résolu, vraiment ?

– Très aisément ; j'en ai résolu d'autres dix mille fois plus compliqués. Les circonstances et une certaine inclination d'esprit m'ont amené à prendre intérêt à ces sortes d'énigmes et il est vraiment douteux que l'ingéniosité humaine puisse créer une énigme de ce genre dont l'ingéniosité humaine ne vienne à bout par une application suffisante. Aussi, une fois que j'eus réussi à établir une série de caractères lisibles, je daignai à peine songer à la difficulté d'en dégager la signification.

« Dans le cas actuel, – et, en somme, dans tous les cas d'écriture secrète, – la première question à vider, c'est la *langue* du chiffre : car les principes de solution, particulièrement quand il s'agit des chiffres les plus simples, dépendent du génie de chaque idiome, et peuvent être modifiés. En général, il n'y a pas d'autre moyen que d'essayer successivement, en se dirigeant suivant les probabilités, toutes les langues qui vous sont connues, jusqu'à ce que vous ayez trouvé la bonne. Mais dans le chiffre qui nous occupe, toute difficulté à cet égard était résolue par la signature. Le rébus sur le mot *Kidd* n'est

possible que dans la langue anglaise. Sans cette circonstance, j'aurais commencé mes essais par l'espagnol et le
français, comme étant les langues dans lesquelles un
pirate des mers espagnoles avait dû le plus naturellement
enfermer un secret de cette nature. Mais, dans le cas
actuel, je présumai que le cryptogramme était anglais.

« Vous remarquez qu'il n'y a pas d'espaces entre les
mots. S'il y avait eu des espaces, la tâche eût été singulièrement plus facile. Dans ce cas, j'aurais commencé par
faire une collation et une analyse des mots les plus
courts, et, si j'avais trouvé, comme cela est toujours probable, un mot d'une seule lettre, *a* ou *I* (un, je) par
exemple, j'aurais considéré la solution comme assurée.
Mais, puisqu'il n'y avait pas d'espaces, mon premier
devoir était de relever les lettres prédominantes, ainsi
que celles qui se rencontraient le plus rarement. Je les
comptai toutes, et je dressai la table que voici :

	Le caractère 8 se trouve		33	fois
»	;	»	26	»
»	4	»	19	»
»	∓ et)	»	16	»
»	*	»	13	»
»	5	»	12	»
»	6	»	11	»
»	+ et 1	»	8	»
»	0	»	6	»
»	9 et 2	»	5	»
»	: et 3	»	4	»
»	?	»	3	»
»	q	»	2	»
»	– et .	»	1	»

« Or, la lettre qui se rencontre le plus fréquemment en
anglais est *e*. Les autres lettres se succèdent dans cet
ordre : *a o i d h n r s t u y c f g l m w b k p q x z.*

E prédomine si singulièrement qu'il est très rare de trouver une phrase d'une certaine longueur dont il ne soit pas le caractère principal.

« Nous avons donc, tout en commençant, une base d'opérations qui donne quelque chose de mieux qu'une conjecture. L'usage général qu'on peut faire de cette table est évident ; mais, pour ce chiffre particulier, nous ne nous en servirons que très médiocrement. Puisque notre caractère dominant est 8, nous commencerons par le prendre pour l'*e* de l'alphabet naturel. Pour vérifier cette supposition, voyons si le 8 se rencontre souvent double ; car l'*e* se redouble très fréquemment en anglais, comme par exemple dans les mots : *meet, fleet, speed, seen, been, agree*, etc. Or, dans le cas présent, nous voyons qu'il n'est pas redoublé moins de cinq fois, bien que le cryptogramme soit très court.

« Donc 8 représentera *e*. Maintenant, de tous les mots de la langue, *the* est le plus utilisé ; conséquemment, il nous faut voir si nous ne trouverons pas répétée plusieurs fois la même combinaison de trois caractères, ce 8 étant le dernier des trois. Si nous trouvons des répétitions de ce genre, elles représenteront très probablement le mot *the*. Vérification faite, nous n'en trouvons pas moins de 7 ; et les caractères sont ; 48. Nous pouvons donc supposer que ; représente *t*, que 4 représente *h*, et que 8 représente *e*, – la valeur du dernier se trouvant ainsi confirmée de nouveau. Il y a maintenant un grand pas de fait.

« Nous n'avons déterminé qu'un mot, mais ce seul mot nous permet d'établir un point beaucoup plus important, c'est-à-dire les commencements et les terminaisons d'autres mots. Voyons, par exemple, l'avant-dernier cas où se présente la combinaison ; 48, presque à la fin du chiffre. Nous savons que le ; qui vient immédiatement après est le commencement d'un mot, et des six caractères qui suivent ces *the*, nous n'en connaissons pas moins de cinq. Remplaçons donc ces caractères par les lettres qu'ils représentent, en laissant un espace pour l'inconnu :

t eeth.

« Nous devons tout d'abord écarter le *th* comme ne pouvant pas faire partie du mot qui commence par le premier *t*, puisque nous voyons, en essayant successivement toutes les lettres de l'alphabet pour combler la lacune, qu'il est impossible de former un mot dont ce *th* puisse faire partie. Réduisons donc nos caractères à

t ee,

et reprenant de nouveau tout l'alphabet, s'il le faut, nous concluons au mot *tree* (arbre) comme à la seule version possible. Nous gagnons ainsi une nouvelle lettre, *r* représentée par (, plus deux mots juxtaposés, *the tree* (l'arbre).

« Un peu plus loin, nous retrouvons la combinaison ;48, et nous nous en servons comme de terminaison à ce qui précède immédiatement. Cela nous donne l'arrangement suivant :

the tree ; 4(∓ ?34 the,

ou, en substituant les lettres naturelles aux caractères que nous connaissons,

the tree thr ∓ ?3h the.

Maintenant, si aux caractères inconnus nous substituons des blancs ou des points, nous aurons :

the three thr… h the,

et le mot *through* (par, à travers) se dégage pour ainsi dire de lui-même. Mais cette découverte nous donne trois lettres de plus, *o*, *u*, et *g*, représentées par ∓, ? et 3.

« Maintenant, cherchons attentivement dans le crypto-gramme des combinaisons de caractères connus, et nous trouverons, non loin du commencement, l'arrangement suivant :

83(88, ou *egree*,

qui est évidemment la terminaison du mot *degree* (degré), et qui nous livre encore une lettre *d* représentée par +.

« Quatre lettres plus loin que ce mot *degree*, nous trouvons la combinaison

;46(;88,

dont nous traduisons les caractères connus et représentons l'inconnu par un point ; cela nous donne :

th.rtee,

arrangement qui nous suggère immédiatement le mot *thirteen* (treize), et nous fournit deux lettres nouvelles, *i* et *n* représentées par 6 et *.

« Reportons-nous maintenant au commencement du cryptogramme, nous trouvons la combinaison

53 ‡ ‡ +.

« Traduisant comme nous avons déjà fait, nous obtenons

.good,

ce qui nous montre que la première lettre est un *a*, et que les deux premiers mots sont *a good* (un bon, une bonne).

« Il serait temps maintenant, pour éviter toute confusion, de disposer toutes nos découvertes sous forme de table. Cela nous fera un commencement de clef :

5	représente	*a*
+	»	*d*
8	»	*e*
3	»	*g*
4	»	*h*
6	»	*i*
*	»	*n*
⯭	»	*o*
(	»	*r*
;	»	*t*
?	»	*u*

Ainsi, nous n'avons pas moins de onze des lettres les plus importantes, et il est inutile que nous poursuivions la solution à travers tous ses détails. Je vous en ai dit assez pour vous convaincre que des chiffres de cette nature sont faciles à résoudre, et pour vous donner un aperçu de l'analyse raisonnée qui sert à les débrouiller. Mais tenez pour certain que le spécimen que nous avons sous les yeux appartient à la catégorie la plus simple de la cryptographie. Il ne me reste plus qu'à vous donner la traduction complète du document, comme si nous avions déchiffré successivement tous les caractères. La voici :

A good glass in the bishop's hostel in the devil's seat forty-one degrees and thirteen minutes north-east and by north main branch seventh limb east side shoot from the left eye of the death's-head a bee line from the tree through the shot fifty feet out.

(Un bon verre dans l'hostel de l'évêque dans la chaise du diable quarante et un degrés et treize minutes nord-est quart de nord principale tige septième branche côté est lâchez de l'œil gauche de la tête de mort une ligne d'abeille de l'arbre à travers la balle cinquante pieds au large.)

– Mais, dis-je, l'énigme me paraît d'une qualité tout aussi désagréable qu'auparavant. Comment peut-on tirer un sens quelconque de tout ce jargon de *chaise du diable*, de *tête de mort* et d'*hostel de l'évêque* ?

– Je conviens, répliqua Legrand, que l'affaire a l'air encore passablement sérieux, quand on y jette un simple coup d'œil. Mon premier soin fut d'essayer de retrouver dans la phrase des divisions naturelles qui étaient dans l'esprit de celui qui l'écrivit.

– De la ponctuer, voulez-vous dire ?

– Quelque chose comme cela.

– Mais comment diable avez-vous fait ?

– Je réfléchis que l'écrivain s'était fait une loi d'assembler les mots sans aucune division, espérant rendre ainsi la solution plus difficile. Or, un homme qui n'est pas excessivement fin sera presque toujours enclin, dans une pareille tentative, à dépasser la mesure. Quand, dans le cours de sa composition, il arrive à une interruption de sens qui demanderait naturellement une pause ou un point, il est fatalement porté à serrer les caractères plus que d'habitude. Examinez ce manuscrit, et vous découvrirez facilement cinq endroits de ce genre où il y a pour ainsi dire encombrement de caractères. En me dirigeant d'après cet indice j'établis la division suivante :

A good glass in the bishop's hostel in the devil's seat – forty-one degrees and thirteen minutes – north-east and by north – main branch seventh limb east side – shoot from the left eye of the death's-head – a bee line from the tree through the shot fifty feet out.

(Un bon verre dans l'hostel de l'évêque dans la chaise du diable – quarante et un degrés et treize minutes – nord-est quart de nord – principale tige septième branche côté est – lâchez de l'œil gauche de la tête de mort – une ligne d'abeille de l'arbre à travers la balle cinquante pieds au large.)

– Malgré votre division, dis-je, je reste toujours dans les ténèbres.

– J'y restai moi-même pendant quelques jours, répliqua Legrand. Pendant ce temps, je fis force recherches dans le voisinage de l'île de Sullivan sur un bâtiment qui devait s'appeler *l'Hôtel de l'Évêque*, car je ne m'inquiétai pas de la vieille orthographe du mot *hostel*. N'ayant trouvé aucun renseignement à ce sujet, j'étais sur le point d'étendre la sphère de mes recherches et de procéder d'une manière plus systématique, quand, un matin, je m'avisai tout à coup que ce *Bishop's hostel* pouvait bien avoir rapport à une vieille famille du nom de Bessop, qui, de temps immémorial, était en possession d'un ancien manoir à quatre milles environ au nord de l'île. J'allai donc à la plantation, et je recommençai mes questions parmi les plus vieux nègres de l'endroit. Enfin, une des femmes les plus âgées me dit qu'elle avait entendu parler d'un endroit comme *Bessop's castle* (château de Bessop), et qu'elle croyait bien pouvoir m'y conduire, mais que ce n'était ni un château ni une auberge, mais un grand rocher.

« Je lui offris de la bien payer pour sa peine et, après quelque hésitation, elle consentit à m'accompagner jusqu'à l'endroit précis. Nous le découvrîmes sans trop de difficulté, je la congédiai, et commençai à examiner la localité. Le *château* consistait en un assemblage irrégulier de pics et de rochers, dont l'un était aussi remarquable par sa hauteur que par son isolement et sa configuration quasi artificielle. Je grimpai au sommet, et, là, je me sentis fort embarrassé de ce que j'avais désormais à faire.

« Pendant que j'y rêvais, mes yeux tombèrent sur une étroite saillie dans la face orientale du rocher, à un yard environ au-dessus de la pointe où j'étais placé. Cette saillie se projetait de dix-huit pouces à peu près, et n'avait guère plus d'un pied de large ; une niche creusée dans le

pic juste au-dessus lui donnait une grossière ressemblance avec les chaises à dos concave dont se servaient
nos ancêtres. Je ne doutai pas que ce ne fût la *chaise du
Diable* dont il était fait mention dans le manuscrit, et
il me sembla que je tenais désormais tout le secret de
l'énigme.

« Le *bon verre*, je le savais, ne pouvait pas signifier
autre chose qu'une longue-vue ; car nos marins emploient
rarement le mot *glass* dans un autre sens. Je compris tout
de suite qu'il fallait ici se servir d'une longue-vue, en se
plaçant à un point de vue défini et *n'admettant aucune
variation*. Or, les phrases : *quarante et un degrés et treize
minutes*, et *nord-est quart de nord*, – je n'hésitai pas un
instant à le croire, – devaient donner la direction pour
pointer la longue-vue. Fortement remué par toutes ces
découvertes, je me précipitai chez moi, je me procurai
une longue-vue, et je retournai au rocher.

« Je me laissai glisser sur la corniche, et je m'aperçus
qu'on ne pouvait s'y tenir assis que dans une certaine
position. Ce fait confirma ma conjecture. Je pensai alors
à me servir de la longue-vue. Naturellement, les *quarante
et un degrés et treize minutes* ne pouvaient avoir trait qu'à
l'élévation au-dessus de l'horizon sensible, puisque la
direction horizontale était clairement indiquée par les
mots *nord-est quart de nord*. J'établis cette direction au
moyen d'une boussole de poche ; puis, pointant, aussi
juste que possible par approximation, ma longue-vue à
un angle de quarante et un degrés d'élévation, je la fis
mouvoir avec précaution de haut en bas et de bas en
haut, jusqu'à ce que mon attention fût arrêtée par une
espèce de trou circulaire ou de lucarne dans le feuillage
d'un grand arbre qui dominait tous ses voisins dans
l'étendue visible. Au centre de ce trou, j'aperçus un point
blanc, mais je ne pus pas tout d'abord distinguer ce que
c'était. Après avoir ajusté le foyer de ma longue-vue, je

regardai de nouveau, et je m'assurai enfin que c'était un crâne humain.

« Après cette découverte qui me combla de confiance, je considérai l'énigme comme résolue ; car la phrase : *principale tige, septième branche, côté est*, ne pouvait avoir trait qu'à la position du crâne sur l'arbre, et celle-ci : *lâchez de l'œil gauche de la tête de mort*, n'admettait aussi qu'une interprétation, puisqu'il s'agissait de la recherche d'un trésor enfoui. Je compris qu'il fallait laisser tomber une balle de l'œil gauche du crâne, et qu'une ligne d'abeille, ou, en d'autres termes, une ligne droite, partant du point le plus rapproché du tronc, et s'étendant, *à travers la balle*, c'est-à-dire à travers le point où tomberait la balle, indiquerait l'endroit précis, – et sous cet endroit je jugeai qu'il était pour le moins possible qu'un dépôt précieux fût encore enfoui.

— Tout cela, dis-je, est excessivement clair, et tout à la fois ingénieux, simple et explicite. Et, quand vous eûtes quitté l'*hôtel de l'Évêque*, que fîtes-vous ?

— Mais, ayant soigneusement noté mon arbre, sa forme et sa position, je retournai chez moi. À peine eus-je quitté *la chaise du Diable* que le trou circulaire disparut, et, de quelque côté que je me tournasse, il me fut désormais impossible de l'apercevoir. Ce qui me paraît le chef-d'œuvre de l'ingéniosité dans toute cette affaire, c'est ce fait (car j'ai répété l'expérience et me suis convaincu que c'est un fait) que l'ouverture circulaire en question n'est visible que d'un seul point, et cet unique point de vue, c'est l'étroite corniche sur le flanc du rocher.

« Dans cette expédition à l'*hôtel de l'Évêque* j'avais été suivi par Jupiter, qui observait sans doute depuis quelques semaines mon air préoccupé, et mettait un soin particulier à ne pas me laisser seul. Mais, le jour suivant, je me levai de très grand matin, je réussis à lui échapper, et je courus dans les montagnes à la recherche de mon arbre. J'eus beaucoup de peine à le trouver. Quand je revins chez moi à la nuit, mon domestique se disposait à me donner la bastonnade. Quant au reste de l'aventure, vous êtes, je présume, aussi bien renseigné que moi.

– Je suppose, dis-je, que, lors de nos premières fouilles, vous aviez manqué l'endroit par suite de la bêtise de Jupiter, qui laissa tomber le scarabée par l'œil droit du crâne au lieu de le laisser filer par l'œil gauche.

– Précisément. Cette méprise faisait une différence de deux pouces et demi environ relativement à *la balle*, c'est-à-dire à la position de la cheville près de l'arbre ; si le trésor avait été sous l'endroit marqué par *la balle*, cette erreur eût été sans importance ; mais *la balle* et le point le plus rapproché de l'arbre étaient deux points ne servant qu'à établir une ligne de direction ; naturellement, l'erreur, fort minime au commencement, augmentait en proportion de la longueur de la ligne, et, quand nous fûmes arrivés à une distance de cinquante pieds, elle nous avait totalement dévoyés. Sans l'idée fixe dont j'étais possédé qu'il y avait positivement là, quelque part, un trésor enfoui, nous aurions peut-être bien perdu toutes nos peines.

– Mais votre emphase, vos attitudes solennelles, en balançant le scarabée ! – quelles bizarreries ! Je vous croyais positivement fou. Et pourquoi avez-vous absolument voulu laisser tomber du crâne votre insecte au lieu d'une balle ?

– Ma foi ! pour être franc, je vous avouerai que je me sentais quelque peu vexé par vos soupçons relativement à l'état de mon esprit, et je résolus de vous punir tranquillement, à ma manière, par un petit brin de mystification froide. Voilà pourquoi je balançais le scarabée, et voilà pourquoi je voulus le faire tomber du haut de l'arbre. Une observation que vous fîtes sur son poids singulier me suggéra cette dernière idée.

– Oui, je comprends ; et maintenant il n'y a plus qu'un point qui m'embarrasse. Que dirons-nous des squelettes trouvés dans le trou ?

– Ah ! c'est une question à laquelle je ne saurais pas mieux répondre que vous. Je ne vois qu'une manière plausible de l'expliquer, – et mon hypothèse implique une atrocité telle que cela est horrible à croire. Il est clair que Kidd, – si c'est bien Kidd qui a enfoui le trésor, ce dont je ne doute pas, pour mon compte, – il est clair que Kidd a dû se faire aider dans son travail. Mais, la besogne finie, il a pu juger convenable de faire disparaître tous ceux qui possédaient son secret. Deux bons coups de pioche ont peut-être suffi, pendant que ses aides étaient encore occupés dans la fosse ; il en a peut-être fallu une douzaine. – Qui nous le dira ?

LE CANARD AU BALLON

ÉTONNANTES nouvelles par exprès, *via* Norfolk ! –
L'Atlantique traversée en trois jours !! – Triomphe
signalé de la machine volante de M. Monck Mason !!!
– Arrivée à l'île de Sullivan, près Charleston, S. C., de
MM. Mason, Robert Holland, Henson, Harrison Ainsworth, et de quatre autres personnes, par le ballon dirigeable VICTORIA, après une traversée de soixante-cinq
heures d'un continent à l'autre !!! – Détails circonstan-
ciés du voyage !!!!!

Le jeu d'esprit ci-dessous, avec l'en-tête qui précède en
magnifiques capitales, soigneusement émaillé de points
d'admiration, fut publié primitivement, comme un fait
positif, dans le *New York Sun*, feuille périodique, et y
remplit complètement le but de fournir un aliment indigeste aux insatiables badauds durant les quelques heures
d'intervalle entre deux courriers de Charleston. La cohue
qui se fit pour se disputer *le seul journal qui eût les nouvelles* fut quelque chose qui dépasse même le prodige ; et,
en somme, si, comme quelques-uns l'affirment, le
VICTORIA n'a pas absolument accompli la traversée en
question, il serait difficile de trouver une raison quelconque qui l'eût empêché de l'accomplir.

Le grand problème est à la fin résolu ! L'air, aussi bien
que la terre et l'Océan, a été conquis par la science, et

deviendra pour l'humanité une grande voie commune et
commode. L'Atlantique vient d'être traversée en ballon !
et cela, sans trop de difficultés, – sans grand danger
apparent, – avec une machine dont on est absolument
maître, – et dans l'espace inconcevablement court de soixante-cinq heures d'un continent à l'autre ! Grâce à
l'activité d'un correspondant de Charleston, nous
sommes en mesure de donner les premiers au public un
récit détaillé de cet extraordinaire voyage, qui a été
accompli, – du samedi 6 du courant, à quatre heures du
matin, au mardi 9 du courant, à deux heures de l'après-
midi, – par sir Everard Bringhurst, M. Osborne,
un neveu de lord Bentinck, MM. Monck Mason et
Robert Holland, les célèbres aéronautes, M. Harrison
Ainsworth, auteur de *Jack Sheppard*, etc., M. Henson,
inventeur du malheureux projet de la dernière machine
volante, – et deux marins de Woolwich, – en tout huit
personnes. Les détails fournis ci-dessous peuvent être
considérés comme parfaitement authentiques et exacts
sous tous les rapports, puisqu'ils sont, à une légère exception près, copiés mot à mot d'après les journaux réunis
de MM. Monck Mason et Harrison Ainsworth, à la poli-
tesse desquels notre agent doit également bon nombre
d'explications verbales relativement au ballon lui-même,
à sa construction, et à d'autres matières d'un haut intérêt. La seule altération dans le manuscrit communiqué a
été faite dans le but de donner au récit hâtif de notre
agent, M. Forsyth, une forme suivie et intelligible.

LE BALLON

Deux insuccès notoires et récents – ceux de M. Henson
et de sir George Cayley – avaient beaucoup amorti l'intérêt du public relativement à la navigation aérienne. Le
plan de M. Henson (qui fut d'abord considéré comme

très praticable, même par les hommes de science) était fondé sur le principe d'un plan incliné, lancé d'une hauteur par une force intrinsèque créée et continuée par la rotation de palettes semblables, en forme et en nombre, aux ailes d'un moulin à vent. Mais, dans toutes les expériences qui furent faites avec des modèles à l'*Adelaïde-Gallery*, il se trouva que l'opération de ces ailes, non seulement ne faisait pas avancer la machine, mais empêchait positivement son vol.

La seule force propulsive qu'elle ait jamais montrée fut le simple mouvement acquis par la descente du plan incliné ; et ce mouvement portait la machine plus loin quand les palettes étaient au repos que quand elles fonctionnaient, – fait qui démontrait suffisamment leur inutilité ; et, en l'absence du propulseur, qui lui servait en même temps d'appui, toute la machine devait nécessairement descendre vers le sol. Cette considération induisit sir George Cayley à ajuster un propulseur à une machine qui aurait en elle-même la force de se soutenir, – en un mot, à un ballon. L'idée, néanmoins, n'était nouvelle ou originale, chez sir George, qu'en ce qui regardait le mode d'application pratique. Il exhiba un modèle de son invention à l'Institution polytechnique. La force motrice, ou principe propulseur, était, ici encore, attribuée à des surfaces non continues ou ailes tournantes. Ces ailes étaient au nombre de quatre ; mais il se trouva qu'elles étaient totalement impuissantes à mouvoir le ballon ou à aider sa force ascensionnelle. Tout le projet, dès lors, n'était plus qu'un *four* complet.

Ce fut dans cette conjoncture que M. Monck Mason (dont le voyage de Douvres à Weilburg sur le ballon *le Nassau* excita un si grand intérêt en 1837) eut l'idée d'appliquer le principe de la vis d'Archimède au projet de la navigation aérienne, attribuant judicieusement l'insuccès des plans de M. Henson et de sir George Cayley à la non-continuité des surfaces dans l'appareil des roues. Il fit sa première expérience publique à *Willis's Rooms*, puis plus tard porta son modèle à l'*Adelaïde-Gallery*.

Comme le ballon de sir George Cayley, le sien était un ellipsoïde. Sa longueur était de treize pieds six pouces, sa hauteur de six pieds huit pouces. Il contenait environ trois cent vingt pieds cubes de gaz, qui, si c'était de l'hydrogène pur, pouvaient supporter vingt et une livres aussitôt après qu'il était enflé, avant que le gaz n'eût eu le temps de se détériorer ou de fuir. Le poids de toute la machine et de l'appareil était de dix-sept livres, – donnant ainsi une économie de quatre livres environ. Au centre du ballon, en dessous, était une charpente de bois fort léger, longue d'environ neuf pieds, et attachée au ballon par un réseau de l'espèce ordinaire. À cette charpente était suspendue une corbeille ou nacelle d'osier.

La vis consiste en un axe formé d'un tube de cuivre creux, long de six pouces, à travers lequel, sur une spirale inclinée à un angle de quinze degrés, passe une série de rayons de fil d'acier, longs de deux pieds et se projetant d'un pied de chaque côté. Ces rayons sont réunis à leurs extrémités externes par deux lames de fil métallique aplati, – le tout formant ainsi la charpente de la vis, qui est complétée par un tissu de soie huilée, coupée en pointes et tendue de manière à présenter une surface passablement lisse. Aux deux bouts de son axe, cette vis est surmontée par des montants cylindriques de cuivre descendant du cerceau. Aux bouts inférieurs de ces tubes sont des trous dans lesquels tournent les pivots de l'axe. Du bout de l'axe qui est le plus près de la nacelle part une flèche d'acier qui relie la vis à une machine à levier fixée à la nacelle. Par l'opération de ce ressort, la vis est forcée et tournée avec une grande rapidité, communiquant à l'ensemble un mouvement de progression.

Au moyen du gouvernail, la machine pouvait aisément s'orienter dans toutes les directions. Le levier était d'une grande puissance, comparativement à sa dimension, pouvant soulever un poids de quarante-cinq livres sur un cylindre de quatre pouces de diamètre après le premier tour, et davantage à mesure qu'il fonctionnait. Il pesait en tout huit livres six onces. Le gouvernail était une légère charpente de roseau recouverte de soie, façonnée à peu près comme une raquette, de trois pieds de long à peu près et d'un pied dans sa plus grande largeur. Son poids était de deux onces environ. Il pouvait se tourner à plat et se diriger en haut et en bas, aussi bien qu'à droite et à gauche, et donner à l'aéronaute la faculté de transporter la résistance de l'air, qu'il devait, dans une position inclinée, créer sur son passage, du côté sur lequel il désirait agir, déterminant ainsi pour le ballon la direction opposée.

Ce modèle (que, faute de temps, nous avons nécessairement décrit d'une manière imparfaite) fut mis en mouvement dans l'*Adelaïde-Gallery*, où il donna une vélocité de cinq milles à l'heure ; et, chose étrange à dire, il n'excita qu'un mince intérêt en comparaison de la précédente machine compliquée de M. Henson, – tant le monde est décidé à mépriser toute chose qui se présente avec un air de simplicité ! Pour accomplir le grand *desideratum* de la navigation aérienne, on supposait généralement l'application singulièrement compliquée de quelque principe extraordinairement profond de dynamique.

Toutefois, M. Mason était tellement satisfait du récent succès de son invention qu'il résolut de construire immédiatement, s'il était possible, un ballon d'une capacité suffisante pour vérifier le problème par un voyage de quelque étendue ; – son projet primitif était de traverser la Manche comme il avait déjà fait avec le ballon *le Nassau*. Pour favoriser ses vues, il sollicita et obtint le patronage de sir Everard Bringhurst et de M. Osborne, deux gentlemen bien connus par leurs lumières scientifiques et spécialement pour l'intérêt qu'ils ont manifesté pour les progrès de l'aérostation. Le projet, selon le désir de M. Osborne, fut soigneusement caché au public ; – les seules personnes auxquelles il fut confié furent les personnes engagées dans la construction de la machine, qui fut établie sous la surveillance de MM. Mason, Holland, de sir Everard Bringhurst et de M. Osborne, dans l'habitation de ce dernier, près de Penstruthal, dans le pays de Galles.

M. Henson, accompagné de son ami M. Ainsworth, fut admis à examiner le ballon samedi dernier, – après les derniers arrangements pris par ces messieurs pour être admis à la participation de l'entreprise. Nous ne savons pas pour quelle raison les deux marins firent aussi partie de l'expédition, – mais dans un délai d'un ou deux jours nous mettrons le lecteur en possession des plus minutieux détails concernant cet extraordinaire voyage.

Le ballon est fait de soie recouverte d'un vernis de caoutchouc. Il est conçu dans de grandes proportions et contient plus de 40 000 pieds cubes de gaz ; mais, comme le gaz de houille a été employé préférablement à l'hydrogène, dont la trop grande force d'expansion a des inconvénients, la puissance de l'appareil, quand il est parfaitement gonflé et aussitôt après son gonflement, n'enlève pas plus de 2 500 livres environ. Non seulement le gaz de houille est moins coûteux, mais on peut se le procurer et le gouverner plus aisément.

L'introduction de ce gaz dans les procédés usuels de l'aérostation est due à M. Charles Green. Avant sa découverte, le procédé du gonflement était non seulement excessivement dispendieux, mais peu sûr. On a souvent perdu deux ou même trois jours en efforts futiles pour se procurer la quantité suffisante d'hydrogène pour un ballon d'où il avait toujours une tendance à fuir, grâce à son excessive subtilité et à son affinité pour l'atmosphère ambiante. Un ballon assez bien fait pour tenir sa contenance de gaz de houille intacte, en qualité et en quantité, pendant six mois, ne pourrait pas conserver six semaines la même quantité d'hydrogène dans une égale intégrité.

La force du support étant estimée à 2 500 livres, et les poids réunis de cinq individus seulement à 1 200 environ, il restait un surplus de 1 300, dont 1 200 étaient prises par le lest, réparti en différents sacs, dont le poids était marqué sur chacun, – par les cordages, les baromètres, les télescopes, les barils contenant des provisions pour une quinzaine, les barils d'eau, les portemanteaux, les sacs de nuit et divers autres objets indispensables, y compris une cafetière à faire bouillir le café à la chaux, pour se dispenser totalement de feu, si cela était jugé prudent. Tous ces articles, à l'exception du lest et de quelques bagatelles, étaient appendus au cerceau. La nacelle est plus légère et plus petite à proportion que celle qui la représente dans le modèle. Elle est faite d'un osier fort léger, et singulièrement forte pour une machine qui a l'air si fragile. Elle a environ quatre pieds de profondeur. Le gouvernail diffère aussi de celui du modèle en ce qu'il est beaucoup plus large, et que la vis est considérablement plus petite. Le ballon est en outre muni d'un grappin et d'un *guide-rope*, ce dernier étant de la plus indispensable utilité. Quelques mots d'explication seront nécessaires ici pour ceux de nos lecteurs qui ne sont pas versés dans les détails de l'aérostation.

Aussitôt que le ballon quitte la terre, il est sujet à l'influence de mille circonstances qui tendent à créer une différence dans son poids, augmentant ou diminuant sa force ascensionnelle. Par exemple, il y a parfois sur la soie une masse de rosée qui peut aller à quelques centaines de livres ; il faut alors jeter du lest, sinon l'aérostat descendra. Ce lest jeté, et un bon soleil vaporisant la rosée et augmentant la force d'expansion du gaz dans la soie, le tout montera de nouveau très rapidement. Pour modérer notre ascension, le seul moyen est (ou plutôt était jusqu'au *guide-rope* inventé par M. Charles Green) la faculté de faire échapper du gaz par une soupape ; mais la perte du gaz impliquait une déperdition proportionnelle de la force d'ascension ; si bien que, dans un laps de temps comparativement très bref, le ballon le mieux construit devait nécessairement épuiser toutes ses ressources et s'abattre sur le sol. C'était là le grand obstacle aux voyages un peu longs.

Le *guide-rope* remédie à la difficulté de la manière la plus simple du monde. C'est simplement une très longue corde qu'on laisse traîner hors de la nacelle, et dont l'effet est d'empêcher le ballon de changer de niveau à un degré sensible. Si, par exemple, la soie est chargée d'humidité, et si conséquemment la machine commence à descendre, il n'y a pas de nécessité de jeter du lest pour compenser l'augmentation du poids, car on y remédie ou on la neutralise, dans une proportion exacte, en déposant à terre autant de longueur de corde qu'il est nécessaire. Si, au contraire, quelques circonstances amènent une légèreté excessive et une ascension précipitée, cette légèreté sera immédiatement neutralisée par le poids additionnel de la corde qu'on ramène de terre.

Ainsi le ballon ne peut monter ou descendre que dans des proportions très petites, et ses ressources en gaz et en lest restent à peu près intactes. Quand on passe au-dessus d'une étendue d'eau, il devient nécessaire d'employer de petits barils de cuivre ou de bois remplis d'un lest liquide plus léger que l'eau. Ils flottent et remplissent l'office d'une corde sur la terre. Un autre office très important du *guide-rope* est de marquer la direction du ballon. La corde *drague* pour ainsi dire, soit sur terre, soit sur mer, quand le ballon est libre ; ce dernier conséquemment, toutes les fois qu'il marche, est en avance ; ainsi, une appréciation faite, au compas, des positions des deux objets indiquera toujours la direction. De la même façon, l'angle formé par la corde avec l'axe vertical de la machine indique la vitesse. Quand il n'y a pas d'angle, – en d'autres termes, quand la corde descend perpendiculairement, c'est que la machine est stationnaire ; mais plus l'angle est ouvert, c'est-à-dire plus le ballon est en avance sur le bout de la corde, plus grande est la vitesse ; – et réciproquement.

Comme le projet des voyageurs, dans le principe, était de traverser le canal de la Manche, et de descendre aussi près de Paris qu'il serait possible, ils avaient pris la précaution de se munir de passeports visés pour toutes les parties du continent, spécifiant la nature de l'expédition comme dans le cas du voyage sur *le Nassau*, et assurant aux courageux aventuriers une dispense des formalités usuelles de bureaux ; mais des événements inattendus rendirent les passeports superflus. L'opération du gonflement commença fort tranquillement samedi matin, 6 du courant, au point du jour, dans la grande cour de Weal-Vor-House, résidence de M. Osborne, à un mille environ de Penstruthal, dans la Galles du Nord ; et, à onze heures sept minutes, tout étant prêt pour le départ, le ballon fut lâché et s'éleva doucement, mais constamment, dans une direction presque sud. On ne fit point usage, pendant la première demi-heure, de la vis ni du gouvernail.

Nous nous servons maintenant du journal, tel qu'il a été transcrit par M. Forsyth d'après les manuscrits réunis de MM. Monck, Mason et Ainsworth. Le corps du journal, tel que nous le donnons, est de la main de M. Mason, et il a été ajouté un post-scriptum ou appendice de M. Ainsworth, qui a en préparation et donnera très prochainement au public un compte rendu plus minutieux du voyage, et, sans aucun doute, d'un intérêt saisissant.

Le journal

Samedi, 6 avril. – Tous les préparatifs qui pouvaient nous embarrasser ont été finis cette nuit ; nous avons commencé le gonflement ce matin au point du jour ; mais, par suite d'un brouillard épais qui chargeait d'eau les plis de la soie et la rendait peu maniable, nous ne nous sommes pas élevés avant onze heures à peu près. Alors, nous fîmes tout larguer, dans un grand enthousiasme, et nous nous élevâmes doucement, mais sans interruption, par une jolie brise du nord, qui nous porta dans la direction du canal de la Manche. Nous trouvâmes la force ascensionnelle plus forte que nous ne l'avions espéré, et, comme nous montions assez haut pour dominer toutes les falaises et nous trouver soumis à l'action plus prochaine des rayons du soleil, notre ascension devenait de plus en plus rapide. Cependant je désirais ne pas perdre de gaz dès le commencement de notre tentative, et je résolus qu'il fallait monter pour le moment présent. Nous retirâmes bien vite à nous notre *guide-rope ;* mais, même après l'avoir absolument enlevé de terre, nous continuâmes à monter très rapidement. Le ballon marchait avec une assurance singulière et avait un aspect magnifique. Dix minutes environ après notre départ, le baromètre indiquait une hauteur de 15 000 pieds.

Le temps était remarquablement beau, et l'aspect de la campagne placée sous nos pieds, – un des plus romantiques à tous les points de vue, – était alors particulièrement sublime. Les gorges nombreuses et profondes présentaient l'apparence de lacs, en raison des épaisses vapeurs dont elles étaient remplies, et les hauteurs et les rochers situés au sud-est, empilés dans un inextricable chaos, ressemblaient absolument aux cités géantes de la fable orientale. Nous approchions rapidement des montagnes vers le sud ; mais notre élévation était plus que suffisante pour nous permettre de les dépasser en toute sûreté. En quelques minutes, nous planâmes au-dessus magnifiquement, et M. Ainsworth ainsi que les marins furent frappés de leur apparence peu élevée, vue ainsi de la nacelle, une grande élévation en ballon ayant pour résultat de réduire les inégalités de la surface située au-dessous à un niveau presque uni. À onze heures et demie, nous dirigeant toujours vers le sud, ou à peu près, nous aperçûmes pour la première fois le canal de Bristol ; et, quinze minutes après, la ligne des brisants de la côte apparut brusquement au-dessous de nous, et nous marchâmes rondement au-dessus de la mer. Nous résolûmes alors de lâcher assez de gaz pour laisser notre *guide-rope* traîner dans l'eau avec les bouées attenantes. Cela fut fait à la minute, et nous commençâmes à descendre graduellement. Au bout de vingt minutes environ, notre première bouée toucha, et, au plongeon de la seconde, nous restâmes à une élévation fixe. Nous étions tous très inquiets de vérifier l'efficacité du gouvernail et de la vis, et nous les mîmes immédiatement en réquisition dans le but de déterminer davantage notre route vers l'est et de *mettre le cap* sur Paris.

Au moyen du gouvernail, nous effectuâmes à l'instant le changement nécessaire de direction, et notre route se trouva presque à angle droit avec le vent ; puis nous mîmes en mouvement le ressort de la vis, et nous fûmes ravis de voir qu'elle nous portait docilement dans le sens voulu. Là-dessus, nous poussâmes neuf fois un fort vivat, et nous jetâmes à la mer une bouteille qui contenait une bande de parchemin avec le bref compte rendu du principe de l'invention. Toutefois, nous en avions à peine fini avec nos manifestations de triomphe qu'il survint un accident imprévu qui n'était pas peu propre à nous décourager.

La verge d'acier qui reliait le levier au propulseur fut soudainement jetée hors de sa place par le bout qui confinait à la nacelle (ce fut l'effet de l'inclinaison de la nacelle par suite de quelque mouvement de l'un des marins que nous avions pris avec nous), et, en un instant, se trouva suspendue et dansante hors de notre portée, loin du pivot de l'axe de la vis. Pendant que nous nous efforcions de la rattraper, et que toute notre attention y était absorbée, nous fûmes enveloppés dans un violent courant d'air de l'est qui nous porta avec une force rapide et croissante du côté de l'Atlantique.

Nous nous trouvâmes chassés en mer par une vitesse qui n'était certainement pas moins de cinquante ou de soixante milles à l'heure, si bien que nous atteignîmes le cap Clear, à quarante milles vers notre nord, avant d'avoir pu assurer la verge d'acier et d'avoir eu le temps de penser à virer de bord. Ce fut alors que M. Ainsworth fit une proposition extraordinaire, mais qui, dans mon opinion, n'était nullement déraisonnable ni chimérique, dans laquelle il fut immédiatement encouragé par M. Holland, – à savoir, que nous pourrions profiter de la forte brise qui nous emportait, et tenter, au lieu de rabattre sur Paris, d'atteindre la côte du Nord-Amérique.

Après une légère réflexion, je donnai de bon gré mon assentiment à cette violente proposition, qui, chose étrange à dire, ne trouva d'objections que dans les deux marins.

Toutefois, comme nous étions la majorité, nous maîtrisâmes leurs appréhensions, et nous maintînmes résolument notre route. Nous gouvernâmes droit à l'ouest ; mais, comme le traînage des bouées faisait un obstacle matériel à notre marche, et que nous étions suffisamment maîtres du ballon, soit pour monter, soit pour descendre, nous jetâmes tout d'abord cinquante livres de lest, et nous ramenâmes, au moyen d'une manivelle, toute la corde hors de la mer. Nous constatâmes immédiatement l'effet de cette manœuvre par un prodigieux accroissement de vitesse ; et, comme la brise fraîchissait, nous filâmes avec une vélocité presque inconcevable ; le *guide-rope* s'allongeait derrière la nacelle comme un sillage de navire. Il est superflu de dire qu'il nous suffit d'un très court espace de temps pour perdre la côte de vue. Nous passâmes au-dessus d'innombrables navires de toute espèce, dont quelques-uns louvoyaient avec peine, mais dont la plupart restaient en panne. Nous causâmes à leur bord le plus grand enthousiasme, – enthousiasme fortement savouré par nous-mêmes, et particulièrement par nos deux hommes, qui, maintenant, sous l'influence de quelques petits verres de genièvre, semblaient résolus à jeter au vent toutes craintes et tous scrupules. Plusieurs navires tirèrent le canon de signal ; et tous nous saluèrent par de grands vivats que nous entendions avec une netteté surprenante, et par l'agitation des chapeaux et des mouchoirs. Nous marchâmes ainsi tout le jour, sans incident matériel, et, comme les premières ombres se formaient autour de nous, nous fîmes une estimation approximative de la distance parcourue. Elle ne pouvait pas être de moins de cinq cents milles, probablement davantage. Pendant tout ce temps le propulseur fonctionna et, sans aucun doute, aida positivement notre marche. Quand le soleil se coucha, la brise fraîchit et se transforma en une vraie tempête. Au-dessous de nous, l'Océan était parfaitement visible en raison de sa phosphorescence. Le vent souffla de l'est toute la nuit, et nous donna les plus brillants présages de succès. Nous ne souffrîmes pas peu du froid, et l'humidité de l'atmosphère nous était fort pénible ; mais la place libre dans la nacelle était assez vaste pour nous permettre de nous coucher, et au moyen de nos manteaux et de quelques couvertures nous nous tirâmes passablement d'affaire.

Post-scriptum (par M. Ainsworth). – Ces neuf dernières heures ont été incontestablement les plus enflammées de ma vie. Je ne peux rien concevoir de plus enthousiasmant que l'étrange péril et la nouveauté d'une pareille aventure.

Dieu veuille nous donner le succès ! Je ne demande pas le
succès pour le simple salut de mon insignifiante personne,
mais pour l'amour de la science humaine et pour l'immensité du triomphe. Et cependant l'exploit est si évidemment
faisable que mon seul étonnement est que les hommes
aient reculé jusqu'à présent devant la tentative. Qu'une
simple brise comme celle qui nous favorise maintenant, –
qu'une pareille rafale pousse un ballon pendant quatre ou
cinq jours (ces brises durent quelquefois plus longtemps),
et le voyageur sera facilement porté, dans ce laps de temps,
d'une rive à l'autre. Avec une pareille brise, la vaste Atlantique n'est plus qu'un lac.

Je suis plus frappé, au moment où j'écris, du silence
suprême qui règne sur la mer, malgré son agitation, que
d'aucun autre phénomène. Les eaux ne jettent pas de
voix vers les cieux. L'immense Océan flamboyant au-
dessous de nous se tord et se tourmente sans pousser une
plainte. Les houles montagneuses donnent l'idée
d'innombrables démons, gigantesques et muets, qui se
tordraient dans une impuissante agonie. Dans une nuit
telle qu'est pour moi celle-ci, un homme *vit*, – il vit un
siècle de vie ordinaire, – et je ne donnerais pas ce délice
ravissant pour ce siècle d'existence vulgaire.

Dimanche, 7 (manuscrit de M. Mason). – Ce matin, vers
dix heures, la tempête n'était plus qu'une brise de huit ou
neuf nœuds (pour un navire en mer), et elle nous fait par-
courir peut-être trente milles à l'heure, peut-être davantage. Néanmoins, elle a tourné ferme vers le nord ; et,
maintenant, au coucher du soleil, nous nous dirigeons
droit à l'ouest, grâce surtout à la vis et au gouvernail, qui
fonctionnent admirablement. Je regarde l'entreprise
comme entièrement réussie, et la navigation aérienne dans
toutes les directions (si ce n'est peut-être avec le vent absolument debout) comme un problème résolu. Nous
n'aurions pas pu faire tête à la rude brise d'hier ; mais, en
montant, nous aurions pu sortir du champ de son action,

si nous en avions eu besoin. Je suis convaincu qu'avec notre propulseur, nous pourrions marcher contre une jolie brise carabinée. Aujourd'hui, à midi, nous nous sommes élevés à une hauteur de 25 000 pieds, en jetant du lest. Nous avons agi ainsi pour chercher un courant plus direct, mais nous n'en avons pas trouvé de plus favorable que celui dans lequel nous sommes à présent. Nous avons surabondamment de gaz pour traverser ce petit lac, dût le voyage durer trois semaines. Je n'ai pas la plus légère crainte relativement à l'issue de notre entreprise. Les difficultés ont été étrangement exagérées et incomprises. Je puis choisir mon courant, et, eussé-je contre moi *tous* les courants, je puis faire passablement ma route avec mon propulseur. Nous n'avons pas eu d'incidents notables. La nuit s'annonce bien.

Post-scriptum (par M. Ainsworth). – J'ai peu de chose à noter, excepté le fait (fort surprenant pour moi) qu'à une élévation égale à celle du Cotopaxi, je n'ai éprouvé ni froid trop intense, ni migraine, ni difficulté de respiration ; M. Mason, M. Holland, sir Everard n'ont pas plus souffert que moi, je crois. M. Osborne s'est plaint d'une constriction de la poitrine, – mais cela a disparu assez vite. Nous avons filé avec une grande vitesse toute la journée, et nous devons être à plus de moitié chemin de l'Atlantique. Nous avons passé au-dessus de vingt ou trente navires de toute sorte, et tous semblaient délicieusement étonnés. Traverser l'Océan en ballon n'est pas une affaire si difficile après tout ! *Omne ignotum pro magnifico.*

Nota. – À une hauteur de 25 000 pieds, le ciel apparaît presque noir, et les étoiles se voient distinctement ; pendant que la mer, au lieu de paraître convexe, comme on pourrait le supposer, semble absolument et entièrement concave[1].

---

1. *M. Ainsworth n'a pas essayé de se rendre compte de ce phénomène, dont l'explication est cependant bien simple. Une ligne abaissée perpendi-*

Lundi, 8 (manuscrit de M. Mason). – Ce matin, nous avons encore eu quelque embarras avec la tige du propulseur, qui devra être entièrement modifiée, de crainte de sérieux accidents ; – je parle de la tige d'acier et non pas des palettes ; ces dernières ne laissaient rien à désirer. Le vent a soufflé tout le jour du nord-est, roide et sans interruption, tant la fortune semble résolue à nous favoriser. Juste avant le jour, nous fûmes tous un peu alarmés par quelques bruits singuliers et quelques secousses dans le ballon, accompagnés de la soudaine interruption du jeu de la machine. Ces phénomènes étaient occasionnés par l'expansion du gaz, résultant d'une augmentation de chaleur dans l'atmosphère, et la débâcle naturelle des particules de glace dont le filet s'était incrusté pendant la nuit. Nous avons jeté quelques bouteilles aux navires que nous avons aperçus. L'une d'elles a été recueillie par un grand navire, vraisemblablement un des paquebots qui font le service de New York. Nous avons essayé de déchiffrer son nom, mais nous ne sommes pas sûrs d'y avoir réussi. Le télescope de M. Osborne nous a laissé lire quelque chose comme *l'Atalante*. Il est maintenant minuit, et nous marchons toujours à peu près vers l'ouest d'une

---

culairement sur la surface de la terre (ou de la mer) d'une hauteur de 25 000 pieds formerait la perpendiculaire d'un triangle rectangle, dont la base s'étendrait de l'angle droit à l'horizon, et l'hypoténuse de l'horizon au ballon. Mais les 25 000 pieds de hauteur sont peu de chose ou presque rien relativement à l'étendue de la perspective. En d'autres termes, la base et l'hypoténuse du triangle supposé seraient si longues, comparées avec la perpendiculaire, qu'elles pourraient être regardées comme presque parallèles. De cette façon, l'horizon de l'aéronaute devait lui apparaître de niveau avec la nacelle. Mais, comme le point situé immédiatement au-dessous de lui paraît et est en effet à grande distance, il lui semble naturellement à une grande distance au-dessous de l'horizon. De là l'impression de concavité, et cette impression durera jusqu'à ce que l'élévation se trouve dans une telle proportion avec l'étendue de l'horizon que le parallélisme apparent de la base et de l'hypoténuse disparaisse, – alors la réelle convexité de la terre deviendra sensible. – E. A. P.

allure rapide. La mer est singulièrement phosphores-
cente.

Post-scriptum (par M. Ainsworth). – Il est maintenant
deux heures du matin, et il fait presque calme, autant du
moins que j'en peux juger ; – mais c'est un point qu'il est
fort difficile d'apprécier, depuis que nous nous mouvons
si complètement avec et dans l'air. Je n'ai point dormi
depuis que j'ai quitté Weal-Vor, mais je ne peux plus y
tenir, et je vais faire un somme. Nous ne pouvons pas
être loin de la côte d'Amérique.

Mardi, 9 (manuscrit de M. Ainsworth). – *Une heure de
l'après-midi*. – Nous sommes en vue de la côte basse de
la Caroline du Sud ! Le grand problème est résolu. Nous
avons traversé l'Atlantique, – nous l'avons traversée en
ballon, facilement, rondement ! Dieu soit loué ! Qui osera
dire maintenant qu'il y a quelque chose d'impossible ?

Ici finit le journal. Quelques détails sur la descente ont été
communiqués toutefois par M. Ainsworth à M. Forsyth. Il
faisait presque un *calme plat* quand les voyageurs arrivèrent en vue de la côte, qui fut immédiatement reconnue
par les deux marins et par M. Osborne. Ce gentleman
ayant des connaissances au fort Moultrie, on résolut
immédiatement de descendre dans le voisinage.
Le ballon fut porté vers la plage ; la marée était basse,
le sable ferme, uni, admirablement approprié à une descente, et le grappin mordit du premier coup et tint bon.
Les habitants de l'île et du fort se pressaient naturellement pour voir le ballon ; mais ce n'était qu'avec difficulté qu'on ajoutait foi au voyage accompli, – *la traversée
de l'Atlantique !* L'ancre mordait à deux heures de
l'après-midi ; ainsi le voyage entier avait duré soixante-
quinze heures ; ou plutôt un peu moins, si l'on compte
simplement le trajet d'un rivage à l'autre. Il n'était arrivé
aucun accident sérieux. On n'avait eu à craindre aucun
danger réel. Le ballon fut dégonflé et serré sans peine ;

et ces messieurs étaient encore au fort Moultrie, quand les manuscrits d'où ce récit est tiré partaient par le courrier de Charleston. On ne sait rien de positif sur leurs intentions ultérieures ; mais nous pouvons promettre en toute sûreté à nos lecteurs quelques informations supplémentaires, soit pour lundi, soit pour le jour suivant au plus tard.

Voilà certainement l'entreprise la plus prodigieuse, la plus intéressante, la plus importante qui ait jamais été accomplie ou même tentée par un homme. Quels magnifiques résultats on en peut tirer, n'est-il pas superflu maintenant de le déterminer ?

AVENTURE SANS PAREILLE
D'UN CERTAIN HANS PFAALL

> Avec un cœur plein de fantaisies délirantes
> Dont je suis le capitaine,
> Avec une lance de feu et *un cheval d'air*,
> À travers l'immensité je voyage.
>
> Chanson de Tom O'Bedlam.

D'après les nouvelles les plus récentes de Rotterdam, il paraît que cette ville est dans un singulier état d'effervescence philosophique. En réalité, il s'y est produit des phénomènes d'un genre si complètement inattendu, si entièrement nouveau, si absolument en contradiction avec toutes les opinions reçues que je ne doute pas qu'avant peu toute l'Europe ne soit sens dessus dessous, toute la physique en fermentation, et que la raison et l'astronomie ne se prennent aux cheveux.

Il paraît que le... du mois de... (je ne me rappelle pas positivement la date), une foule immense était rassemblée, dans un but qui n'est pas spécifié, sur la grande place de la Bourse de la confortable ville de Rotterdam. La journée était singulièrement chaude pour la saison, il y avait à peine un souffle d'air, et la foule n'était pas trop fâchée de se trouver de temps à autre aspergée d'une ondée amicale de quelques minutes, qui s'épanchait des vastes masses de nuages blancs abondamment éparpillés à travers la voûte bleue du firmament.

Toutefois, vers midi, il se manifesta dans l'assemblée
une légère mais remarquable agitation, suivie du brou-
haha de dix mille langues ; une minute après, dix mille
visages se tournèrent vers le ciel, dix mille pipes descen-
dirent simultanément du coin de dix mille bouches, et
un cri, qui ne peut être comparé qu'au rugissement du
Niagara, retentit longuement, hautement, furieusement,
à travers toute la cité et tous les environs de Rotterdam.

L'origine de ce vacarme devint bientôt suffisamment
manifeste. On vit déboucher et entrer dans une des
lacunes de l'étendue azurée, du fond d'une de ces vastes
masses de nuages, aux contours vigoureusement définis,
un être étrange, hétérogène, d'une apparence solide, si
singulièrement configuré, si fantastiquement organisé
que la foule de ces gros bourgeois qui le regardaient d'en
bas, bouche béante, ne pouvait absolument y rien
comprendre ni se lasser de l'admirer.

Qu'est-ce que cela pouvait être ? Au nom de tous les
diables de Rotterdam, qu'est-ce que cela pouvait présa-
ger ? Personne ne le savait, personne ne pouvait le deviner ; personne, – pas même le bourgmestre Mynheer
Superbus Von Underduk, – ne possédait la plus légère
donnée pour éclaircir ce mystère ; en sorte que, n'ayant
rien de mieux à faire, tous les Rotterdamois, à un homme
près, remirent sérieusement leurs pipes dans le coin de
leurs bouches, et gardant toujours un œil braqué sur le
phénomène, se mirent à pousser leur fumée, firent une
pause, se dandinèrent de droite à gauche, et grognèrent
significativement, – puis se dandinèrent de gauche à
droite, grognèrent, firent une pause, et finalement, se
remirent à pousser leur fumée.

Cependant, on voyait descendre, toujours plus bas vers
la béate ville de Rotterdam, l'objet d'une si grande curiosité et la cause d'une si grosse fumée. En quelques
minutes, la chose arriva assez près pour qu'on pût la distinguer exactement. Cela semblait être, – oui ! *c'était*

indubitablement une espèce de ballon, mais jusqu'alors, à coup sûr, Rotterdam n'avait pas vu de pareil ballon. Car qui – je vous le demande – a jamais entendu parler d'un ballon entièrement fabriqué avec des journaux crasseux ? Personne en Hollande, certainement ; et cependant, là, sous le nez même du peuple ou plutôt à quelque distance au-dessus de son nez, apparaissait la chose en question, la chose elle-même, faite – j'ai de bonnes autorités pour l'affirmer – avec cette même matière à laquelle personne n'avait jamais pensé pour un pareil dessein. C'était une énorme insulte au bon sens des bourgeois de Rotterdam.

Quant à la forme du phénomène, elle était encore plus répréhensible, – ce n'était guère qu'un gigantesque bonnet de fou tourné sens dessus dessous. Et cette similitude fut loin d'être amoindrie, quand, en l'inspectant de plus près, la foule vit un énorme gland pendu à la pointe, et autour du bord supérieur ou de la base du cône un rang de petits instruments qui ressemblaient à des clochettes de brebis et tintinnabulaient incessamment sur l'air de *Betty Martin*.

Mais voilà qui était encore plus violent : – suspendu par des rubans bleus au bout de la fantastique machine, se balançait, en manière de nacelle, un immense chapeau de castor gris américain, à bords superlativement larges, à calotte hémisphérique, avec un ruban noir et une boucle d'argent. Chose assez remarquable toutefois, maint citoyen de Rotterdam aurait juré qu'il connaissait déjà ce chapeau, et, en vérité, toute l'assemblée le regardait presque avec des yeux familiers ; pendant que dame Grettel Pfaall poussait en le voyant une exclamation de joie et de surprise, et déclarait que c'était positivement le chapeau de son cher homme lui-même. Or, c'était une circonstance d'autant plus importante à noter que Pfaall, avec ses trois compagnons, avait disparu de Rotterdam, depuis cinq ans environ, d'une manière soudaine et inexplicable, et, jusqu'au moment où commence ce récit, tous les efforts pour obtenir des renseignements sur eux avaient échoué. Il est vrai qu'on avait découvert récemment, dans une partie retirée de la ville, à l'est, quelques ossements humains, mêlés à un amas de décombres d'un aspect bizarre ; et quelques profanes avaient été jusqu'à supposer qu'un hideux meurtre avait dû être commis en cet endroit, et que Hans Pfaall et ses camarades en avaient été très probablement les victimes. Mais revenons à notre récit.

Le ballon (car c'en était un, décidément) était maintenant descendu à cent pieds du sol, et montrait distinctement à la foule le personnage qui l'habitait. Un singulier individu, en vérité. Il ne pouvait guère avoir plus de deux pieds de haut. Mais sa taille, toute petite qu'elle était, ne l'aurait pas empêché de perdre l'équilibre, et de passer par-dessus le bord de sa toute petite nacelle, sans l'intervention d'un rebord circulaire qui lui montait jusqu'à la poitrine, et se rattachait aux cordes du ballon. Le corps du petit homme était volumineux au-delà de toute proportion, et donnait à l'ensemble de son individu une apparence de rotondité singulièrement absurde. De ses pieds, naturellement, on n'en pouvait rien voir. Ses mains étaient monstrueusement grosses, ses cheveux, gris et rassemblés par-derrière en une queue ; son nez, prodigieusement long, crochu et empourpré ; ses yeux bien fendus, brillants et perçants, son menton et ses joues, – quoique ridés par la vieillesse, – larges, boursouflés, doubles ; mais, sur les deux côtés de sa tête, il était impossible d'apercevoir le semblant d'une oreille.

Ce drôle de petit monsieur était habillé d'un paletot-sac de satin bleu de ciel et de culottes collantes assorties, serrées aux genoux par une boucle d'argent. Son gilet était d'une étoffe jaune et brillante ; un bonnet de taffetas blanc était gentiment posé sur le côté de sa tête ; et, pour compléter cet accoutrement, un foulard écarlate entourait son cou, et, contourné en un nœud superlatif, laissait traîner sur sa poitrine ses bouts prétentieusement longs.

Étant descendu, comme je l'ai dit, à cent pieds environ du sol, le vieux petit monsieur fut soudainement saisi d'une agitation nerveuse, et parut peu soucieux de s'approcher davantage de la *terre ferme*. Il jeta donc une quantité de sable d'un sac de toile qu'il souleva à grand-peine, et resta stationnaire pendant un instant. Il s'appliqua alors à extraire de la poche de son paletot, d'une manière agitée et précipitée, un grand portefeuille de maroquin. Il le pesa soupçonneusement dans sa main, l'examina avec un air d'extrême surprise, comme évidemment étonné de son poids. Enfin, il l'ouvrit, en tira une énorme lettre scellée de cire rouge et soigneusement entortillée de fil de même couleur, et la laissa tomber juste aux pieds du bourgmestre Superbus Von Underduk.

Son Excellence se baissa pour la ramasser. Mais l'aéronaute, toujours fort inquiet, et n'ayant apparemment pas d'autres affaires qui le retinssent à Rotterdam, commençait déjà à faire précipitamment ses préparatifs de départ ; et, comme il fallait décharger une portion de son lest pour pouvoir s'élever de nouveau, une demi-douzaine de sacs qu'il jeta l'un après l'autre, sans se donner la peine de les vider, tombèrent coup sur coup sur le dos de l'infortuné bourgmestre, et le culbutèrent juste une demi-douzaine de fois à la face de tout Rotterdam.

Il ne faut pas supposer toutefois que le grand Underduk ait laissé passer impunément cette impertinence de la part du vieux petit bonhomme. On dit, au contraire, qu'à chacune de ses six culbutes il ne poussa pas moins de six bouffées, distinctes et furieuses, de sa chère pipe qu'il retenait pendant tout ce temps et de toutes ses forces, et qu'il se propose de tenir ainsi – si Dieu le permet – jusqu'au jour de sa mort.

Cependant, le ballon s'élevait comme une alouette, et, planant au-dessus de la cité, finit par disparaître tranquillement derrière un nuage semblable à celui d'où il avait si singulièrement émergé, et fut ainsi perdu pour les yeux éblouis des bons citoyens de Rotterdam.

Toute l'attention se porta alors sur la lettre, dont la transmission avec les accidents qui la suivirent avait failli être si fatale à la personne et à la dignité de Son Excellence Von Underduk. Toutefois, ce fonctionnaire n'avait pas oublié durant ses mouvements giratoires de mettre en sûreté l'objet important, – la lettre, – qui, d'après la suscription, était tombée dans des mains légitimes, puisqu'elle était adressée à lui d'abord, et au professeur Rudabub, en leurs qualités respectives de président et de vice-président du Collège astronomique de Rotterdam. Elle fut donc ouverte sur-le-champ par ces dignitaires, et ils y trouvèrent la communication suivante, très extraordinaire, et, ma foi, très sérieuse :

À Leurs Excellences Von Underduk et Rudabub, président et vice-président du Collège national astronomique de la ville de Rotterdam.

Vos Excellences se souviendront peut-être d'un humble artisan, du nom de Hans Pfaall, raccommodeur de soufflets de son métier, qui disparut de Rotterdam, il y a environ cinq ans, avec trois individus et d'une manière qui a dû être regardée comme inexplicable. C'est moi, Hans Pfaall lui-même – n'en déplaise à Vos Excellences – qui suis l'auteur de cette communication. Il est de notoriété parmi la plupart de mes concitoyens que j'ai occupé, quatre ans durant, la petite maison de briques placée à l'entrée de la ruelle dite *Sauerkraut*, et que j'y demeurais encore au moment de ma disparition. Mes aïeux y ont toujours résidé, de temps immémorial, et ils y ont invariablement exercé comme moi-même la très respectable et très lucrative profession de raccommodeurs de soufflets ; car, pour dire la vérité, jusqu'à ces dernières années, où toutes les têtes de la population ont été mises en feu par la politique, jamais plus fructueuse industrie n'avait été exercée par un honnête citoyen de Rotterdam, et personne n'en était plus digne que moi. Le crédit était bon, la pratique donnait ferme, on ne manquait ni d'argent ni de bonne volonté. Mais, comme je l'ai dit, nous ressentîmes bientôt les effets de la liberté, des grands discours, du radicalisme et de toutes les drogues de cette espèce. Les gens qui jusque-là avaient été les meilleures pratiques du monde n'avaient plus un moment pour penser à nous. Ils en avaient à peine assez pour apprendre l'histoire des révolutions et pour surveiller dans sa marche l'intelligence et l'idée du siècle. S'ils avaient besoin de souffler leur feu, ils se faisaient un soufflet avec un journal. À mesure que le gouvernement devenait plus faible, j'acquérais la conviction que le cuir et le fer devenaient de plus en plus indestructibles ; et bientôt il n'y eut pas dans tout Rotterdam un seul soufflet qui eût besoin d'être repiqué, ou qui réclamât l'assistance du marteau. C'était un état de choses impossible. Je fus bientôt aussi gueux qu'un rat, et, comme j'avais une femme et des enfants à nourrir, mes charges devinrent à la longue intolérables, et je passai toutes mes heures à réfléchir sur le mode le plus convenable pour me débarrasser de la vie.

Cependant, mes chiens de créanciers me laissaient peu de loisir pour la méditation. Ma maison était littéralement assiégée du matin au soir. Il y avait particulièrement trois gaillards qui me tourmentaient au-delà du possible, montant continuellement la garde devant ma porte, et me menaçant toujours de la loi. Je me promis de tirer de ces trois êtres une vengeance amère, si jamais j'étais assez heureux pour les tenir dans mes griffes ; et je crois que cette espérance ravissante fut la seule chose qui m'empêcha de mettre immédiatement à exécution mon plan de suicide, qui était de me faire sauter la cervelle d'un coup d'espingole. Toutefois, je jugeai qu'il valait mieux dissimuler ma rage, et les bourrer de promesses et de belles paroles, jusqu'à ce que, par un caprice heureux de la destinée, l'occasion de la vengeance vînt s'offrir à moi.

Un jour que j'étais parvenu à leur échapper, et que je me sentais encore plus abattu que d'habitude, je continuai à errer pendant longtemps encore et sans but à travers les rues les plus obscures, jusqu'à ce qu'enfin je butai contre le coin d'une échoppe de bouquiniste. Trouvant sous ma main un fauteuil à l'usage des pratiques, je m'y jetai de mauvaise humeur, et, sans savoir pourquoi, j'ouvris le premier volume qui me tomba sous la main. Il se trouva que c'était une petite brochure traitant de l'astronomie spéculative, et écrite, soit par le professeur Encke, de Berlin, soit par un Français dont le nom ressemblait beaucoup au sien. J'avais une légère teinture de cette science, et je fus bientôt tellement absorbé par la lecture de ce livre que je le lus deux fois d'un bout à l'autre avant de revenir au sentiment de ce qui se passait autour de moi.

Cependant, il commençait à faire nuit, et je repris le chemin de mon logis. Mais la lecture de ce petit traité (coïncidant avec une découverte pneumatique qui m'avait été récemment communiquée par un cousin de Nantes, comme un secret d'une haute importance) avait fait sur mon esprit une impression indélébile ; et, tout en flânant à travers les rues crépusculeuses, je repassais minutieusement dans ma mémoire les raisonnements étranges, et quelquefois inintelligibles, de l'écrivain. Il y avait quelques passages qui avaient affecté mon imagination d'une manière extraordinaire.

Plus j'y rêvais, plus intense devenait l'intérêt qu'ils avaient excité en moi. Mon éducation, généralement fort limitée, mon ignorance spéciale des sujets relatifs à la philosophie naturelle, loin de m'ôter toute confiance dans mon aptitude à comprendre ce que j'avais lu, ou de m'induire à mettre en suspicion les notions confuses et vagues qui avaient surgi naturellement de ma lecture, devenaient simplement un aiguillon plus puissant pour mon imagination ; et j'étais assez vain, ou peut-être assez raisonnable, pour me demander si ces idées indigestes qui surgissent dans les esprits mal réglés ne contiennent pas souvent en elles – comme elles en ont la parfaite apparence – toute la force, toute la réalité, et toutes les autres propriétés inhérentes à l'instinct et à l'intuition.

Il était tard quand j'arrivai à la maison, et je me mis immédiatement au lit. Mais mon esprit était trop préoccupé pour que je puisse dormir, et je passai la nuit entière en méditations. Je me levai de grand matin, et je courus vivement à l'échoppe du bouquiniste, où j'employai tout le peu d'argent qui me restait à l'acquisition de quelques volumes de mécanique et d'astronomie pratiques. Je les transportai chez moi comme un trésor, et je consacrai à les lire tous mes instants de loisir. Je fis ainsi assez de progrès dans mes nouvelles études pour mettre à exécution certain projet qui m'avait été inspiré par le diable ou par mon bon génie.

Pendant tout ce temps, je fis tous mes efforts pour me concilier les trois créanciers qui m'avaient causé tant de tourments. Finalement, j'y réussis, tant en vendant une assez grande partie de mon mobilier pour satisfaire à moitié leurs réclamations qu'en leur faisant la promesse de solder la différence après la réalisation d'un petit projet qui me trottait dans la tête, et pour l'accomplissement duquel je réclamais leurs services. Grâce à ces moyens (car c'étaient des gens fort ignorants), je n'eus pas grand-peine à les faire entrer dans mes vues.

Les choses ainsi arrangées, je m'appliquai, avec l'aide de ma femme, avec les plus grandes précautions et dans le plus parfait secret, à disposer du bien qui me restait, et à réaliser, par de petits emprunts et sous différents prétextes, une assez bonne quantité d'argent comptant, sans m'inquiéter le moins du monde, je l'avoue à ma honte, des moyens de remboursement.

Grâce à cet accroissement de ressources, je me procurai, en diverses fois, plusieurs pièces de très belle batiste, de douze yards chacune, – de la ficelle, – une provision de vernis de caoutchouc, – un vaste et profond panier d'osier, fait sur commande, – et quelques autres articles nécessaires à la construction et à l'équipement d'un ballon d'une dimension extraordinaire. Je chargeai ma femme de le confectionner le plus rapidement possible, et je lui donnai toutes les instructions nécessaires pour la manière de procéder.

En même temps, je fabriquais avec de la ficelle un filet d'une dimension suffisante, j'y adaptais un cerceau et des cordes, et je faisais l'emplette des nombreux instruments et des matières nécessaires pour faire des expériences dans les plus hautes régions de l'atmosphère. Une nuit, je transportai prudemment dans un endroit retiré de Rotterdam, à l'est, cinq barriques cerclées de fer, qui pouvaient contenir chacune environ cinquante gallons, et une sixième d'une dimension plus vaste ; six tubes en fer-blanc, de trois pouces de diamètre et de quatre pieds de long, façonnés *ad hoc ;* une bonne quantité d'*une certaine substance métallique ou demi-métal*, que je ne nommerai pas, et une douzaine de dames-jeannes remplies d'un acide très commun. Le gaz qui devait résulter de cette combinaison est un gaz qui n'a jamais été, jusqu'à présent, fabriqué que par moi, ou du moins qui n'a jamais été appliqué à un pareil objet. Tout ce que je puis dire, c'est qu'il est *une des parties constituantes de l'azote*, qui a été si longtemps regardé comme irréductible, et que sa densité est moindre que celle de l'hydrogène d'environ trente-sept fois et quatre dixièmes. Il est sans saveur, mais non sans odeur ; il brûle, quand il est pur, avec une flamme verdâtre ; il attaque instantanément la vie animale. Je ne ferais aucune difficulté d'en livrer tout le secret, mais il appartient de droit, comme je l'ai déjà fait entendre, à un citoyen de Nantes, en France, par qui il m'a été communiqué sous condition.

Le même individu m'a confié, sans être le moins du monde au fait de mes intentions, un procédé pour fabriquer les ballons avec un certain tissu animal, qui rend la fuite du gaz chose presque impossible ; mais je trouvai ce moyen beaucoup trop dispendieux, et, d'ailleurs, il se pouvait que la batiste, revêtue d'une couche de caoutchouc, fût tout aussi bonne. Je ne mentionne cette circonstance que parce que je crois probable que l'individu en question tentera, un de ces jours, une ascension avec le nouveau gaz et la matière dont j'ai parlé, et que je ne veux pas le priver de l'honneur d'une invention très originale.

À chacune des places qui devaient être occupées par l'un des petits tonneaux, je creusai secrètement un petit trou ; les trous formant de cette façon un cercle de vingt-cinq pieds de diamètre. Au centre du cercle, qui était la place désignée pour la plus grande barrique, je creusai un trou plus profond. Dans chacun des cinq petits trous, je disposai une boîte de fer-blanc, contenant cinquante livres de poudre à canon, et dans le plus grand un baril qui en tenait cent cinquante. Je reliai convenablement le baril et les cinq boîtes par des traînées couvertes, et, ayant fourré dans l'une des boîtes le bout d'une mèche longue de quatre pieds environ, je comblai le trou et plaçai la barrique par-dessus, laissant dépasser l'autre bout de la mèche d'un pouce à peu près au-delà de la barrique, et d'une manière presque invisible. Je comblai successivement les autres trous, et disposai chaque barrique à la place qui lui était destinée.

Outre les articles que j'ai énumérés, je transportai à mon dépôt général et j'y cachai un des appareils perfectionnés de Grimm pour la condensation de l'air atmosphérique. Toutefois, je découvris que cette machine avait besoin de singulières modifications pour devenir propre à l'emploi auquel je la destinais. Mais, grâce à un travail entêté et à une incessante persévérance, j'arrivai à des résultats excellents dans tous mes préparatifs. Mon ballon fut bientôt parachevé. Il pouvait contenir plus de quarante mille pieds cubes de gaz ; il pouvait facilement m'enlever, selon mes calculs, moi et tout mon attirail, et même, en le gouvernant convenablement, cent soixante-quinze livres de lest par-dessus le marché. Il avait reçu trois couches de vernis, et je vis que la batiste remplissait parfaitement l'office de la soie ; elle était également solide et coûtait beaucoup moins cher.

Tout étant prêt, j'exigeai de ma femme qu'elle me jurât le secret sur toutes mes actions depuis le jour de ma première visite à l'échoppe du bouquiniste, et je lui promis de mon côté de revenir aussitôt que les circonstances me le permettraient. Je lui donnai le peu d'argent qui me restait et je lui fis mes adieux. En réalité, je n'avais pas d'inquiétude sur son compte. Elle était ce que les gens appellent une maîtresse femme, et pouvait très bien faire ses affaires sans mon assistance. Je crois même, pour tout dire, qu'elle m'avait toujours regardé comme un triste fainéant, – un simple complément de poids, – un remplissage, – une espèce d'homme bon pour bâtir des châteaux en l'air, et rien de plus, – et qu'elle n'était pas fâchée d'être débarrassée de moi. Il faisait nuit sombre quand je lui fis mes adieux, et, prenant avec moi, en manière d'aides de camp, les trois créanciers qui m'avaient causé tant de souci, nous portâmes le ballon avec sa nacelle et tous ses accessoires par une route détournée, à l'endroit où j'avais déposé les autres articles. Nous les y trouvâmes parfaitement intacts, et je me mis immédiatement à la besogne.

Nous étions au 1er avril. La nuit, comme je l'ai dit, était sombre ; on ne pouvait pas apercevoir une étoile ; et une bruine épaisse, qui tombait par intervalles, nous incommodait fort. Mais ma grande inquiétude, c'était le ballon, qui, en dépit du vernis qui le protégeait, commençait à s'alourdir par l'humidité ; la poudre aussi pouvait s'avarier. Je fis donc travailler rudement mes trois gredins, je leur fis piler de la glace autour de la barrique centrale et agiter l'acide dans les autres. Cependant, ils ne cessaient de m'importuner de questions pour savoir ce que je voulais faire avec tout cet attirail, et exprimaient un vif mécontentement de la terrible besogne à laquelle je les condamnais. Ils ne comprenaient pas – disaient-ils – ce qu'il pouvait résulter de bon à leur faire ainsi se mouiller la peau uniquement pour les rendre complices d'une aussi abominable incantation. Je commençais à être un peu inquiet, et j'avançais l'ouvrage de toute ma force ; car, en vérité, ces idiots s'étaient figuré, j'imagine, que j'avais fait un pacte avec le diable, et que dans tout ce que je faisais maintenant il n'y avait rien de bien rassurant. J'avais donc une très grande crainte de les voir me planter là. Toutefois, je m'efforçai de les apaiser en leur promettant de les payer jusqu'au dernier sou, aussitôt que j'aurais mené à bonne fin la besogne en préparation. Naturellement ils interprétèrent ces beaux discours comme ils voulurent, s'imaginant sans doute que de toute manière j'allais me rendre maître d'une immense quantité d'argent comptant ; et, pourvu que je leur payasse ma dette, et un petit brin en plus, en considération de leurs services, j'ose affirmer qu'ils s'inquiétaient fort peu de ce qui pouvait advenir de mon âme ou de ma carcasse.

Au bout de quatre heures et demie environ, le ballon me parut suffisamment gonflé. J'y suspendis donc la nacelle, et j'y plaçai tous mes bagages, – un télescope, un baromètre avec quelques modifications importantes, un thermomètre, un électromètre, un compas, une boussole, une montre à secondes, une cloche, un porte-voix, etc., etc., ainsi qu'un globe de verre où j'avais fait le vide, et hermétiquement bouché, sans oublier l'appareil condensateur, de la chaux vive, un bâton de cire à cacheter, une abondante provision d'eau, et des vivres en quantité, tels que le *pemmican*, qui contient une énorme matière nutritive comparativement à son petit volume. J'installai aussi dans ma nacelle un couple de pigeons et une chatte.

Nous étions presque au point du jour, et je pensai qu'il était grandement temps d'effectuer mon départ. Je laissai donc tomber par terre, comme par accident, un cierge allumé et, en me baissant pour le ramasser, j'eus soin de mettre sournoisement le feu à la mèche, dont le bout, comme je l'ai dit, dépassait un peu le bord inférieur d'un des petits tonneaux.

J'exécutai cette manœuvre sans être vu le moins du monde par mes trois bourreaux ; je sautai dans la nacelle, je coupai immédiatement l'unique corde qui me retenait à la terre, et je m'aperçus avec bonheur que j'étais enlevé avec une inconcevable rapidité ; le ballon emportait très facilement ses cent soixante-quinze livres de lest de plomb ; il aurait pu en porter le double. Quand je quittai la terre, le baromètre marquait trente pouces, et le thermomètre centigrade dix-neuf degrés.

Cependant, j'étais à peine monté à une hauteur de cinquante yards, quand arriva derrière moi, avec un rugissement et un grondement épouvantables, une si épaisse trombe de feu et de gravier, de bois et de métal enflammés, mêlés à des membres humains déchirés que je sentis mon cœur défaillir, et que je me jetai tout au fond de ma nacelle, tremblant de terreur.

Alors, je compris que j'avais horriblement chargé la mine, et que j'avais encore à subir les principales conséquences de la secousse. En effet, en moins d'une seconde, je sentis tout mon sang refluer vers mes tempes, et immédiatement, inopinément, une commotion que je n'oublierai jamais éclata à travers les ténèbres et sembla déchirer en deux le firmament lui-même. Plus tard, quand j'eus le temps de la réflexion, je ne manquai pas d'attribuer l'extrême violence de l'explosion, relativement à moi, à sa véritable cause, – c'est-à-dire à ma position, directement au-dessus de la mine et dans la ligne de son action la plus puissante. Mais, en ce moment, je ne songeais qu'à sauver ma vie. D'abord, le ballon s'affaissa, puis il se dilata furieusement, puis il se mit à pirouetter avec une vélocité vertigineuse, et finalement, vacillant et roulant comme un homme ivre, il me jeta par-dessus le bord de la nacelle, et me laissa accroché à une épouvantable hauteur, la tête en bas par un bout de corde fort mince, haut de trois pieds de long environ, qui pendait par hasard à travers une crevasse, près du fond du panier d'osier, et dans lequel, au milieu de ma chute, mon pied gauche s'engagea providentiellement. Il est impossible, absolument impossible, de se faire une idée juste de l'horreur de ma situation. J'ouvrais convulsivement la bouche pour respirer, – un frisson ressemblant à un accès de fièvre secouait tous les nerfs et tous les muscles de mon être, – je sentais mes yeux jaillir de leurs orbites, une horrible nausée m'envahit, – enfin je m'évanouis et perdis toute conscience.

Combien de temps restai-je dans cet état, il m'est impossible de le dire. Il s'écoula toutefois un assez long temps, car, lorsque je recouvrai en partie l'usage de mes sens, je vis le jour qui se levait ; – le ballon se trouvait à une prodigieuse hauteur au-dessus de l'immensité de l'Océan, et dans les limites de ce vaste horizon, aussi loin que pouvait s'étendre ma vue, je n'apercevais pas trace

de terre. Cependant, mes sensations, quand je revins à
moi, n'étaient pas aussi étrangement douloureuses que
j'aurais dû m'y attendre. En réalité, il y avait beaucoup
de folie dans la contemplation placide avec laquelle j'examinai d'abord ma situation. Je portai mes deux mains
devant mes yeux, l'une après l'autre, et me demandai
avec étonnement quel accident pouvait avoir gonflé mes
veines et noirci si horriblement mes ongles. Puis j'examinai soigneusement ma tête, je la secouai à plusieurs
reprises, et la tâtai avec une attention minutieuse, jusqu'à
ce que je me fusse heureusement assuré qu'elle n'était
pas, ainsi que j'en avais eu l'horrible idée, plus grosse que
mon ballon. Puis, avec l'habitude d'un homme qui sait
où sont ses poches, je tâtai les deux poches de ma culotte,
et, m'apercevant que j'avais perdu mon calepin et mon
étui à cure-dent, je m'efforçai de me rendre compte de
leur disparition, et, ne pouvant y réussir, j'en ressentis un
inexprimable chagrin. Il me sembla alors que j'éprouvais
une vive douleur à la cheville de mon pied gauche, et une
obscure conscience de ma situation commença à poindre
dans mon esprit.

Mais – chose étrange ! – je n'éprouvai ni étonnement
ni horreur. Si je ressentis une émotion quelconque, ce
fut une espèce de satisfaction ou d'épanouissement en
pensant à l'adresse qu'il me faudrait déployer pour me
tirer de cette singulière alternative ; et je ne fis pas de
mon salut définitif l'objet d'un doute d'une seconde. Pendant quelques minutes, je restai plongé dans la plus profonde méditation. Je me rappelle distinctement que j'ai
souvent serré les lèvres, que j'ai appliqué mon index sur
le côté de mon nez, et j'ai pratiqué les gesticulations et
grimaces habituelles aux gens qui, installés tout à leur
aise dans leur fauteuil, méditent sur des matières
embrouillées ou importantes.

Quand je crus avoir suffisamment rassemblé mes idées,
je portai avec la plus grande précaution, la plus parfaite

délibération mes mains derrière mon dos, et je détachai
la grosse boucle de fer qui terminait la ceinture de mon
pantalon. Cette boucle avait trois dents qui, étant un peu
rouillées, tournaient difficilement sur leur axe. Cependant, avec beaucoup de patience, je les amenai à angle
droit avec le corps de la boucle et m'aperçus avec joie
qu'elles restaient fermes dans cette position. Tenant entre
mes dents cette espèce d'instrument, je m'appliquai à
dénouer le nœud de ma cravate. Je fus obligé de me reposer plus d'une fois avant d'avoir accompli cette
manœuvre ; mais, à la longue, j'y réussis. À l'un des bouts
de la cravate, j'assujettis la boucle, et, pour plus de
sécurité, je nouai étroitement l'autre bout autour de mon
poing. Soulevant alors mon corps par un déploiement
prodigieux de force musculaire, je réussis du premier
coup à jeter la boucle par-dessus la nacelle et à l'accro-
cher, comme je l'avais espéré, dans le rebord circulaire de
l'osier.

Mon corps faisait alors avec la paroi de la nacelle un
angle de quarante-cinq degrés environ ; mais il ne faut
pas entendre que je fusse à quarante-cinq degrés au-
dessous de la perpendiculaire ; bien loin de là, j'étais toujours placé dans un plan presque parallèle au niveau de
l'horizon ; car la nouvelle position que j'avais conquise
avait eu pour effet de chasser d'autant le fond de la
nacelle, et conséquemment ma position était des plus
périlleuses.

Mais qu'on suppose que, dans le principe, lorsque je
tombai de la nacelle, je fusse tombé la face tournée vers
le ballon au lieu de l'avoir tournée du côté opposé,
comme elle était maintenant, – ou, en second lieu, que
la corde par laquelle j'étais accroché eût pendu par
hasard du rebord supérieur, au lieu de passer par une
crevasse du fond, – on concevra facilement que, dans ces
deux hypothèses, il m'eût été impossible d'accomplir un
pareil miracle, – et les présentes révélations eussent été

entièrement perdues pour la postérité. J'avais donc toutes les raisons de bénir le hasard ; mais, en somme, j'étais tellement stupéfié que je me sentais incapable de rien faire, et que je restai suspendu, pendant un quart d'heure peut-être, dans cette extraordinaire situation, sans tenter de nouveau le plus léger effort, perdu dans un singulier calme et dans une béatitude idiote. Mais cette disposition de mon être s'évanouit bien vite et fit place à un sentiment d'horreur, d'effroi, d'absolue désespérance et de destruction. En réalité, le sang si longtemps accumulé dans les vaisseaux de la tête et de la gorge, et qui avait jusque-là créé en moi un délire salutaire dont l'action suppléait à l'énergie, commençait maintenant à refluer et à reprendre son niveau ; et la clairvoyance qui me revenait, augmentant la perception du danger, ne servait qu'à me priver du sang-froid et du courage nécessaires pour l'affronter. Mais, par bonheur pour moi, cette faiblesse ne fut pas de longue durée. L'énergie du désespoir me revint à propos, et, avec des cris et des efforts frénétiques, je m'élançai convulsivement et à plusieurs reprises par une secousse générale, jusqu'à ce qu'enfin, m'accrochant au bord si désiré avec des griffes plus serrées qu'un étau, je tortillai mon corps par-dessus et tombai la tête la première et tout pantelant dans le fond de la nacelle.

Ce ne fut qu'après un certain laps de temps que je fus assez maître de moi pour m'occuper de mon ballon. Mais alors je l'examinai avec attention et découvris, à ma grande joie, qu'il n'avait subi aucune avarie. Tous mes instruments étaient sains et saufs, et, très heureusement, je n'avais perdu ni lest ni provisions. À la vérité, je les avais si bien assujettis à leur place qu'un pareil accident était chose tout à fait improbable. Je regardai à ma montre, elle marquait six heures. Je continuais à monter rapidement, et le baromètre me donnait alors une hauteur de trois milles trois quarts. Juste au-dessous de moi apparaissait dans l'Océan un petit objet noir, d'une forme légèrement allongée, à peu près de la dimension d'un domino, et ressemblant fortement, à tous égards, à l'un de ces petits joujoux. Je dirigeai mon télescope sur lui, et je vis distinctement que c'était un vaisseau anglais de quatre-vingt-quatorze canons tanguant lourdement dans la mer, au plus près du vent, et le cap à l'ouest-sud-ouest. À l'exception de ce navire, je ne vis rien que l'Océan et le ciel, et le soleil qui était levé depuis longtemps.

Il est grandement temps que j'explique à Vos Excellences l'objet de mon voyage. Vos Excellences se souviennent que ma situation déplorable à Rotterdam m'avait à la longue poussé à la résolution du suicide. Ce n'était pas cependant que j'eusse un dégoût positif de la vie elle-même, mais j'étais harassé, à n'en pouvoir plus, par les misères accidentelles de ma position. Dans cette disposition d'esprit, désirant vivre encore, et cependant fatigué de la vie, le traité que je lus à l'échoppe du bouquiniste, appuyé par l'opportune découverte de mon cousin de Nantes, ouvrit une ressource à mon imagination. Je pris enfin un parti décisif. Je résolus de partir, mais de vivre, – de quitter le monde, mais de continuer mon existence ; – bref, et pour couper court aux énigmes, je résolus, sans m'inquiéter du reste, de me frayer, si je pouvais, un passage *jusqu'à la Lune*.

Maintenant, pour qu'on ne me croie pas plus fou que je ne le suis, je vais exposer en détail, et le mieux que je pourrai, les considérations qui m'induisirent à croire qu'une entreprise de cette nature, quoique difficile sans doute et pleine de dangers, n'était pas absolument, pour un esprit audacieux, située au-delà des limites du possible.

La première chose à considérer était la distance positive de la Lune à la Terre. Or, la distance moyenne ou approximative entre les centres de ces deux planètes est de cinquante-neuf fois, plus une fraction, le rayon équatorial de la Terre, ou environ 237 000 milles. Je dis la distance moyenne ou approximative, mais il est facile de concevoir que, la forme de l'orbite lunaire étant une ellipse d'une excentricité qui n'est pas de moins de 0,05484 de son demi-grand axe, et le centre de la Terre occupant le foyer de cette ellipse, si je pouvais réussir d'une manière quelconque à rencontrer la Lune à son périgée, la distance ci-dessus évaluée se trouverait sensiblement diminuée. Mais, pour laisser de côté cette hypothèse, il était positif qu'en tout cas j'avais à déduire des 237 000 milles le rayon de la Terre, c'est-à-dire 4 000, et le rayon de la Lune, c'est-à-dire 1 080, en tout 5 080, et qu'il ne me resterait ainsi à franchir qu'une distance approximative de 231 920 milles. Cet espace, pensais-je, n'était pas vraiment extraordinaire. On a fait nombre de fois sur cette terre des voyages d'une vitesse de 60 milles par heure, et, en réalité, il y a tout lieu de croire qu'on arrivera à une plus grande vélocité ; mais, même en me contentant de la vitesse dont je parlais, il ne me faudrait pas plus de cent soixante et un jours pour atteindre la surface de la Lune.

Il y avait toutefois de nombreuses circonstances qui m'induisirent à croire que la vitesse approximative de mon voyage dépasserait de beaucoup celle de soixante milles à l'heure ; et, comme ces considérations produisirent sur moi une impression profonde, je les expliquerai plus amplement par la suite.

Le second point à examiner était d'une bien autre importance. D'après les indications fournies par le baromètre, nous savons que, lorsqu'on s'élève, au-dessus de la surface de la Terre, à une hauteur de 1 000 pieds, on laisse au-dessous de soi environ un trentième de la masse atmosphérique ; qu'à 10 000 pieds, nous arrivons à peu près à un tiers ; et qu'à 18 000 pieds, ce qui est presque la hauteur du Cotopaxi, nous avons dépassé la moitié de la masse fluide, ou, en tout cas, la moitié de la partie pondérable de l'air qui enveloppe notre globe. On a aussi calculé qu'à une hauteur qui n'excède pas la centième partie du diamètre terrestre, – c'est-à-dire 80 milles, – la raréfaction devait être telle que la vie animale ne pouvait en aucune façon s'y maintenir ; et, de plus, que les moyens les plus subtils que nous ayons de constater la présence de l'atmosphère devenaient alors totalement insuffisants. Mais je ne manquai pas d'observer que ces derniers calculs étaient uniquement basés sur notre connaissance expérimentale des propriétés de l'air et des lois mécaniques qui régissent sa dilatation et sa compression dans ce qu'on peut appeler, comparativement parlant, la proximité immédiate de la Terre. Et, en même temps, on regarde comme chose positive qu'à une distance quelconque donnée, mais inaccessible, de sa surface, la vie animale est et doit être essentiellement incapable de modification. Maintenant, tout raisonnement de ce genre, et d'après de pareilles données, doit évidemment être purement analogique. La plus grande hauteur où l'homme soit jamais parvenu est de 25 000 pieds ; je parle de l'expédition aéronautique de MM. Gay-Lussac et Biot. C'est une hauteur assez médiocre, même quand on la compare aux 80 milles en question ; et je ne pouvais m'empêcher de penser que la question laissait une place au doute et une grande latitude aux conjectures.

Mais, en fait, en supposant une ascension opérée à une hauteur donnée quelconque, la quantité d'air pondérable traversée dans toute période ultérieure de l'ascension n'est nullement en proportion avec la hauteur additionnelle acquise, comme on peut le voir d'après ce qui a été énoncé précédemment, mais dans une raison constamment décroissante. Il est donc évident que, nous élevant aussi haut que possible, nous ne pouvons pas, littéralement parlant, arriver à une limite au-delà de laquelle l'atmosphère cesse absolument d'exister. Elle *doit exister*, concluais-je, quoiqu'elle *puisse*, il est vrai, exister à un état de raréfaction infinie.

D'un autre côté, je savais que les arguments ne manquent pas pour prouver qu'il existe une limite réelle et déterminée de l'atmosphère, au-delà de laquelle il n'y a absolument plus d'air respirable. Mais une circonstance a été omise par ceux qui opinent pour cette limite, qui semblait, non pas une réfutation péremptoire de leur doctrine, mais un point digne d'une sérieuse investigation. Comparons les intervalles entre les retours successifs de la comète d'Encke à son périhélie, en tenant compte de toutes les perturbations dues à l'attraction planétaire, et nous verrons que les périodes diminuent graduellement, c'est-à-dire que le grand axe de l'ellipse de la comète va toujours se raccourcissant dans une proportion lente, mais parfaitement régulière. Or, c'est précisément le cas qui doit avoir lieu, si nous supposons que la comète subisse une résistance par le fait d'*un milieu éthéré excessivement rare* qui pénètre les régions de son orbite. Car il est évident qu'un pareil milieu doit, en retardant la vitesse de la comète, accroître sa force centripète et affaiblir sa force centrifuge. En d'autres termes, l'attraction du Soleil deviendrait de plus en plus puissante, et la comète s'en rapprocherait davantage à chaque révolution. Véritablement, il n'y a pas d'autre moyen de se rendre compte de la variation en question.

Mais voici un autre fait : on observe que le diamètre réel de la partie nébuleuse de cette comète se contracte rapidement à mesure qu'elle approche du Soleil, et se dilate avec la même rapidité quand elle repart vers son aphélie. N'avais-je pas quelque raison de supposer avec M. Valz que cette apparente condensation de volume prenait son origine dans la compression de ce milieu éthéré dont je parlais tout à l'heure, et dont la densité est en proportion de la proximité du Soleil ? Le phénomène qui affecte la forme lenticulaire et qu'on appelle la lumière zodiacale était aussi un point digne d'attention. Cette lumière si visible sous les tropiques, et qu'il est impossible de prendre pour une lumière météorique quelconque, s'élève obliquement de l'horizon et suit généralement la ligne de l'équateur du Soleil. Elle me semblait évidemment provenir d'une atmosphère rare qui s'étendrait depuis le Soleil jusque par-delà l'orbite de Vénus au moins, et même, selon moi, indéfiniment plus loin. Je ne pouvais pas supposer que ce milieu fût limité par la ligne du parcours de la comète, ou fût confiné dans le voisinage immédiat du Soleil. Il était si simple d'imaginer au contraire qu'il envahissait toutes les régions de notre système planétaire, condensé autour des planètes en ce que nous appelons atmosphère, et peut-être modifié chez quelques-unes par des circonstances purement géologiques, c'est-à-dire modifié ou varié dans ses proportions ou dans sa nature essentielle par les matières volatilisées émanant de leurs globes respectifs.

Ayant pris la question sous ce point de vue, je n'avais plus guère à hésiter. En supposant que dans mon passage je trouvasse une atmosphère *essentiellement* semblable à celle qui enveloppe la surface de la Terre, je réfléchis qu'au moyen du très ingénieux appareil de M. Grimm je pourrais facilement la condenser en suffisante quantité pour les besoins de la respiration. Voilà qui écartait le principal obstacle à un voyage à la Lune. J'avais donc dépensé quelque argent et beaucoup de peine pour adapter l'appareil au but que je me proposais, et j'avais pleine confiance dans son application, pourvu que je pusse accomplir le voyage dans un espace de temps suffisamment court. Ceci me ramène à la question de la vitesse possible.

Tout le monde sait que les ballons, dans la première période de leur ascension, s'élèvent avec une vélocité comparativement modérée. Or la force d'ascension consiste uniquement dans la pesanteur de l'air ambiant relativement au gaz du ballon ; et, à première vue, il ne paraît pas du tout probable ni vraisemblable que le ballon, à mesure qu'il gagne en élévation et arrive successivement dans des couches atmosphériques d'une densité décroissante, puisse gagner en vitesse et accélérer sa vélocité primitive. D'un autre côté, je n'avais pas souvenir que, dans un compte rendu quelconque d'une expérience antérieure, l'on eût jamais constaté une diminution apparente dans la vitesse absolue de l'ascension, quoique tel eût pu être le cas, en raison de la fuite du gaz a travers un aérostat mal confectionné et généralement revêtu d'un vernis insuffisant, ou pour toute autre cause. Il me semblait donc que l'effet de cette déperdition pouvait seulement contre-balancer l'accélération acquise par le ballon à mesure qu'il s'éloignait du centre de gravitation. Or, je considérai que, pourvu que dans ma traversée je trouvasse *le milieu* que j'avais imaginé, et pourvu qu'il fût de même essence que ce que nous appelons l'air atmosphérique, il importait relativement assez peu que je le trouvasse à tel ou tel degré de raréfaction, c'est-à-dire relativement à ma force ascensionnelle ; car non seulement le gaz du ballon serait soumis à la même raréfaction (et, dans cette occurrence, je n'avais qu'à lâcher une quantité proportionnelle de gaz, suffisante pour prévenir une explosion), mais, par la nature de ses parties intégrantes, il devait, en tout cas, être toujours spécifiquement plus léger qu'un composé quelconque de pur azote et d'oxygène. Il y avait donc une chance, – et même, en somme, une forte probabilité, *pour qu'à aucune période de mon ascension je n'arrivasse à un point où les différentes pesanteurs réunies de mon immense ballon, du gaz inconcevablement rare qu'il renfermait, de sa nacelle et de son contenu pussent égaler la pesanteur de la masse d'atmosphère ambiante déplacée ;* et l'on conçoit facilement que c'était là l'unique condition qui pût arrêter ma fuite ascensionnelle. Mais encore, si jamais j'atteignais ce point imaginaire, il me restait la faculté d'user de mon lest et d'autres poids montant à peu près à un total de 300 livres.

En même temps, la force centripète devait toujours décroître en raison du carré des distances, et ainsi je devais, avec une vélocité prodigieusement accélérée, arriver à la longue dans ces lointaines régions où la force d'attraction de la Lune serait substituée à celle de la Terre.

Il y avait une autre difficulté qui ne laissait pas de me causer quelque inquiétude. On a observé que dans les ascensions poussées à une hauteur considérable, outre la gêne de la respiration, on éprouvait dans la tête et dans tout le corps un immense malaise, souvent accompagné de saignements de nez et d'autres symptômes passablement alarmants, et qui devenait de plus en plus insupportable à mesure qu'on s'élevait[1]. C'était là une considération passablement effrayante. N'était-il pas probable que ces symptômes augmenteraient jusqu'à ce qu'ils se terminassent par la mort elle-même ? Après mûre réflexion, je conclus que non. Il fallait en chercher l'origine dans la disparition progressive de la pression atmosphérique, à laquelle est accoutumée la surface de notre corps, et dans la distension inévitable des vaisseaux sanguins superficiels, – et non dans une désorganisation positive du système animal, comme dans le cas de difficulté de respiration, où la densité atmosphérique est chimiquement insuffisante pour la rénovation régulière du sang dans un ventricule du cœur. Excepté dans le cas où cette rénovation ferait défaut, je ne voyais pas de raison

_____

1. _Depuis la première publication de_ Hans Pfaall, _j'apprends que_ M. Green, _le célèbre aéronaute du ballon_ le Nassau, _et d'autres expérimentateurs contestent à cet égard les assertions de M. de Humboldt, et parlent au contraire d'une incommodité toujours_ décroissante, _ce qui s'accorde précisément avec la théorie présentée ici._ – E. A. P.

pour que la vie ne se maintînt pas, même dans le vide ;
car l'expansion et la compression de la poitrine, qu'on
appelle communément respiration, est une action purement musculaire ; elle est la cause et non l'effet de la
respiration. En un mot, je concevais que, le corps s'habi-
tuant à l'absence de pression atmosphérique, ces sensations douloureuses devaient diminuer graduellement ; et,
pour les supporter tant qu'elles dureraient, j'avais toute
confiance dans la solidité de fer de ma constitution.

J'ai donc exposé quelques-unes des considérations
– non pas toutes certainement – qui m'induisirent à former le projet d'un voyage à la Lune. Je vais maintenant,
s'il plaît à Vos Excellences, vous exposer le résultat d'une
tentative dont la conception paraît si audacieuse, et qui,
dans tous les cas, n'a pas sa pareille dans les annales de
l'humanité.

Ayant atteint la hauteur dont il a été parlé ci-dessus,
c'est-à-dire trois milles trois quarts, je jetai hors de la
nacelle une quantité de plumes, et je vis que je montais
toujours avec une rapidité suffisante ; il n'y avait donc
pas nécessité de jeter du lest. J'en fus très aise, car je
désirais garder avec moi autant de lest que j'en pourrais
porter, par la raison bien simple que je n'avais aucune
donnée positive sur la puissance d'attraction et sur la
densité atmosphérique. Je ne souffrais jusqu'à présent
d'aucun malaise physique, je respirais avec une parfaite
liberté et n'éprouvais aucune douleur dans la tête. La
chatte était couchée fort solennellement sur mon habit,
que j'avais ôté, et regardait les pigeons avec un air de
nonchaloir. Ces derniers, que j'avais attachés par la patte,
pour les empêcher de s'envoler, étaient fort occupés à
piquer quelques grains de riz éparpillés pour eux au fond
de la nacelle.

À six heures vingt minutes, le baromètre donnait une
élévation de 26 400 pieds, ou 5 milles, à une fraction près.
La perspective semblait sans bornes. Rien de plus facile

d'ailleurs que de calculer à l'aide de la trigonométrie sphérique l'étendue de surface terrestre qu'embrassait mon regard. La surface convexe d'un segment de sphère est à la surface entière de la sphère comme le sinus verse du segment est au diamètre de la sphère. Or, dans mon cas, le sinus verse – c'est-à-dire l'épaisseur du segment situé au-dessous de moi – était à peu près égal à mon élévation, ou à l'élévation du point de vue au-dessus de la surface. La proportion de cinq milles à huit milles exprimerait donc l'étendue de la surface que j'embrassais, c'est-à-dire que j'apercevais la seize centième partie de la surface totale du globe. La mer apparaissait polie comme un miroir, bien qu'à l'aide du télescope je découvrisse qu'elle était dans un état de violente agitation. Le navire n'était plus visible, il avait sans doute dérivé vers l'est. Je commençai dès lors à ressentir par intervalles une forte douleur à la tête, bien que je continuasse à respirer à peu près librement. La chatte et les pigeons semblaient n'éprouver aucune incommodité.

À sept heures moins vingt, le ballon entra dans la région d'un grand et épais nuage qui me causa beaucoup d'ennui ; mon appareil condensateur en fut endommagé, et je fus trempé jusqu'aux os. C'est, à coup sûr, une singulière rencontre, car je n'aurais pas supposé qu'un nuage de cette nature pût se soutenir à une si grande élévation. Je pensai faire pour le mieux en jetant deux morceaux de lest de cinq livres chaque, ce qui me laissait encore cent soixante-cinq livres de lest. Grâce à cette opération, je traversai bien vite l'obstacle, et je m'aperçus immédiatement que j'avais gagné prodigieusement en vitesse. Quelques secondes après que j'eus quitté le nuage, un éclair éblouissant le traversa d'un bout à l'autre et l'incendia dans toute son étendue, lui donnant l'aspect d'une masse de charbon en ignition. Qu'on se rappelle que ceci se passait en plein jour. Aucune pensée ne pourrait rendre la sublimité d'un pareil phénomène se déployant dans les ténèbres de la nuit. L'enfer lui-même aurait trouvé son image exacte. Tel que je le vis, ce spectacle me fit dresser les cheveux. Cependant, je dardais au loin mon regard dans les abîmes béants ; je laissais mon imagination plonger et se promener sous d'étranges et immenses voûtes dans des gouffres empourprés, dans les abîmes rouges et sinistres d'un feu effrayant et insondable. Je l'avais échappé belle. Si le ballon était resté une minute de plus dans le nuage, – c'est-à-dire si l'incommodité dont je souffrais ne m'avait pas déterminé à jeter du lest, – ma destruction pouvait en être et en eût très probablement été la conséquence. De pareils dangers, quoiqu'on y fasse peu d'attention, sont les plus grands peut-être qu'on puisse courir en ballon. J'avais pendant ce temps atteint une hauteur assez grande pour n'avoir aucune inquiétude à ce sujet.

Je m'élevais alors très rapidement, et à sept heures le baromètre donnait une hauteur qui n'était pas moindre de neuf milles et demi. Je commençais à éprouver une grande difficulté de respiration. Ma tête aussi me faisait excessivement souffrir ; et, ayant senti depuis quelque temps de l'humidité sur mes joues, je découvris à la fin que c'était du sang qui suintait continuellement du tympan de mes oreilles. Mes yeux me donnaient aussi beaucoup d'inquiétude. En passant ma main dessus, il me sembla qu'ils étaient poussés hors de leurs orbites, et à un degré assez considérable ; et tous les objets contenus dans la nacelle et le ballon lui-même se présentaient à ma vision sous une forme monstrueuse et faussée. Ces symptômes dépassaient ceux auxquels je m'attendais, et me causaient quelque alarme. Dans cette conjoncture, très imprudemment et sans réflexion, je jetai hors de la nacelle trois morceaux de lest de cinq livres chaque. La vitesse dès lors accélérée de mon ascension m'emporta, trop rapidement et sans gradation suffisante, dans une couche d'atmosphère singulièrement raréfiée, ce qui faillit amener un résultat fatal pour mon expédition et pour moi-même. Je fus soudainement pris par un spasme qui dura plus de cinq minutes, et, même quand il eut en partie cessé, il se trouva que je ne pouvais plus aspirer qu'à de longs intervalles et d'une manière convulsive, saignant copieusement pendant tout ce temps par le nez, par les oreilles, et même légèrement par les yeux. Les pigeons semblaient en proie à une excessive angoisse et se débattaient pour s'échapper, pendant que la chatte miaulait lamentablement, chancelant çà et là à travers la nacelle comme sous l'influence d'un poison.

Je découvris alors trop tard l'immense imprudence que j'avais commise en jetant du lest, et mon trouble devint extrême. Je n'attendais pas moins que la mort, et la mort dans quelques minutes. La souffrance physique que j'éprouvais contribuait aussi à me rendre presque incapable d'un effort quelconque pour sauver ma vie. Il me restait à peine la faculté de réfléchir, et la violence de mon mal de tête semblait augmenter de minute en minute. Je m'aperçus alors que mes sens allaient bientôt m'abandonner tout à fait, et j'avais déjà empoigné une des cordes de la soupape quand le souvenir du mauvais tour que j'avais joué aux trois créanciers et la crainte des conséquences qui pouvaient m'accueillir à mon retour m'effrayèrent et m'arrêtèrent pour le moment. Je me couchai au fond de la nacelle et m'efforçai de rassembler mes facultés. J'y réussis un peu, et je résolus de tenter l'expérience d'une saignée.

Mais, comme je n'avais pas de lancette, je fus obligé de procéder à cette opération tant bien que mal, et finalement j'y réussis en m'ouvrant une veine au bras gauche avec la lame de mon canif. Le sang avait à peine commencé à couler que j'éprouvais un soulagement notable, et, lorsque j'en eus perdu à peu près la valeur d'une demi-cuvette de dimension ordinaire, les plus dangereux symptômes avaient pour la plupart entièrement disparu.

Cependant, je ne jugeai pas prudent d'essayer de me remettre immédiatement sur mes pieds ; mais, ayant bandé mon bras du mieux que je pus, je restai immobile pendant un quart d'heure environ. Au bout de ce temps je me levai et me sentis plus libre, plus dégagé de toute espèce de malaise que je ne l'avais été depuis une heure un quart.

Cependant la difficulté de respiration n'avait que fort peu diminué, et je pensai qu'il y aurait bientôt nécessité urgente à faire usage du condensateur. En même temps, je jetai les yeux sur ma chatte qui s'était commodément réinstallée sur mon habit, et, à ma grande surprise, je découvris qu'elle avait jugé à propos, pendant mon indisposition, de mettre au jour une ventrée de cinq petits chats. Certes, je ne m'attendais pas le moins du monde à ce supplément de passagers, mais, en somme, l'aventure me fit plaisir. Elle me fournissait l'occasion de vérifier une conjecture qui, plus qu'aucune autre, m'avait décidé à tenter cette ascension.

J'avais imaginé que l'*habitude* de la pression atmosphérique à la surface de la Terre était en grande partie la cause des douleurs qui attaquaient la vie animale à une certaine distance au-dessus de cette surface. Si les petits chats éprouvaient du malaise *au même degré que leur mère*, je devais considérer ma théorie comme fausse, mais je pouvais regarder le cas contraire comme une excellente confirmation de mon idée.

À huit heures, j'avais atteint une élévation de dix-sept milles. Ainsi il me parut évident que ma vitesse ascensionnelle non seulement augmentait, mais que cette augmentation eût été légèrement sensible, même dans le cas où je n'aurais pas jeté de lest, comme je l'avais fait. Les douleurs de tête et d'oreilles revenaient par intervalles avec violence, et, de temps à autre, j'étais repris par mes saignements de nez ; mais, en somme, je souffrais beaucoup moins que je ne m'y étais attendu. Cependant, de minute en minute, ma respiration devenait plus difficile, et chaque inhalation était suivie d'un mouvement spasmodique de la poitrine des plus fatigants. Je déployai alors l'appareil condensateur, de manière à le faire fonctionner immédiatement.

L'aspect de la Terre, à cette période de mon ascension, était vraiment magnifique. À l'ouest, au nord et au sud, aussi loin que pénétrait mon regard, s'étendait une nappe illimitée de mer en apparence immobile, qui, de seconde en seconde, prenait une teinte bleue plus profonde. À une vaste distance vers l'est, s'allongeaient très distinctement les îles Britanniques, les côtes occidentales de la France et de l'Espagne, ainsi qu'une petite portion de la partie nord du continent africain. Il était impossible de découvrir une trace des édifices particuliers, et les plus orgueilleuses cités de l'humanité avaient absolument disparu de la surface de la Terre.

Ce qui m'étonna particulièrement dans l'aspect des choses situées au-dessous de moi, ce fut la concavité apparente de la surface du globe. Je m'attendais, assez sottement, à voir sa convexité réelle se manifester plus distinctement à proportion que je m'élèverais ; mais quelques secondes de réflexion me suffirent pour expliquer cette contradiction. Une ligne abaissée perpendiculairement sur la Terre du point où je me trouvais aurait formé la perpendiculaire d'un triangle rectangle dont la base se serait étendue de l'angle droit à l'horizon, et l'hypoténuse de l'horizon au point occupé par mon ballon. Mais l'élévation où j'étais placé n'était rien ou presque rien comparativement à l'étendue embrassée par mon regard ; en d'autres termes, la base et l'hypoténuse du triangle supposé étaient si longues, comparées à la perpendiculaire, qu'elles pouvaient être considérées comme deux lignes presque parallèles. De cette façon l'horizon de l'aéronaute lui apparaît toujours au niveau de sa nacelle. Mais, comme le point situé immédiatement au-dessous de lui lui apparaît et est, en effet, à une immense distance, naturellement il lui paraît aussi à une immense distance au-dessous de l'horizon. De là, l'impression de concavité ; et cette impression durera jusqu'à ce que l'élévation se trouve relativement à l'étendue de la perspective dans une proportion telle que le parallélisme apparent de la base et de l'hypoténuse disparaisse.

Cependant, comme les pigeons semblaient souffrir horriblement, je résolus de leur donner la liberté. Je déliai d'abord l'un d'eux, un superbe pigeon gris saumoné, et le plaçai sur le bord de la nacelle. Il semblait excessivement mal à son aise, regardait anxieusement autour de lui, battait des ailes, faisait entendre un roucoulement très accentué, mais ne pouvait pas se décider à s'élancer hors de la nacelle. À la fin, je le pris et le jetai à six yards environ du ballon. Cependant, bien loin de descendre, comme je m'y attendais, il fit des efforts véhéments pour rejoindre le ballon, poussant en même temps des cris très aigus et très perçants. Enfin, il réussit à rattraper sa première position sur le bord du panier ; mais à peine s'y était-il posé qu'il pencha sa tête sur sa gorge et tomba mort au fond de la nacelle. L'autre n'eut pas un sort aussi déplorable. Pour l'empêcher de suivre l'exemple de son camarade et d'effectuer un retour vers le ballon, je le précipitai vers la terre de toute ma force, et vis avec plaisir qu'il continuait à descendre avec une grande vélocité, faisant usage de ses ailes très facilement et d'une manière parfaitement naturelle. En très peu de temps, il fut hors de vue, et je ne doute pas qu'il ne soit arrivé à bon port. Quant à la minette, qui semblait en grande partie remise de sa crise, elle se faisait maintenant un joyeux régal de l'oiseau mort, et finit par s'endormir avec toutes les apparences du contentement. Les petits chats étaient parfaitement vivants et ne manifestaient pas le plus léger symptôme de malaise.

À huit heures un quart, ne pouvant pas respirer plus longtemps sans une douleur intolérable, je commençai immédiatement à ajuster autour de la nacelle l'appareil attenant au condensateur. Cet appareil demande quelques explications, et Vos Excellences voudront bien se rappeler que mon but, en premier lieu, était de m'enfermer entièrement, moi et ma nacelle, et de me barricader contre l'atmosphère singulièrement raréfiée au sein de laquelle j'existais, et enfin d'introduire à l'intérieur, à l'aide de mon condensateur, une quantité de cette même atmosphère suffisamment condensée pour les besoins de la respiration.

Dans ce but, j'avais préparé un vaste sac de caoutchouc très flexible, très solide, absolument imperméable. La nacelle tout entière se trouvait en quelque sorte placée dans ce sac dont les dimensions avaient été calculées pour cet objet, c'est-à-dire qu'il passait sous le fond de la nacelle, s'étendait sur ses bords, et montait extérieurement le long des cordes jusqu'au cerceau où le filet était attaché. Ayant ainsi déployé le sac et fait hermétiquement la clôture de tous les côtés, il fallait maintenant assujettir le haut ou l'ouverture du sac en faisant passer le tissu de caoutchouc au-dessus du cerceau, en d'autres termes, entre le filet et le cerceau. Mais, si je détachais le filet du cerceau pour opérer ce passage, comment la nacelle pourrait-elle se soutenir ? Or le filet n'était pas ajusté au cerceau d'une manière permanente, mais attaché par une série de brides mobiles ou de nœuds coulants. Je ne défis donc qu'un petit nombre de ces brides à la fois, laissant la nacelle suspendue par les autres. Ayant fait passer ce que je pus de la partie supérieure du sac, je rattachai les brides, – non pas au cerceau, car l'interposition de l'enveloppe de caoutchouc rendait cela impossible, – mais à une série de gros boutons fixés à l'enveloppe elle-même, à trois pieds environ au-dessous

de l'ouverture du sac, les intervalles des boutons correspondant aux intervalles des brides. Cela fait, je détachai
du cerceau quelques autres brides, j'introduisis une nouvelle portion de l'enveloppe, et les brides dénouées furent
à leur tour assujetties à leurs boutons respectifs. Par ce
procédé, je pouvais faire passer toute la partie supérieure
du sac entre le filet et le cerceau.

Il est évident que le cerceau devait dès lors tomber
dans la nacelle, tout le poids de la nacelle et de son
contenu n'étant plus supporté que par la force des boutons. À première vue, ce système pouvait ne pas offrir
une garantie suffisante ; mais il n'y avait aucune raison
de s'en défier, car non seulement les boutons étaient
solides par eux-mêmes, mais, de plus, ils étaient si rapprochés que chacun ne supportait en réalité qu'une très
légère partie du poids total. La nacelle et son contenu
auraient pesé trois fois plus que je n'en aurais pas été
inquiet le moins du monde. Je relevai alors le cerceau le
long de l'enveloppe de caoutchouc et je l'étayai sur trois
perches légères préparées pour cet objet. Cela avait pour
but de tenir le sac convenablement distendu par le haut,
et de maintenir la partie inférieure du filet dans la position voulue. Tout ce qui me restait à faire maintenant
était de nouer l'ouverture du sac, – ce que j'opérai facilement en rassemblant les plis du caoutchouc, et en les
tordant étroitement ensemble au moyen d'une espèce de
tourniquet à demeure.

Sur les côtés de l'enveloppe ainsi déployée autour de
la nacelle, j'avais fait adapter trois carreaux de verre
ronds, très épais, mais très clairs, au travers desquels je
pouvais voir facilement autour de moi dans toutes les
directions horizontales. Dans la partie du sac qui formait
le fond était une quatrième fenêtre analogue, correspondant à une petite ouverture pratiquée dans le fond de
la nacelle elle-même. Celle-ci me permettait de regarder
perpendiculairement au-dessous de moi. Mais il m'avait

été impossible d'ajuster une invention du même genre au-dessus de ma tête, en raison de la manière particulière dont j'étais obligé de fermer l'ouverture et des plis nombreux qui en résultaient ; j'avais donc renoncé à voir les objets situés dans mon zénith. Mais c'était là une chose de peu d'importance ; car, lors même que j'aurais pu placer une fenêtre au-dessus de moi, le ballon aurait fait obstacle à ma vue et m'aurait empêché d'en faire usage.

À un pied environ au-dessous d'une des fenêtres latérales était une ouverture circulaire de trois pouces de diamètre, avec un rebord de cuivre façonné intérieurement pour s'adapter à la spirale d'une vis. Dans ce rebord se vissait le large tube du condensateur, le corps de la machine était naturellement placé dans la chambre de caoutchouc. En faisant le vide dans le corps de la machine, on attirait dans ce tube une masse d'atmosphère ambiante raréfiée, qui de là était déversée à l'état condensé et mêlée à l'air subtil déjà contenu dans la chambre. Cette opération, répétée plusieurs fois, remplissait à la longue la chambre d'une atmosphère suffisant aux besoins de la respiration. Mais, dans un espace aussi étroit que celui-ci, elle devait nécessairement, au bout d'un temps très court, se vicier et devenir impropre à la vie par son contact répété avec les poumons. Elle était alors rejetée par une petite soupape placée au fond de la nacelle, l'air dense se précipitant promptement dans l'atmosphère raréfiée. Pour éviter à un certain moment l'inconvénient d'un vide total dans la chambre, cette purification ne devait jamais être effectuée en une seule fois, mais graduellement, la soupape n'étant ouverte que pour quelques secondes, puis refermée, jusqu'à ce qu'un ou deux coups de pompe du condensateur eussent fourni de quoi remplacer l'atmosphère expulsée. Par amour des expériences, j'avais placé la chatte et ses petits dans un petit panier, et les avais suspendus en dehors de la nacelle par un bouton placé près du fond, tout auprès de la soupape, à travers laquelle je pouvais leur faire passer de la nourriture quand besoin était.

J'accomplis cette manœuvre avant de fermer l'ouverture de la chambre, et non sans quelque difficulté, car il me fallut, pour atteindre le dessous de la nacelle, me servir d'une des perches dont j'ai parlé, à laquelle était fixé un crochet. Aussitôt que l'air condensé eut pénétré dans la chambre, le cerceau et les perches devinrent inutiles : l'expansion de l'atmosphère incluse distendit puissamment le caoutchouc.

Quand j'eus fini tous ces arrangements et rempli la chambre d'air condensé, il était neuf heures moins dix. Pendant tout le temps qu'avaient duré ces opérations, j'avais horriblement souffert de la difficulté de respiration, et je me repentais amèrement de la négligence ou plutôt de l'incroyable imprudence dont je m'étais rendu coupable en remettant au dernier moment une affaire d'une si haute importance.

Mais enfin, lorsque j'eus fini, je commençai à recueillir, et promptement, les bénéfices de mon invention. Je respirais de nouveau avec une aisance et une liberté parfaites ; et vraiment, pourquoi n'en eût-il pas été ainsi ? Je fus aussi très agréablement surpris de me trouver en grande partie soulagé des vives douleurs qui m'avaient affligé jusqu'alors. Un léger mal de tête accompagné d'une sensation de plénitude ou de distension dans les poignets, les chevilles et la gorge était à peu près tout ce dont j'avais à me plaindre maintenant. Ainsi, il était positif qu'une grande partie du malaise provenant de la disparition de la pression atmosphérique s'était absolument évanouie, et que presque toutes les douleurs que j'avais endurées pendant les deux dernières heures devaient être attribuées uniquement aux effets d'une respiration insuffisante.

À neuf heures moins vingt – c'est-à-dire peu de temps après avoir fermé l'ouverture de ma chambre – le mercure avait atteint son extrême limite et était retombé dans la cuvette du baromètre, qui, comme je l'ai dit, était d'une vaste dimension. Il me donnait alors une hauteur de 132 000 pieds ou de 25 milles, et conséquemment mon regard en ce moment n'embrassait pas moins de la 320ᵉ partie de la superficie totale de la Terre. À neuf heures, j'avais de nouveau perdu de vue la terre dans l'est, mais pas avant de m'être aperçu que le ballon dérivait rapidement vers le nord-nord-ouest. L'Océan, au-dessous de moi, gardait toujours son apparence de concavité ; mais sa vue était souvent interceptée par des masses de nuées qui flottaient çà et là.

À neuf heures et demie, je recommençai l'expérience des plumes, j'en jetai une poignée à travers la soupape. Elles ne voltigèrent pas, comme je m'y attendais, mais tombèrent perpendiculairement, en masse, comme un boulet et avec une telle vélocité que je les perdis de vue en quelques secondes. Je ne savais d'abord que penser de cet extraordinaire phénomène ; je ne pouvais croire que ma vitesse ascensionnelle se fût si soudainement et si prodigieusement accélérée. Mais je réfléchis bientôt que l'atmosphère était maintenant trop raréfiée pour soutenir même des plumes, – qu'elles tombaient réellement, ainsi qu'il m'avait semblé, avec une excessive rapidité, – et que j'avais été simplement surpris par les vitesses combinées de leur chute et de mon ascension.

À dix heures, il se trouva que je n'avais plus grand-chose à faire et que rien ne réclamait mon attention immédiate. Mes affaires allaient donc comme sur des roulettes, et j'étais persuadé que le ballon montait avec une vitesse incessamment croissante, quoique je n'eusse plus aucun moyen d'apprécier cette progression de vitesse. Je n'éprouvais de peine ni de malaise d'aucune espèce ; je jouissais même d'un bien-être que je n'avais

pas encore connu depuis mon départ de Rotterdam. Je
m'occupais tantôt à vérifier l'état de tous mes instruments, tantôt à renouveler l'atmosphère de la chambre.
Quant à ce dernier point, je résolus de m'en occuper à
des intervalles réguliers de quarante minutes, plutôt pour
garantir complètement ma santé que par une absolue
nécessité. Cependant, je ne pouvais pas m'empêcher de
faire des rêves et des conjectures. Ma pensée s'ébattait
dans les étranges et chimériques régions de la Lune. Mon
imagination, se sentant une bonne fois délivrée de toute
entrave, errait à son gré parmi les merveilles multiformes
d'une planète ténébreuse et changeante. Tantôt c'étaient
des forêts chenues et vénérables, des précipices rocailleux
et des cascades retentissantes s'écroulant dans des
gouffres sans fond. Tantôt j'arrivais tout à coup dans
des calmes solitudes inondées d'un soleil de midi, où ne
s'introduisait jamais aucun vent du ciel, et où s'étalaient
à perte de vue de vastes prairies de pavots et de longues
fleurs élancées semblables à des lis, toutes silencieuses et
immobiles pour l'éternité. Puis je voyageais longtemps,
et je pénétrais dans une contrée qui n'était tout entière
qu'un lac ténébreux et vague, avec une frontière de
nuages. Mais ces images n'étaient pas les seules qui
prissent possession de mon cerveau. Parfois des horreurs
d'une nature plus noire, plus effrayante s'introduisaient
dans mon esprit, et ébranlaient les dernières profondeurs
de mon âme par la simple hypothèse de leur possibilité.
Cependant, je ne pouvais permettre à ma pensée de
s'appesantir trop longtemps sur ces dernières contemplations ; je pensais judicieusement que les dangers réels et
palpables de mon voyage suffisaient largement pour
absorber toute mon attention.

À cinq heures de l'après-midi, comme j'étais occupé à
renouveler l'atmosphère de la chambre, je pris cette occasion pour observer la chatte et ses petits à travers la soupape. La chatte semblait de nouveau souffrir beaucoup,

et je ne doutai pas qu'il ne fallût attribuer particulièrement son malaise à la difficulté de respirer ; mais mon
expérience relativement aux petits avait eu un résultat des
plus étranges. Naturellement je m'attendais à les voir
manifester une sensation de peine, quoique à un degré
moindre que leur mère, et cela eût été suffisant pour
confirmer mon opinion touchant l'habitude de la pression atmosphérique. Mais je n'espérais pas les trouver,
après un examen scrupuleux, jouissant d'une parfaite
santé et ne laissant pas voir le plus léger signe de malaise.
Je ne pouvais me rendre compte de cela qu'en élargissant
ma théorie, et en supposant que l'atmosphère ambiante
hautement raréfiée pouvait bien, contrairement à l'opinion que j'avais d'abord adoptée comme positive, n'être
pas chimiquement insuffisante pour les fonctions vitales,
et qu'une personne née dans un pareil milieu pourrait
peut-être ne s'apercevoir d'aucune incommodité de respiration, tandis que, ramenée vers les couches plus denses
avoisinant la Terre, elle souffrirait vraisemblablement des
douleurs analogues à celles que j'avais endurées tout à
l'heure. Ç'a été pour moi, depuis lors, l'occasion d'un
profond regret qu'un accident malheureux m'ait privé de
ma petite famille de chats et m'ait enlevé le moyen
d'approfondir cette question par une expérience continue. En passant ma main à travers la soupape avec une
tasse pleine d'eau pour la vieille minette, la manche de
ma chemise s'accrocha à la boucle qui supportait le
panier, et du coup la détacha du bouton. Quand même
tout le panier se fût absolument évaporé dans l'air, il
n'aurait pas été escamoté à ma vue d'une manière plus
abrupte et plus instantanée. Positivement, il ne s'écoula
pas la dixième partie d'une seconde entre le moment où
le panier se décrocha et celui où il disparut complètement
avec tout ce qu'il contenait. Mes souhaits les plus heureux l'accompagnèrent vers la terre, mais, naturellement,

je n'espérais guère que la chatte et ses petits survécussent pour raconter leur odyssée.

À six heures, je m'aperçus qu'une grande partie de la surface visible de la Terre, vers l'est, était plongée dans une ombre épaisse, qui s'avançait incessamment avec une grande rapidité ; enfin, à sept heures moins cinq, toute la surface visible fut enveloppée dans les ténèbres de la nuit. Ce ne fut toutefois que quelques instants plus tard que les rayons du soleil couchant cessèrent d'illuminer le ballon ; et cette circonstance, à laquelle je m'attendais parfaitement, ne manqua pas de me causer un immense plaisir. Il était évident qu'au matin je contemplerais le corps lumineux à son lever plusieurs heures au moins avant les citoyens de Rotterdam, bien qu'ils fussent situés beaucoup plus loin que moi dans l'est, et qu'ainsi, de jour en jour, à mesure que je serais placé plus haut dans l'atmosphère, je jouirais de la lumière solaire pendant une période de plus en plus longue. Je résolus alors de rédiger un journal de mon voyage en comptant les jours de vingt-quatre heures consécutives, sans avoir égard aux intervalles de ténèbres.

À dix heures, sentant venir le sommeil, je résolus de me coucher pour le reste de la nuit ; mais ici se présenta une difficulté qui, quoique de nature à sauter aux yeux, avait échappé à mon attention jusqu'au dernier moment. Si je me mettais à dormir, comme j'en avais l'intention, comment renouveler l'air de la chambre pendant cet intervalle ? Respirer cette atmosphère plus d'une heure, au maximum, était une chose absolument impossible ; et, en supposant ce terme poussé jusqu'à une heure un quart, les plus déplorables conséquences pouvaient en résulter. Cette cruelle alternative ne me causa pas d'inquiétude ; et l'on croira à peine qu'après les dangers que j'avais essuyés je pris la chose tellement au sérieux que je désespérais d'accomplir mon dessein, et que finalement je me résignai à la nécessité d'une descente.

Mais cette hésitation ne fut que momentanée. Je réfléchis que l'homme est le plus parfait esclave de l'habitude, et que mille cas de la routine de son existence sont considérés comme essentiellement importants, qui ne sont tels que parce qu'il en fait des nécessités de routine. Il était positif que je ne pouvais pas ne pas dormir ; mais je pouvais facilement m'accoutumer à me réveiller sans inconvénient d'heure en heure durant tout le temps consacré à mon repos. Il ne me fallait pas plus de cinq minutes au plus pour renouveler complètement l'atmosphère ; et la seule difficulté réelle était d'inventer un procédé pour m'éveiller au moment nécessaire. Mais c'était là un problème dont la solution, je le confesse, ne me causait pas peu d'embarras.

J'avais certainement entendu parler de l'étudiant qui, pour s'empêcher de tomber de sommeil sur ses livres, tenait dans une main une boule de cuivre, dont la chute retentissante dans un bassin de même métal placé par terre, à côté de sa chaise, servait à le réveiller en sursaut si quelquefois il se laissait aller à l'engourdissement. Mon cas, toutefois, était fort différent du sien et ne livrait pas de place à une pareille idée ; car je ne désirais pas rester éveillé, mais me réveiller à des intervalles réguliers. Enfin, j'imaginai l'expédient suivant qui, quelque simple qu'il paraisse, fut salué par moi, au moment de ma découverte, comme une invention absolument comparable à celle du télescope, des machines à vapeur, et même de l'imprimerie.

Il est nécessaire de remarquer d'abord que le ballon, à la hauteur où j'étais parvenu, continuait à monter en ligne droite avec une régularité parfaite, et que la nacelle le suivait conséquemment sans éprouver la plus légère oscillation. Cette circonstance me favorisa grandement dans l'exécution du plan que j'avais adopté. Ma provision d'eau avait été embarquée dans des barils qui contenaient chacun cinq gallons et étaient solidement arrimés dans l'intérieur de la nacelle. Je détachai l'un de ces barils et, prenant deux cordes, je les attachai étroitement au rebord d'osier, de manière qu'elles traversaient la nacelle, parallèlement, et à une distance d'un pied l'une de l'autre ; elles formaient ainsi une sorte de tablette, sur laquelle je plaçai le baril et l'assujettis dans une position horizontale.

À huit pouces environ au-dessous de ces cordes et à quatre pieds du fond de la nacelle, je fixai une autre tablette, mais faite d'une planche mince, la seule de cette nature qui fût à ma disposition. Sur cette dernière, et juste au-dessous d'un des bords du baril, je déposai une petite cruche de terre.

Je perçai alors un trou dans le fond du baril, au-dessus de la cruche, et j'y fichai une cheville de bois taillée en cône, ou en forme de bougie. J'enfonçai et je retirai cette cheville, plus ou moins, jusqu'à ce qu'elle s'adaptât, après plusieurs tâtonnements, juste assez pour que l'eau filtrant par le trou et tombant dans la cruche la remplît jusqu'au bord dans un intervalle de soixante minutes. Quant à ceci, il me fut facile de m'en assurer en peu de temps ; je n'eus qu'à observer jusqu'à quel point la cruche se remplissait dans un temps donné. Tout cela dûment arrangé, le reste se devine.

Mon lit était disposé sur le fond de la nacelle de manière que ma tête, quand j'étais couché, se trouvait immédiatement au-dessous de la gueule de la cruche. Il était évident qu'au bout d'une heure la cruche remplie devait déborder, et le trop-plein s'écouler par la gueule qui était un peu au-dessous du niveau du bord. Il était également certain que l'eau tombant ainsi d'une hauteur de plus de quatre pieds ne pouvait pas ne pas tomber sur ma face, et que le résultat devait être un réveil instantané, quand même j'aurais dormi du plus profond sommeil.

Il était au moins onze heures quand j'eus fini toute cette installation, et je me mis immédiatement au lit, plein de confiance dans l'efficacité de mon invention. Et je ne fus pas désappointé dans mes espérances. De soixante en soixante minutes, je fus ponctuellement éveillé par mon fidèle chronomètre ; je vidais le contenu de la cruche par le trou de bonde du baril, je faisais fonctionner le condensateur, et je me remettais au lit. Ces interruptions régulières dans mon sommeil me causèrent même moins de fatigue que je ne m'y étais attendu ; et, quand enfin je me levai pour tout de bon, il était sept heures, et le soleil avait atteint déjà quelques degrés au-dessus de la ligne de mon horizon.

3 avril. – Je trouvai que mon ballon était arrivé à une immense hauteur, et que la convexité de la Terre se manifestait enfin d'une manière frappante. Au-dessous de moi, dans l'Océan, se montrait un semis de points noirs qui devaient être indubitablement des îles. Au-dessus de ma tête, le ciel était d'un noir de jais, et les étoiles visibles et scintillantes ; en réalité, elles m'avaient toujours apparu ainsi depuis le premier jour de mon ascension. Bien loin vers le nord, j'apercevais au bord de l'horizon une ligne ou une bande mince, blanche et excessivement brillante, et je supposai immédiatement que ce devait être la limite sud de la mer de glaces polaires. Ma curiosité fut grandement excitée, car j'avais l'espoir de m'avancer beaucoup plus vers le nord, et peut-être, à un certain moment, de me trouver directement au-dessus du pôle lui-même. Je déplorai alors que l'énorme hauteur où j'étais placé m'empêchât d'en faire un examen aussi positif que je l'aurais désiré. Toutefois, il y avait encore quelques bonnes observations à faire.

Il ne m'arriva d'ailleurs rien d'extraordinaire durant cette journée. Mon appareil fonctionnait toujours très régulièrement, et le ballon montait toujours sans aucune vacillation apparente. Le froid était intense et m'obligeait de m'envelopper soigneusement d'un paletot. Quand les ténèbres couvrirent la Terre, je me mis au lit, quoique

je dusse être pour plusieurs heures encore enveloppé
de la lumière du plein jour. Mon horloge hydraulique
accomplit ponctuellement son devoir, et je dormis profondément jusqu'au matin suivant, sauf les interruptions
périodiques.

4 avril. – Je me suis levé en bonne santé et en joyeuse
humeur, et j'ai été fort étonné du singulier changement
survenu dans l'aspect de la mer. Elle avait perdu, en
grande partie, la teinte de bleu profond qu'elle avait revêtue jusqu'à présent ; elle était d'un blanc grisâtre et d'un
éclat qui éblouissait l'œil. La convexité de l'Océan était
devenue si évidente que la masse entière de ses eaux lointaines semblait s'écrouler précipitamment dans l'abîme
de l'horizon, et je me surpris prêtant l'oreille et cherchant
les échos de la puissante cataracte.

Les îles n'étaient plus visibles, soit qu'elles eussent
passé derrière l'horizon vers le sud-est, soit que mon élévation croissante les eût chassées au-delà de la portée de
ma vue ; c'est ce qu'il m'est impossible de dire. Toutefois
j'inclinais vers cette dernière opinion. La bande de glace,
au nord, devenait de plus en plus apparente. Le froid
avait beaucoup perdu de son intensité. Il ne m'arriva rien
d'important, et je passai tout le jour à lire, car je n'avais
pas oublié de faire une provision de livres.

5 avril. – J'ai contemplé le singulier phénomène du
soleil levant pendant que presque toute la surface visible
de la Terre restait enveloppée dans les ténèbres. Toutefois,
la lumière commença à se répandre sur toutes choses, et
je revis la ligne de glaces au nord. Elle était maintenant
très distincte, et paraissait d'un ton plus foncé que les
eaux de l'Océan. Évidemment, je m'en rapprochais, et
avec une grande rapidité. Je m'imaginai que je distinguais
encore une bande de terre vers l'est, et une autre vers
l'ouest, mais il me fut impossible de m'en assurer. Température modérée. Rien d'important ne m'arriva ce jour-
là. Je me mis au lit de fort bonne heure.

6 avril. – J'ai été fort surpris de trouver la bande de glace à une distance assez modérée, et un immense champ de glaces s'étendant à l'horizon vers le nord. Il était évident que, si le ballon gardait sa direction actuelle, il devait arriver bientôt au-dessus de l'Océan boréal, et maintenant j'avais une forte espérance de voir le pôle. Durant tout le jour, je continuai à me rapprocher des glaces.

Vers la nuit, les limites de mon horizon s'agrandirent très soudainement et très sensiblement, ce que je devais sans aucun doute à la forme de notre planète qui est celle d'un sphéroïde écrasé, et parce que j'arrivais au-dessus des régions aplaties qui avoisinent le cercle arctique. À la longue, quand les ténèbres m'envahirent, je me mis au lit dans une grande anxiété, tremblant de passer au-dessus de l'objet d'une si grande curiosité sans pouvoir l'observer à loisir.

7 avril. – Je me levai de bonne heure et, à ma grande joie, je contemplai ce que je n'hésitai pas à considérer comme le pôle lui-même. Il était là, sans aucun doute, et directement sous mes pieds ; mais, hélas ! j'étais maintenant placé à une si grande hauteur que je ne pouvais rien distinguer avec netteté. En réalité, à en juger d'après la progression des chiffres indiquant mes diverses hauteurs à différents moments, depuis le 2 avril à six heures du matin jusqu'à neuf heures moins vingt de la même matinée (moment où le mercure retomba dans la cuvette du baromètre), il y avait vraisemblablement lieu de supposer que le ballon devait maintenant – 7 avril, quatre heures du matin – avoir atteint une hauteur qui était au moins de 7 254 milles au-dessus du niveau de la mer. Cette élévation peut paraître énorme ; mais l'estime sur laquelle elle était basée donnait très probablement un résultat bien inférieur à la réalité. En tout cas, j'avais indubitablement sous les yeux la totalité du plus grand diamètre terrestre ; tout l'hémisphère nord s'étendait au-dessous de moi comme une carte en projection orthographique ; et le grand cercle même de l'équateur formait la ligne frontière de mon horizon. Vos Excellences, toutefois, concevront facilement que les régions inexplorées jusqu'à présent et confinées dans les limites du cercle arctique, quoique situées directement au-dessous de moi, et conséquemment aperçues sans aucune apparence de raccourci, étaient trop rapetissées et placées à une trop grande distance du point d'observation pour admettre un examen quelque peu minutieux.

Néanmoins, ce que j'en voyais était d'une nature singulière et intéressante. Au nord de cette immense bordure dont j'ai parlé, et que l'on peut définir, sauf une légère restriction, la limite de l'exploration humaine dans ces régions, continue de s'étendre sans interruption ou presque sans interruption une nappe de glace. Dès son commencement, la surface de cette mer de glace s'affaisse sensiblement ; plus loin, elle est déprimée jusqu'à paraître plane, et finalement elle devient singulièrement concave, et se termine au pôle lui-même en une cavité centrale circulaire dont les bords sont nettement définis, et dont le diamètre apparent sous-tendait alors, relativement à mon ballon, un angle de soixante-cinq secondes environ ; quant à la couleur, elle était obscure, variant d'intensité, toujours plus sombre qu'aucun point de l'hémisphère visible, et s'approfondissant quelquefois jusqu'au noir parfait. Au-delà, il était difficile de distinguer quelque chose. À midi, la circonférence de ce trou central avait sensiblement décru, et, à sept heures de l'après-midi, je l'avais entièrement perdu de vue ; le ballon passait vers le bord ouest des glaces et filait rapidement dans la direction de l'équateur.

8 avril. – J'ai remarqué une sensible diminution dans le diamètre apparent de la Terre, sans parler d'une altération positive dans sa couleur et son aspect général. Toute la surface visible participait alors, à différents degrés, de la teinte jaune pâle, et dans certaines parties elle avait revêtu un éclat presque douloureux pour l'œil. Ma vue était singulièrement gênée par la densité de l'atmosphère et les amas de nuages qui avoisinaient cette surface ; c'est à peine si entre ces masses je pouvais de temps à autre apercevoir la planète. Depuis les dernières quarante-huit heures, ma vue avait été plus ou moins empêchée par ces obstacles ; mais mon élévation actuelle, qui était excessive, rapprochait et confondait ces masses flottantes de vapeur, et l'inconvénient devenait de plus en plus sensible à mesure que je montais. Néanmoins, je percevais facilement que le ballon planait maintenant au-dessus du groupe des grands lacs du Nord-Amérique et courait droit vers le sud, ce qui devait m'amener bientôt vers les tropiques.

Cette circonstance ne manqua pas de me causer la plus sensible satisfaction, et je la saluai comme un heureux présage de mon succès final. En réalité, la direction que j'avais prise jusqu'alors m'avait rempli d'inquiétude ; car il était évident que, si je l'avais suivie longtemps encore, je n'aurais jamais pu arriver à la Lune, dont l'orbite n'est inclinée sur l'écliptique que d'un petit angle de 5 degrés 8 minutes 48 secondes. Quelque étrange que cela puisse paraître, ce ne fut qu'à cette période tardive que je commençai à comprendre la grande faute que j'avais commise en n'effectuant pas mon départ de quelque point terrestre situé dans le plan de l'ellipse lunaire.

9 avril. – Aujourd'hui, le diamètre de la Terre est grandement diminué, et la surface prend d'heure en heure une teinte jaune plus prononcée. Le ballon a toujours filé droit vers le sud, et est arrivé à neuf heures de l'après-midi au-dessus de la côte nord du golfe du Mexique.

10 avril. – J'ai été soudainement tiré de mon sommeil vers cinq heures du matin par un grand bruit, un craquement terrible, dont je n'ai pu en aucune façon me rendre compte. Il a été de courte durée ; mais, tant qu'il a duré, il ne ressemblait à aucun bruit terrestre dont j'eusse gardé la sensation. Il est inutile de dire que je fus excessivement alarmé, car j'attribuai d'abord ce bruit à une déchirure du ballon. Cependant, j'examinai tout mon appareil avec une grande attention et je n'y pus découvrir aucune avarie. J'ai passé la plus grande partie du jour à méditer sur un accident aussi extraordinaire, mais je n'ai absolument rien trouvé de satisfaisant. Je me suis mis au lit fort mécontent et dans un état d'agitation et d'anxiété excessives.

11 avril. – J'ai trouvé une diminution sensible dans le diamètre apparent de la Terre et un accroissement considérable, observable pour la première fois, dans celui de la Lune, qui n'était qu'à quelques jours de son plein. Ce fut alors pour moi un très long et très pénible labeur de condenser dans la chambre une quantité d'air atmosphérique suffisante pour l'entretien de la vie.

12 avril. – Un singulier changement a eu lieu dans la direction du ballon, qui, bien que je m'y attendisse parfaitement, m'a causé le plus sensible plaisir. Il était parvenu dans sa direction première au vingtième parallèle de latitude sud, et il a tourné brusquement vers l'est, à angle aigu, et a suivi cette route tout le jour, en se tenant à peu près, sinon absolument, dans le plan exact de l'ellipse lunaire. Ce qui était digne de remarque, c'est que ce changement de direction occasionnait une oscillation très sensible de la nacelle, – oscillation qui a duré plusieurs heures à un degré plus ou moins vif.

13 avril. – J'ai été de nouveau très alarmé par la répétition de ce grand bruit de craquement qui m'avait terrifié le 10. J'ai longtemps médité sur ce sujet, mais il m'a été impossible d'arriver à une conclusion satisfaisante. Grand décroissement dans le diamètre apparent de la Terre. Il ne sous-tendait plus, relativement au ballon, qu'un angle d'un peu plus de 25 degrés. Quant à la Lune, il m'était impossible de la voir, elle était presque dans mon zénith. Je marchais toujours dans le plan de l'ellipse, mais je faisais peu de progrès vers l'est.

14 avril. – Diminution excessivement rapide dans le diamètre de la terre. Aujourd'hui, j'ai été fortement impressionné de l'idée que le ballon courait maintenant sur la ligne des apsides en remontant vers le périgée, – en d'autres termes, qu'il suivait directement la route qui devait le conduire à la lune dans cette partie de son orbite qui est la plus rapprochée de la terre. La lune était juste au-dessus de ma tête, et conséquemment cachée à ma vue. Toujours ce grand et long travail indispensable pour la condensation de l'atmosphère.

15 avril. – Je ne pouvais même plus distinguer nettement sur la planète les contours des continents et des mers. Vers midi, je fus frappé pour la troisième fois de ce bruit effrayant qui m'avait déjà si fort étonné. Cette fois-ci, cependant, il dura quelques moments et prit de l'intensité. À la longue, stupéfié, frappé de terreur, j'attendais anxieusement je ne sais quelle épouvantable destruction, lorsque la nacelle oscilla avec une violence excessive, et une masse de matière que je n'eus pas le temps de distinguer passa à côté du ballon, gigantesque et enflammée, retentissante et rugissante comme la voix de mille tonnerres. Quand mes terreurs et mon étonnement furent un peu diminués, je supposai naturellement que ce devait être quelque énorme fragment volcanique vomi par ce monde dont j'approchais si rapidement, et, selon toute probabilité, un morceau de ces substances singulières qu'on ramasse quelquefois sur la terre, et qu'on nomme aérolithes, faute d'une appellation plus précise.

16 avril. – Aujourd'hui, en regardant au-dessous de moi, aussi bien que je pouvais, par chacune des deux fenêtres latérales alternativement, j'aperçus, à ma grande satisfaction, une très petite portion du disque lunaire qui s'avançait, pour ainsi dire de tous les côtés, au-delà de la

vaste circonférence de mon ballon. Mon agitation devint
extrême, car maintenant je ne doutais guère que je
n'atteignisse bientôt le but de mon périlleux voyage.

En vérité, le labeur qu'exigeait alors le condensateur
s'était accru jusqu'à devenir obsédant, et ne laissait
presque pas de répit à mes efforts. De sommeil, il n'en
était, pour ainsi dire, plus question. Je devenais réellement malade, et tout mon être tremblait d'épuisement.
La nature humaine ne pouvait pas supporter plus longtemps une pareille intensité dans la souffrance. Durant
l'intervalle des ténèbres, bien court maintenant, une
pierre météorique passa de nouveau dans mon voisinage,
et la fréquence de ces phénomènes commença à me donner de fortes inquiétudes.

17 avril. – Cette matinée a fait époque dans mon
voyage. On se rappellera que, le 13, la Terre sous-tendait
relativement à moi un angle de 25 degrés. Le 14, cet angle
avait fortement diminué ; le 15, j'observai une diminution
encore plus rapide ; et, le 16, avant de me coucher, j'avais
estimé que l'angle n'était plus que de 7 degrés et
15 minutes. Qu'on se figure donc quelle dut être ma stupéfaction, quand, en m'éveillant ce matin, 17, et sortant
d'un sommeil court et troublé, je m'aperçus que la surface planétaire placée au-dessous de moi avait si inopinément et si effroyablement *augmenté* de volume que son
diamètre apparent sous-tendait un angle qui ne mesurait
pas moins de 39 degrés ! J'étais foudroyé ! Aucune parole
ne peut donner une idée exacte de l'horreur extrême,
absolue, et de la stupeur dont je fus saisi, possédé, écrasé.
Mes genoux vacillèrent sous moi, – mes dents claquèrent,
– mon poil se dressa sur ma tête. – Le ballon a donc
fait explosion ? – Telles furent les premières idées qui se
précipitèrent tumultueusement dans mon esprit. Positivement, le ballon a crevé ! – Je tombe, – je tombe avec la
plus impétueuse, la plus incomparable vitesse ! À en juger
par l'immense espace déjà si rapidement parcouru, je

dois rencontrer la surface de la Terre dans dix minutes au plus ; – dans dix minutes, je serai précipité, anéanti !

Mais, à la longue, la réflexion vint à mon secours. Je fis une pause, je méditai et je commençai à douter. La chose était impossible. Je ne pouvais en aucune façon être descendu aussi rapidement. En outre, bien que je me rapprochasse évidemment de la surface située au-dessous de moi, ma vitesse réelle n'était nullement en rapport avec l'épouvantable vélocité que j'avais d'abord imaginée.

Cette considération calma efficacement la perturbation de mes idées, et je réussis finalement à envisager le phénomène sous son vrai point de vue. Il fallait que ma stupéfaction m'eût privé de l'exercice de mes sens pour que je n'eusse pas vu quelle immense différence il y avait entre l'aspect de cette surface placée au-dessous de moi et celui de ma planète natale. Cette dernière était donc au-dessus de ma tête et complètement cachée par le ballon, tandis que la Lune, – la Lune elle-même dans toute sa gloire, – s'étendait au-dessous de moi ; – je l'avais sous mes pieds !

L'étonnement et la stupeur produits dans mon esprit par cet extraordinaire changement dans la situation des choses étaient peut-être, après tout, ce qu'il y avait de plus étonnant et de moins explicable dans mon aventure. Car ce *bouleversement* en lui-même était non seulement naturel et inévitable, mais depuis longtemps même je l'avais positivement prévu comme une circonstance toute simple, comme une conséquence qui devait se produire quand j'arrivais au point exact de mon parcours où l'attraction de la planète serait remplacée par l'attraction du satellite, – ou, en termes plus précis, quand la gravitation du ballon vers la Terre serait moins puissante que sa gravitation vers la Lune.

Il est vrai que je sortais d'un profond sommeil, que tous mes sens étaient encore brouillés, quand je me trouvai soudainement en face d'un phénomène des plus

surprenants, – d'un phénomène que j'attendais, mais que
je n'attendais pas en ce moment.

La révolution elle-même devait avoir eu lieu naturellement, de la façon la plus douce et la plus graduée, et il
n'est pas le moins du monde certain que, lors même que
j'eusse été éveillé au moment où elle s'opéra, j'eusse eu
la conscience du sens dessus dessous, – que j'eusse perçu
un symptôme *intérieur* quelconque de l'inversion, – c'est-
à-dire une incommodité, un dérangement quelconque,
soit dans ma personne, soit dans mon appareil.

Il est presque inutile de dire qu'en revenant au sentiment juste de ma situation, et émergeant de la terreur
qui avait absorbé toutes les facultés de mon âme, mon
attention s'appliqua d'abord uniquement à la contemplation de l'aspect général de la Lune. Elle se développait
au-dessous de moi comme une carte, – et, quoique je
jugeasse qu'elle était encore à une distance assez considérable, les aspérités de sa surface se dessinaient à mes yeux
avec une netteté très singulière dont je ne pouvais absolument pas me rendre compte. L'absence complète d'océan,
de mer, et même de tout lac et de toute rivière, me frappa,
au premier coup d'œil, comme le signe le plus extraordinaire de sa condition géologique.

Cependant, chose étrange à dire, je voyais de vastes
régions planes, d'un caractère positivement alluvial,
quoique la plus grande partie de l'hémisphère visible fût
couverte d'innombrables montagnes volcaniques en
forme de cônes, et qui avaient plutôt l'aspect d'éminences
façonnées par l'art que de saillies naturelles. La plus
haute d'entre elles n'excédait pas trois milles trois quarts
en élévation perpendiculaire ; – d'ailleurs, une carte des
régions volcaniques des *Campi Phlegræi* donnerait à Vos
Excellences une meilleure idée de leur surface générale
que toute description, toujours insuffisante, que j'essayerais d'en faire. – La plupart de ces montagnes étaient
évidemment en état d'éruption, et me donnaient une idée

terrible de leur furie et de leur puissance par les fulminations multipliées des pierres improprement dites météoriques qui maintenant partaient d'en bas et filaient à côté du ballon avec une fréquence de plus en plus effrayante.

18 avril. – Aujourd'hui, j'ai trouvé un accroissement énorme dans le volume apparent de la Lune, – et la vitesse évidemment accélérée de ma descente a commencé à me remplir d'alarmes. On se rappellera que dans le principe, quand je commençai à appliquer mes rêveries à la possibilité d'un passage vers la Lune, l'hypothèse d'une atmosphère ambiante dont la densité devait être proportionnée au volume de la planète avait pris une large part dans mes calculs ; et cela, en dépit de mainte théorie adverse, et même, je l'avoue, en dépit du préjugé universel contraire à l'existence d'une atmosphère lunaire quelconque. Mais outre les idées que j'ai déjà émises relativement à la comète d'Encke et à la lumière zodiacale, ce qui me fortifiait dans mon opinion, c'étaient certaines observations de M. Schrœter, de Lilienthal. Il a observé la Lune, âgée de deux jours et demi, le soir, peu de temps après le coucher du soleil, avant que la partie obscure fût visible, et il continua à la surveiller jusqu'à ce que cette partie fût devenue visible. Les deux cornes semblaient s'affiler en une sorte de prolongement très aigu, dont l'extrémité était faiblement éclairée par les rayons solaires, alors qu'aucune partie de l'hémisphère obscur n'était visible. Peu de temps après, tout le bord sombre s'éclaira. Je pensai que ce prolongement des cornes au delà du demi-cercle prenait sa cause dans la réfraction des rayons du soleil par l'atmosphère de la Lune. Je calculai aussi que la hauteur de cette atmosphère (qui pouvait réfracter assez de lumière dans son hémisphère obscur pour produire un crépuscule plus lumineux que la lumière réfléchie par la Terre quand la Lune est environ à 32 degrés de sa conjonction) devait être de 1 356 pieds de roi ; d'après cela, je supposai que la plus grande hauteur capable de réfracter le rayon solaire était de 5 376 pieds. Mes idées sur ce sujet se trouvaient également confirmées par un passage du quatre-vingt-deuxième volume des *Transactions philosophiques*, dans lequel il est dit que, lors d'une occultation des satellites de Jupiter, le troisième disparut après avoir été indistinct pendant une ou deux secondes, et que le quatrième devint indiscernable en approchant du limbe [1].

C'était sur la résistance, ou, plus exactement, sur le support d'une atmosphère existant à un état de densité hypothétique, que j'avais absolument fondé mon espérance de descendre sain et sauf. Après tout, si j'avais fait une conjecture absurde, je n'avais rien de mieux à attendre, comme dénouement de mon aventure, que d'être pulvérisé contre la surface raboteuse du satellite. Et, en somme, j'avais toutes les raisons possibles d'avoir peur. La distance où j'étais de la Lune était comparativement insignifiante, tandis que le labeur exigé par le condensateur n'était pas du tout diminué et que je ne découvrais aucun indice d'une intensité croissante dans l'atmosphère.

---

1. *Helvétius écrit qu'il a quelquefois observé dans des cieux parfaitement clairs, où des étoiles même de sixième et de septième grandeur brillaient visiblement, que – supposées la même hauteur de la Lune, la même élongation de la Terre, le même télescope, excellent, bien entendu, – la Lune et ses taches ne nous apparaissaient pas toujours aussi lumineuses. Ces circonstances données, il est évident que la cause du phénomène n'est ni dans notre atmosphère, ni dans le télescope, ni dans la Lune, ni dans l'œil de l'observateur, mais qu'elle doit être cherchée dans quelque chose (une atmosphère ?) existant autour de la Lune.*

Cassini a constamment observé que Saturne, Jupiter et les étoiles fixes, au moment d'être occultés par la Lune, changeaient leur forme circulaire en une forme ovale ; et dans d'autres occultations il n'a saisi aucun changement de forme. On pourrait donc en inférer que, dans quelques cas, mais pas toujours, la Lune est enveloppée d'une matière dense où sont réfractés les rayons des étoiles. – E.A.P.

19 avril. – Ce matin, à ma grande joie, vers neuf heures, – me trouvant effroyablement près de la surface lunaire, et mes appréhensions étant excitées au dernier degré, – le piston du condensateur a donné des symptômes évidents d'une altération de l'atmosphère. À dix heures, j'avais des raisons de croire sa densité considérablement augmentée. À onze heures, l'appareil ne réclamait plus qu'un travail très minime ; et, à midi, je me hasardai, non sans quelque hésitation, à desserrer le tourniquet, et, voyant qu'il n'y avait à cela aucun inconvénient, j'ouvris décidément la chambre de caoutchouc, et je déshabillai la nacelle. Ainsi que j'aurais dû m'y attendre, une violente migraine accompagnée de spasmes fut la conséquence immédiate d'une expérience si précipitée et si pleine de dangers. Mais, comme ces inconvénients et d'autres encore relatifs à la respiration n'étaient pas assez grands pour mettre ma vie en péril, je me résignai à les endurer de mon mieux, d'autant plus que j'avais tout lieu d'espérer qu'ils disparaîtraient progressivement, chaque minute me rapprochant des couches plus denses de l'atmosphère lunaire.

Toutefois, ce rapprochement s'opérait avec une impétuosité excessive, et bientôt il me fut démontré – certitude fort alarmante – que, bien que très probablement je ne me fusse pas trompé en comptant sur une atmosphère dont la densité devait être proportionnelle au volume du satellite, cependant j'avais eu bien tort de supposer que cette densité, même à la surface, serait suffisante pour supporter l'immense poids contenu dans la nacelle de mon ballon. Tel cependant *eût dû* être le cas, exactement comme à la surface de la Terre, si vous supposez, sur l'une et sur l'autre planète, la pesanteur réelle des corps en raison de la densité atmosphérique ; mais tel *n'était pas* le cas ; ma chute précipitée le démontrait suffisamment. Mais pourquoi ? C'est ce qui ne pouvait s'expliquer qu'en tenant compte de ces perturbations géologiques dont j'ai déjà posé l'hypothèse.

En tout cas, je touchais presque à la planète, et je tombais avec la plus terrible impétuosité. Aussi je ne perdis pas une minute ; je jetai par-dessus bord tout mon lest, puis mes barriques d'eau, puis mon appareil condensateur et mon sac de caoutchouc, et enfin tous les articles contenus dans la nacelle. Mais tout cela ne servit à rien. Je tombais toujours avec une horrible rapidité, et je n'étais pas à plus d'un demi-mille de la surface. Comme expédient suprême, je me débarrassai de mon paletot, de mon chapeau et de mes bottes ; je détachai du ballon la nacelle elle-même, qui n'était pas un poids médiocre ; et, m'accrochant alors au filet avec mes deux mains, j'eus à peine le temps d'observer que tout le pays, aussi loin que mon œil pouvait atteindre, était criblé d'habitations lilliputiennes, – avant de tomber, comme une balle, au cœur même d'une cité d'un aspect fantastique et au beau milieu d'une multitude de vilain petit peuple, dont pas un individu ne prononça une syllabe ni ne se donna le moindre mal pour me prêter assistance. Ils se tenaient tous, les poings sur les hanches, comme un tas d'idiots, grimaçant d'une manière ridicule, et me regardant de travers, moi et mon ballon. Je me détournai d'eux avec un superbe mépris ; et, levant mes regards vers la Terre que je venais de quitter, et dont je m'étais exilé pour toujours peut-être, je l'aperçus sous la forme d'un vaste et sombre bouclier de cuivre d'un diamètre de 2 degrés environ, fixe et immobile dans les cieux, et garni à l'un de ses bords d'un croissant d'or étincelant. On n'y pouvait découvrir aucune trace de mer ni de continent, et le tout était moucheté de taches variables et traversé par les zones tropicale et équatoriale, comme par des ceintures.

Ainsi, avec la permission de Vos Excellences, après une longue série d'angoisses, de dangers inouïs et de délivrances incomparables, j'étais enfin, dix-neuf jours après mon départ de Rotterdam, arrivé sain et sauf au terme de mon voyage, le plus extraordinaire, le plus important qui ait jamais été accompli, entrepris, ou même conçu par un citoyen quelconque de votre planète. Mais il me reste à raconter mes aventures. Car, en vérité, Vos Excellences concevront facilement qu'après une résidence de cinq ans sur une planète qui, déjà profondément intéressante par elle-même, l'est doublement encore par son intime parenté, en qualité de satellite, avec le monde habité par l'homme, je puisse entretenir avec le Collège national astronomique des correspondances secrètes d'une bien autre importance que les simples détails, si surprenants qu'ils soient, du voyage que j'ai effectué si heureusement.

Telle est, en somme, la question réelle. J'ai beaucoup, beaucoup de choses à dire, et ce serait pour moi un véritable plaisir de vous les communiquer. J'ai beaucoup à dire sur le climat de cette planète ; – sur ses étonnantes alternatives de froid et de chaud ; – sur cette clarté solaire qui dure quinze jours, implacable et brûlante, et sur cette température glaciale, plus que polaire, qui remplit l'autre quinzaine ; – sur une translation constante d'humidité qui s'opère par distillation, comme dans le vide, du point situé au-dessous du Soleil jusqu'à celui qui en est le plus éloigné ; – sur la race même des habitants, sur leurs mœurs, leurs coutumes, leurs institutions politiques ; sur leur organisme particulier, leur laideur, leur privation d'oreilles, appendices superflus dans une atmosphère si étrangement modifiée ; conséquemment, sur leur ignorance de l'usage et des propriétés du langage ; sur la singulière méthode de communication qui remplace la parole ; – sur l'incompréhensible rapport qui unit chaque citoyen de la Lune à un citoyen du globe terrestre, – rapport analogue et soumis à celui qui régit également les mouvements de la planète et du satellite, et par suite duquel les existences et les destinées des habitants de l'une sont enlacées aux existences et aux destinées des habitants de l'autre ; – et par-dessus tout, s'il plaît à Vos Excellences, par-dessus tout, sur les sombres et horribles mystères relégués dans les régions de l'autre hémisphère lunaire, régions qui, grâce à la concordance presque miraculeuse de la rotation du satellite sur son axe avec sa révolution sidérale autour de la Terre, n'ont jamais tourné vers nous, et, Dieu merci, ne s'exposeront jamais à la curiosité des télescopes humains.

Voilà tout ce que je voudrais raconter, – tout cela, et beaucoup plus encore. Mais, pour trancher la question, je réclame ma récompense. J'aspire à rentrer dans ma famille et mon chez moi ; et, comme prix de toute communication ultérieure de ma part, en considération de la lumière que je puis, s'il me plaît, jeter sur plusieurs branches importantes des sciences physiques et métaphysiques, je sollicite, par l'entremise de votre honorable corps, le pardon du crime dont je me suis rendu coupable en mettant à mort mes créanciers lorsque je quittai Rotterdam. Tel est donc l'objet de la présente lettre. Le porteur, qui est un habitant de la Lune, que j'ai décidé à me servir de messager sur la Terre, et à qui j'ai donné des instructions suffisantes, attendra le bon plaisir de Vos Excellences, et me rapportera le pardon demandé, s'il y a moyen de l'obtenir.

J'ai l'honneur d'être de Vos Excellences le très humble serviteur,

HANS PFAALL

En finissant la lecture de ce très étrange document, le professeur Rudabub, dans l'excès de sa surprise, laissa, dit-on, tomber sa pipe par terre, et Mynheer Superbus Von Underduk, ayant ôté, essuyé et serré dans sa poche ses besicles, s'oublia, lui et sa dignité, au point de pirouetter trois fois sur son talon, dans la quintessence de l'étonnement et de l'admiration.

On obtiendrait la grâce ; – cela ne pouvait pas faire l'ombre d'un doute. Du moins, il en fit le serment, le bon professeur Rudabub, il en fit le serment avec un parfait juron, et telle fut décidément l'opinion de l'illustre Von Underduk, qui prit le bras de son collègue et fit, sans prononcer une parole, la plus grande partie de la route vers son domicile pour délibérer sur les mesures urgentes. Cependant, arrivé à la porte de la maison du bourg-mestre, le professeur s'avisa de suggérer que, le messager ayant jugé à propos de disparaître (terrifié sans doute jusqu'à la mort par la physionomie sauvage des habitants de Rotterdam), le pardon ne servirait pas à grand-chose, puisqu'il n'y avait qu'un homme de la Lune qui pût entreprendre un voyage aussi lointain.

En face d'une observation aussi sensée, le bourgmestre se rendit, et l'affaire n'eut pas d'autres suites. Cependant, il n'en fut pas de même des rumeurs et des conjectures. La lettre, ayant été publiée, donna naissance à une foule d'opinions et de cancans. Quelques-uns – des esprits par trop sages – poussèrent le ridicule jusqu'à discréditer l'affaire et à la présenter comme un pur *canard*. Mais je crois que le mot *canard* est, pour cette espèce de gens, un terme général qu'ils appliquent à toutes les matières qui passent leur intelligence. Je ne puis, quant à moi, comprendre sur quelle base ils ont fondé une pareille accusation. Voyons ce qu'ils disent :

Avant tout, – que certains farceurs de Rotterdam ont de certaines antipathies spéciales contre certains bourg-mestres et astronomes.

Secundo, – qu'un petit nain bizarre, escamoteur de son métier, dont les deux oreilles avaient été, pour quelque méfait, coupées au ras de la tête, avait depuis quelques jours disparu de la ville de Bruges, qui est toute voisine.

Tertio, – que les gazettes collées tout autour du petit ballon étaient des gazettes de Hollande, et conséquem-ment n'avaient pas pu être fabriquées dans la Lune.

C'étaient des papiers sales, crasseux, – très crasseux ; et Gluck, l'imprimeur, pouvait jurer sur sa Bible qu'ils avaient été imprimés à Rotterdam.

Quarto, – que Hans Pfaall lui-même, le vilain ivrogne, et les trois fainéants personnages qu'il appelle ses créanciers, avaient été vus ensemble, deux ou trois jours auparavant tout au plus, dans un cabaret mal famé des faubourgs, juste comme ils revenaient, avec de l'argent plein leurs poches, d'une expédition d'outre-mer.

Et, en dernier lieu, – que c'est une opinion généralement reçue, ou qui doit l'être, que le Collège des Astronomes de la ville de Rotterdam, – aussi bien que tous autres collèges astronomiques de toutes autres parties de l'univers, sans parler des collèges et des astronomes en général, – n'est, pour n'en pas dire plus, ni meilleur, ni plus fort, ni plus éclairé qu'il n'est nécessaire.

MANUSCRIT TROUVÉ
DANS UNE BOUTEILLE

Qui n'a plus qu'un moment à vivre
N'a plus rien à dissimuler.

QUINAULT. – *Atys.*

De mon pays et de ma famille, je n'ai pas grand-chose à dire. De mauvais procédés et l'accumulation des années m'ont rendu étranger à l'un et à l'autre. Mon patrimoine me fit bénéficier d'une éducation peu commune, et un tour contemplatif d'esprit me rendit apte à classer méthodiquement tout ce matériel d'instruction diligemment amassé par une étude précoce. Par-dessus tout, les ouvrages des philosophes allemands me procuraient de grandes délices ; cela ne venait pas d'une admiration mal avisée pour leur éloquente folie, mais du plaisir que, grâce à mes habitudes d'analyse rigoureuse, j'avais à surprendre leurs erreurs. On m'a souvent reproché l'aridité de mon génie ; un manque d'imagination m'a été imputé comme un crime, et le pyrrhonisme de mes opinions a fait de moi, en tout temps, un homme fameux. En réalité, une forte appétence pour la philosophie physique a, je le crains, imprégné mon esprit d'un des défauts les plus communs de ce siècle, – je veux dire de l'habitude de rapporter aux principes de cette science les circonstances même les moins susceptibles d'un pareil rapport. Par-dessus tout, personne n'était moins exposé que moi à se laisser entraîner hors de la sévère juridiction de la vérité par les feux follets de la superstition. J'ai jugé à propos de donner ce préambule, dans la crainte que l'incroyable récit que j'ai à faire ne soit considéré plutôt comme la frénésie d'une imagination indigeste que comme l'expérience positive d'un esprit pour lequel les rêveries de l'imagination ont été lettre morte et nullité.

Après plusieurs années dépensées dans un lointain voyage, je m'embarquai, en 18.., à Batavia, dans la riche et populeuse île de Java, pour une promenade dans l'archipel des îles de la Sonde. Je me mis en route, comme passager, – n'ayant pas d'autre mobile qu'une nerveuse instabilité qui me *hantait* comme un mauvais esprit.

Notre bâtiment était un bateau d'environ quatre cents tonneaux, doublé en cuivre et construit à Bombay en teck de Malabar. Il était chargé de coton, de laine et d'huile des Laquedives. Nous avions aussi à bord du filin de cocotier, du sucre de palmier, de l'huile de beurre bouilli, des noix de coco, et quelques caisses d'opium. L'arrimage avait été mal fait, et le navire conséquemment donnait de la bande.

Nous mîmes sous voiles avec un souffle de vent, et, pendant plusieurs jours, nous restâmes le long de la côte orientale de Java, sans autre incident pour tromper la monotonie de notre route que la rencontre de quelques-uns des petits grabs de l'archipel où nous étions confinés.

Un soir, comme j'étais appuyé sur le bastingage de la dunette, j'observai un très singulier nuage, isolé, vers le nord-ouest. Il était remarquable autant par sa couleur que parce qu'il était le premier que nous eussions vu depuis notre départ de Batavia. Je le surveillai attentivement jusqu'au coucher du soleil ; alors, il se répandit tout d'un coup de l'est à l'ouest, cernant l'horizon d'une ceinture précise de vapeur, et apparaissant comme une longue ligne de côte très basse. Mon attention fut bientôt après attirée par l'aspect rouge et brun de la lune et le caractère particulier de la mer. Cette dernière subissait un changement rapide, et l'eau semblait plus transparente que d'habitude. Je pouvais distinctement voir le fond, et cependant, en jetant la sonde, je trouvai que nous étions sur quinze brasses. L'air était devenu intolérablement chaud et se chargeait d'exhalaisons spirales semblables à celles qui s'élèvent du fer chauffé. Avec la nuit, toute la brise tomba, et nous fûmes pris par un calme plus complet qu'il n'est possible de le concevoir. La flamme d'une bougie brûlait à l'arrière sans le mouvement le moins sensible, et un long cheveu tenu entre l'index et le pouce tombait droit et sans la moindre oscillation. Néanmoins, comme le capitaine disait qu'il n'apercevait aucun symptôme de danger, et comme nous dérivions vers la terre par le travers, il commanda de carguer les voiles et de filer l'ancre. On ne mit point de vigie de quart, et l'équipage, qui se composait principalement de Malais, se coucha délibérément sur le pont. Je descendis dans la chambre, – non sans le parfait pressentiment d'un malheur. En réalité, tous ces symptômes me donnaient à craindre un simoun. Je parlai de mes craintes au capitaine ; mais il ne fit pas attention à ce que je lui disais, et me quitta sans daigner me faire une réponse. Mon malaise, toutefois, m'empêcha de dormir, et, vers minuit, je montai sur le pont. Comme je mettais le pied sur la dernière marche du capot d'échelle, je fus effrayé par un profond bourdonnement semblable à celui que produit l'évolution rapide d'une roue de moulin, et, avant que j'eusse pu en vérifier la cause, je sentis que le navire tremblait dans son centre. Presque aussitôt, un coup de mer nous jeta sur le côté, et, courant par-dessus nous, balaya tout le pont de l'avant à l'arrière.

L'extrême furie du coup de vent fit, en grande partie, le salut du navire. Quoiqu'il fût absolument engagé dans l'eau, comme ses mâts s'en étaient allés par-dessus bord, il se releva lentement une minute après, et, vacillant quelques instants sous l'immense pression de la tempête, finalement il se redressa.

Par quel miracle échappai-je à la mort, il m'est impossible de le dire. Étourdi par le choc de l'eau, je me trouvai pris, quand je revins à moi, entre l'étambot et le gouvernail. Ce fut à grand-peine que je me remis sur mes pieds, et, regardant vertigineusement autour de moi, je fus d'abord frappé de l'idée que nous étions sur des brisants, tant était effrayant, au-delà de toute imagination, le tourbillon de cette mer énorme et écumante dans laquelle nous étions engouffrés. Au bout de quelques instants, j'entendis la voix d'un vieux Suédois qui s'était embarqué avec nous au moment où nous quittions le port. Je le hélai de toute ma force, et il vint en chancelant me rejoindre à l'arrière. Nous reconnûmes bientôt que nous étions les seuls survivants du sinistre. Tout ce qui était sur le pont, nous exceptés, avait été balayé par-dessus bord ; le capitaine et les matelots avaient péri pendant leur sommeil, car les cabines avaient été inondées par la mer. Sans auxiliaires, nous ne pouvions pas espérer de faire grand-chose pour la sécurité du navire, et nos tentatives furent d'abord paralysées par la croyance où nous étions que nous allions sombrer d'un moment à l'autre. Notre câble avait cassé comme un fil d'emballage au premier souffle de l'ouragan ; sans cela, nous eussions été engloutis instantanément. Nous fuyions devant la mer avec une vélocité effrayante, et l'eau nous faisait des brèches visibles. La charpente de notre arrière était excessivement endommagée, et, presque sous tous les rapports, nous avions essuyé de cruelles avaries ; mais, à notre grande joie, nous trouvâmes que les pompes n'étaient pas engorgées, et que notre chargement n'avait pas été très dérangé.

La plus grande furie de la tempête était passée, et nous n'avions plus à craindre la violence du vent ; mais nous pensions avec terreur au cas de sa totale cessation, bien persuadés que, dans notre état d'avarie, nous ne pourrions pas résister à l'épouvantable houle qui s'ensuivrait ; mais cette très juste appréhension ne semblait pas si près de se vérifier. Pendant cinq nuits et cinq jours entiers, durant lesquels nous vécûmes de quelques morceaux de sucre de palmier tirés à grand-peine du gaillard d'avant, notre coque fila avec une vitesse incalculable devant des reprises de vent qui se succédaient rapidement, et qui, sans égaler la première violence du simoun, étaient cependant plus terribles qu'aucune tempête que j'eusse essuyée jusqu'alors. Pendant les quatre premiers jours, notre route, sauf de très légères variations, fut au sud-est quart de sud, et ainsi nous serions allés nous jeter sur la côte de la Nouvelle-Hollande.

Le cinquième jour, le froid devint extrême, quoique le vent eût tourné d'un point vers le nord. Le soleil se leva avec un éclat jaune et maladif, et se hissa à quelques degrés à peine au-dessus de l'horizon, sans projeter une lumière franche. Il n'y avait aucun nuage apparent, et cependant le vent fraîchissait, fraîchissait, et soufflait avec des accès de furie. Vers midi, ou à peu près, autant que nous en pûmes juger, notre attention fut attirée de nouveau par la physionomie du soleil. Il n'émettait pas de lumière, à proprement parler, mais une espèce de feu sombre et triste, sans réflexion, comme si tous les rayons étaient polarisés. Juste avant de se plonger dans la mer grossissante, son feu central disparut soudainement comme s'il était brusquement éteint par une puissance inexplicable. Ce n'était plus qu'une roue pâle et couleur d'argent, quand il se précipita dans l'insondable Océan.

Nous attendîmes en vain l'arrivée du sixième jour ; – ce jour n'est pas encore arrivé pour moi, – pour le Suédois il n'est jamais arrivé. Nous fûmes dès lors ensevelis dans des ténèbres de poix, si bien que nous n'aurions pas vu un objet à vingt pas du navire. Nous fûmes enveloppés d'une nuit éternelle que ne tempérait même pas l'éclat phosphorique de la mer auquel nous étions accoutumés sous les tropiques. Nous observâmes aussi que, quoique la tempête continuât à faire rage sans accalmie, nous ne découvrions plus aucune apparence de ce ressac et de ces moutons qui nous avaient accompagnés jusque-là. Autour de nous, tout n'était qu'horreur, épaisse obscurité, un noir désert d'ébène liquide. Une terreur superstitieuse s'infiltrait par degrés dans l'esprit du vieux Suédois, et mon âme, quant à moi, était plongée dans une muette stupéfaction. Nous avions abandonné tout soin du navire, comme chose plus qu'inutile, et nous attachant de notre mieux au tronçon du mât de misaine, nous promenions nos regards avec amertume sur l'immensité de l'Océan. Nous n'avions aucun moyen de calculer le temps et nous ne pouvions former aucune conjecture sur notre situation. Nous étions néanmoins bien sûrs d'avoir été plus loin dans le sud qu'aucun des navigateurs précédents, et nous éprouvions un grand étonnement de ne pas rencontrer les obstacles ordinaires de glaces. Cependant, chaque minute menaçait d'être la dernière, – chaque vague se précipitait pour nous écraser. La houle surpassait tout ce que j'avais imaginé comme possible, et c'était un miracle de chaque instant que nous ne fussions pas engloutis. Mon camarade parlait de la légèreté de notre chargement, et me rappelait les excellentes qualités de notre bateau ; mais je ne pouvais m'empêcher d'éprouver l'absolu renoncement du désespoir, et je me préparais mélancoliquement à cette mort que rien, selon moi, ne pouvait différer au-delà d'une heure, puisque, à chaque nœud que filait le navire, la houle de cette mer noire et prodigieuse devenait plus lugubrement effrayante. Parfois, à une hauteur plus grande que celle de l'albatros, la respiration nous manquait, et d'autres fois nous étions pris de vertige en descendant avec une horrible vélocité dans un enfer liquide où l'air devenait stagnant, et où aucun son ne pouvait troubler les sommeils du kraken.

Nous étions au fond d'un de ces abîmes, quand un cri soudain de mon compagnon éclata sinistrement dans la nuit.

– Voyez! voyez! me criait-il dans les oreilles ; Dieu tout-puissant! Voyez! voyez!

Comme il parlait, j'aperçus une lumière rouge, d'un éclat sombre et triste, qui flottait sur le versant du gouffre immense où nous étions ensevelis, et jetait à notre bord un reflet vacillant. En levant les yeux, je vis un spectacle qui glaça mon sang. À une hauteur terrifiante, juste au-dessus de nous et sur la crête même du précipice, planait un navire gigantesque, de quatre mille tonneaux peut-être. Quoique juché au sommet d'une vague qui avait bien cent fois sa hauteur, il paraissait d'une dimension beaucoup plus grande que celle d'aucun vaisseau de ligne ou de la Compagnie des Indes. Son énorme coque était d'un noir profond que ne tempérait aucun des ornements ordinaires d'un navire. Une simple rangée de canons s'allongeait de ses sabords ouverts et renvoyait, réfléchis par leurs surfaces polies, les feux d'innombrables fanaux de combat qui se balançaient dans le gréement. Mais ce qui nous inspira le plus d'horreur et d'étonnement, c'est qu'il marchait toutes voiles dehors, en dépit de cette mer surnaturelle et de cette tempête effrénée. D'abord, quand nous l'aperçûmes, nous ne pouvions voir que son avant, parce qu'il ne s'élevait que lentement du noir et horrible gouffre qu'il laissait derrière lui. Pendant un moment, – moment d'intense terreur, – il fit une pause sur ce sommet vertigineux, comme dans l'enivrement de sa propre élévation, – puis trembla, – s'inclina, – et enfin – glissa sur la pente.

En ce moment, je ne sais quel sang-froid soudain maîtrisa mon esprit. Me rejetant autant que possible vers l'arrière, j'attendis sans trembler la catastrophe qui devait nous écraser. Notre propre navire, à la longue, ne luttait plus contre la mer et plongeait de l'avant. Le choc de la masse précipitée le frappa conséquemment dans cette partie de la charpente qui était déjà sous l'eau, et eut pour résultat inévitable de me lancer dans le gréement de l'étranger.

Comme je tombais, ce navire se souleva dans un temps d'arrêt, puis vira de bord ; et c'est, je présume, à la confusion qui s'ensuivit que je dus d'échapper à l'attention de l'équipage. Je n'eus pas grand-peine à me frayer un chemin, sans être vu, jusqu'à la principale écoutille, qui était en partie ouverte, et je trouvai bientôt une occasion propice pour me cacher dans la cale. Pourquoi fis-je ainsi ? je ne saurais trop le dire. Ce qui m'induisit à me cacher fut peut-être un sentiment vague de terreur qui s'était emparé tout d'abord de mon esprit à l'aspect des nouveaux navigateurs. Je ne me souciais pas de me confier à une race de gens qui, d'après le coup d'œil sommaire que j'avais jeté sur eux, m'avaient offert le caractère d'une indéfinissable étrangeté et tant de motifs de doute et d'appréhension. C'est pourquoi je jugeai à propos de m'arranger une cachette dans la cale. J'enlevai une partie du faux bordage, de manière à me ménager une retraite commode entre les énormes membrures du navire.

J'avais à peine achevé ma besogne qu'un bruit de pas dans la cale me contraignit d'en faire usage. Un homme passa à côté de ma cachette d'un pas faible et mal assuré. Je ne pus pas voir son visage, mais j'eus le loisir d'observer son aspect général. Il y avait en lui tout le caractère de la faiblesse et de la caducité. Ses genoux vacillaient sous la charge des années, et tout son être en tremblait. Il se parlait à lui-même, marmottait d'une voix basse et cassée quelques mots d'une langue que je ne pus pas comprendre, et farfouillait dans un coin où l'on avait empilé des instruments d'un aspect étrange et des cartes marines délabrées. Ses manières étaient un singulier mélange de la maussaderie d'une seconde enfance et de la dignité solennelle d'un dieu. À la longue, il remonta sur le pont, et je ne le vis plus.

. . . .

Un sentiment pour lequel je ne trouve pas de mot a pris possession de mon âme, – une sensation qui n'admet pas d'analyse, qui n'a pas sa traduction dans les lexiques du passé, et pour laquelle je crains que l'avenir lui-même ne trouve pas de clef. – Pour un esprit constitué comme le mien, cette dernière considération est un vrai supplice. Jamais je ne pourrai, – je sens que je ne pourrai jamais être édifié relativement à la nature de mes idées. Toutefois, il n'est pas étonnant que ces idées soient indéfinissables, puisqu'elles sont puisées à des sources si entièrement neuves. Un nouveau sentiment – une nouvelle entité – est ajouté à mon âme.

. . . .

Il y a bien longtemps que j'ai touché pour la première fois le pont de ce terrible navire, et les rayons de ma destinée vont, je crois, se concentrant et s'engloutissant dans un foyer. Incompréhensibles gens ! Enveloppés dans des méditations dont je ne puis deviner la nature, ils passent à côté de moi sans me remarquer. Me cacher est pure folie de ma part, car ce monde-là *ne veut pas voir*. Il n'y a qu'un instant, je passais juste sous les yeux du second ; peu de temps auparavant, je m'étais aventuré jusque dans la cabine du capitaine lui-même, et c'est là que je me suis procuré les moyens d'écrire ceci et tout ce qui précède. Je continuerai ce journal de temps en temps. Il est vrai que je ne puis trouver aucune occasion de le transmettre au monde ; pourtant, j'en veux faire l'essai. Au dernier moment j'enfermerai le manuscrit dans une bouteille, et je jetterai le tout à la mer.

. . . .

Un incident est survenu qui m'a de nouveau donné
lieu à réfléchir. De pareilles choses sont-elles l'opération
d'un hasard indiscipliné ? Je m'étais faufilé sur le pont et
m'étais étendu, sans attirer l'attention de personne, sur
un amas d'enfléchures et de vieilles voiles, dans le fond
de la yole. Tout en rêvant à la singularité de ma destinée,
je barbouillais sans y penser, avec une brosse à goudron,
les bords d'une bonnette soigneusement pliée et posée à
côté de moi sur un baril. La bonnette est maintenant
tendue sur ses bouts-dehors, et les touches irréfléchies de
la brosse figurent le mot DÉCOUVERTE.

J'ai fait récemment plusieurs observations sur la structure du vaisseau. Quoique bien armé, ce n'est pas, je
crois, un vaisseau de guerre. Son gréement, sa structure,
tout son équipement repoussent une supposition de cette
nature. Ce qu'il n'est pas, je le perçois facilement ; mais
ce qu'il est, je crains qu'il ne me soit impossible de le
dire. Je ne sais comment cela se fait, mais, en examinant
son étrange modèle et la singulière forme de ses espars,
ses proportions colossales, cette prodigieuse collection de
voiles, son avant sévèrement simple et son arrière d'un
style suranné, il me semble parfois que la sensation
d'objets qui ne me sont pas inconnus traverse mon esprit
comme un éclair, et toujours à ces ombres flottantes de
la mémoire est mêlé un inexplicable souvenir de vieilles
légendes étrangères et de siècles très anciens.

. . . .

J'ai bien regardé la charpente du navire. Elle est faite
de matériaux qui me sont inconnus. Il y a dans le bois
un caractère qui me frappe, comme le rendant, ce me
semble, impropre à l'usage auquel il a été destiné. Je veux
parler de son extrême porosité, considérée indépendamment des dégâts faits par les vers, qui sont une conséquence de la navigation dans ces mers, et de la pourriture
résultant de la vieillesse. Peut-être trouvera-t-on mon

observation quelque peu subtile, mais il me semble que ce bois aurait tout le caractère du chêne espagnol, si le chêne espagnol pouvait être dilaté par des moyens artificiels.

En relisant la phrase précédente, il me revint à l'esprit un curieux apophtegme d'un vieux loup de mer hollandais.

– Cela est positif, disait-il toujours quand on exprimait quelque doute sur sa véracité, comme il est positif qu'il y a une mer où le navire lui-même grossit comme le corps vivant d'un marin.

. . . .

Il y a environ une heure, je me suis senti la hardiesse de me glisser dans un groupe d'hommes de l'équipage. Ils n'ont pas eu l'air de faire attention à moi, et quoique je me tinsse juste au milieu d'eux, ils paraissaient n'avoir aucune conscience de ma présence. Comme celui que j'avais vu le premier dans la cale, ils portaient tous les signes d'une vieillesse chenue. Leurs genoux tremblaient de faiblesse ; leurs épaules étaient arquées par la décrépitude ; leur peau ratatinée frissonnait au vent ; leur voix était basse, chevrotante et cassée ; leurs yeux distillaient les larmes brillantes de la vieillesse, et leurs cheveux gris fuyaient terriblement dans la tempête. Autour d'eux, de chaque côté du pont, gisaient éparpillés des instruments mathématiques d'une structure très ancienne et tout à fait tombée en désuétude.

. . . .

J'ai parlé un peu plus haut d'une bonnette qu'on avait installée. Depuis ce moment, le navire chassé par le vent n'a pas discontinué sa terrible course droit au sud, chargé de toute sa toile disponible depuis ses pommes de mâts jusqu'à ses bouts-dehors inférieurs, et plongeant ses bouts de vergues de perroquet dans le plus effrayant

enfer liquide que jamais cervelle humaine ait pu concevoir. Je viens de quitter le pont, ne trouvant plus la place
tenable ; cependant, l'équipage ne semble pas souffrir
beaucoup. C'est pour moi le miracle des miracles qu'une
si énorme masse ne soit pas engloutie tout de suite et
pour toujours. Nous sommes condamnés, sans doute, à
côtoyer éternellement le bord de l'éternité, sans jamais
faire notre plongeon définitif dans le gouffre. Nous glis-
sons avec la prestesse de l'hirondelle de mer sur des
vagues mille fois plus effrayantes qu'aucune de celles que
j'aie jamais vues ; et des ondes colossales élèvent leurs
têtes au-dessus de nous comme des démons de l'abîme,
mais comme des démons restreints aux simples menaces
et auxquels il est défendu de détruire. Je suis porté à attribuer cette bonne chance perpétuelle à la seule cause naturelle qui puisse légitimer un pareil effet. Je suppose que
le navire est soutenu par quelque fort courant ou remous
sous-marin.

. . . .

J'ai vu le capitaine face à face, et dans sa propre
cabine ; mais, comme je m'y attendais, il n'a fait aucune
attention à moi. Bien qu'il n'y ait rien dans sa physionomie générale qui révèle, pour l'œil du premier venu,
quelque chose de supérieur ou d'inférieur à l'homme,
toutefois l'étonnement que j'éprouvai à son aspect se
mêlait d'un sentiment de respect et de terreur irrésistible.
Il est à peu près de ma taille, c'est-à-dire de cinq pieds
huit pouces environ. Il est bien proportionné, bien pris
dans son ensemble ; mais cette constitution n'annonce ni
vigueur particulière ni quoi que ce soit de remarquable.
Mais c'est la singularité de l'expression qui règne sur sa
face, – c'est l'intense, terrible, saisissante évidence de la
vieillesse, si entière, si absolue, qui crée dans mon esprit
un sentiment, – une sensation ineffable. Son front,
quoique peu ridé, semble porter le sceau d'une myriade

d'années. Ses cheveux gris sont des archives du passé, et ses yeux, plus gris encore, sont des sibylles de l'avenir. Le plancher de sa cabine était encombré d'étranges in-folio à fermoirs de fer, d'instruments de science usés et d'anciennes cartes d'un style complètement oublié. Sa tête était appuyée sur ses mains, et d'un œil ardent et inquiet il dévorait un papier que je pris pour une commission, et qui, en tout cas, portait une signature royale. Il se parlait à lui-même, – comme le premier matelot que j'avais aperçu dans la cale, – et marmottait d'une voix basse et chagrine quelques syllabes d'une langue étrangère ; et, bien que je fusse tout à côté de lui, il me semblait que sa voix arrivait à mon oreille de la distance d'un mille.

. . . .

Le navire avec tout ce qu'il contient est imprégné de l'esprit des anciens âges. Les hommes de l'équipage glissent çà et là comme les ombres des siècles enterrés ; dans leurs yeux vit une pensée ardente et inquiète ; et quand, sur mon chemin, leurs mains tombent dans la lumière effarée des fanaux, j'éprouve quelque chose que je n'ai jamais éprouvé jusqu'à présent, quoique toute ma vie j'aie eu la folie des antiquités, et que je me sois baigné dans l'ombre des colonnes ruinées de Balbeck, de Tadmor et de Persépolis, tant qu'à la fin mon âme elle-même est devenue une ruine.

. . . .

Quand je regarde autour de moi, je suis honteux de mes premières terreurs. Si la tempête qui nous a poursuivis jusqu'à présent me fait trembler, ne devrais-je pas être frappé d'horreur devant cette bataille du vent et de l'Océan dont les mots vulgaires : tourbillon et simoun ne peuvent pas donner la moindre idée ? Le navire est littéralement enfermé dans les ténèbres d'une éternelle nuit et dans un chaos d'eau qui n'écume plus ; mais, à une distance d'une lieue environ de chaque côté, nous pouvons apercevoir, indistinctement et par intervalles, de prodigieux remparts de glace qui montent vers le ciel désolé et ressemblent aux murailles de l'univers !

. . . .

Comme je l'avais pensé, le navire est évidemment dans un courant, – si l'on peut proprement appeler ainsi une marée qui va mugissant et hurlant à travers les blancheurs de la glace, et fait entendre du côté du sud un tonnerre plus précipité que celui d'une cataracte tombant à pic.

. . . .

Concevoir l'horreur de mes sensations est, je crois, chose absolument impossible ; cependant, la curiosité de pénétrer les mystères de ces effroyables régions surplombe encore mon désespoir et suffit à me réconcilier avec le plus hideux aspect de la mort. Il est évident que nous nous précipitons vers quelque entraînante découverte, – quelque incommunicable secret dont la connaissance implique la mort. Peut-être ce courant nous conduit-il au pôle sud lui-même. Il faut avouer que cette supposition, si étrange en apparence, a toute probabilité pour elle.

. . . .

L'équipage se promène sur le pont d'un pas tremblant et inquiet ; mais il y a dans toutes les physionomies une expression qui ressemble plutôt à l'ardeur de l'espérance qu'à l'apathie du désespoir.

Cependant nous avons toujours le vent arrière, et, comme nous portons une masse de toile, le navire s'enlève quelquefois en grand hors de la mer. Oh ! horreur sur horreur ! – la glace s'ouvre soudainement à droite et à gauche, et nous tournons vertigineusement dans d'immenses cercles concentriques, tout autour des bords d'un gigantesque amphithéâtre, dont les murs perdent leur sommet dans les ténèbres et l'espace. Mais il ne me reste que peu de temps pour rêver à ma destinée ! Les cercles se rétrécissent rapidement, – nous plongeons follement dans l'étreinte du tourbillon, – et, à travers le mugissement, le beuglement et le détonnement de l'Océan et de la tempête, le navire tremble, – ô Dieu ! – il se dérobe… – il sombre ! [1]

---

1. *Le* Manuscrit trouvé dans une bouteille *fut publié pour la première fois en 1831, et ce ne fut que bien des années plus tard que j'eus connaissance des cartes de Mercator, dans lesquelles on voit l'Océan se précipiter par quatre embouchures dans le gouffre polaire (au nord) et s'absorber dans les entrailles de la terre ; le pôle lui-même y est figuré par un rocher noir, s'élevant à une prodigieuse hauteur. – E. A. P.*

UNE DESCENTE
DANS LE MAELSTROM

> Les voies de Dieu, dans la nature comme
> dans l'ordre de la Providence, ne sont
> point nos voies ; et les types que nous
> concevons n'ont aucune mesure com-
> mune avec la vastitude, la profondeur et
> l'incompréhensibilité de ses œuvres, qui
> contiennent en elles un *abîme plus pro-
> fond que les puits de Démocrite.*
>
> JOSEPH GLANVILL.

Nous avions atteint le sommet du rocher le plus élevé.
Le vieux homme, pendant quelques minutes, sembla trop
épuisé pour parler.

– Il n'y a pas encore bien longtemps, – dit-il à la fin –
je vous aurais guidé par ici aussi bien que le plus jeune
de mes fils. Mais, il y a trois ans, il m'est arrivé une aventure plus extraordinaire que n'en essuya jamais un être
mortel ou du moins telle que jamais homme n'y a sur-
vécu pour la raconter, et les six mortelles heures que j'ai
endurées m'ont brisé le corps et l'âme. Vous me croyez
très vieux, mais je ne le suis pas. Il a suffi du quart d'une
journée pour blanchir ces cheveux noirs comme du jais,
affaiblir mes membres et détendre mes nerfs au point de
trembler après le moindre effort et d'être effrayé par une
ombre. Savez-vous bien que je puis à peine, sans attraper
le vertige, regarder par-dessus ce petit promontoire.

Le petit promontoire sur le bord duquel il s'était si négligemment jeté pour se reposer, de façon que la partie la plus pesante de son corps surplombait, et qu'il n'était garanti d'une chute que par le point d'appui que prenait son coude sur l'arête extrême et glissante, – le petit promontoire s'élevait à quinze ou seize cents pieds environ d'un chaos de rochers situés au-dessous de nous, – immense précipice de granit luisant et noir. Pour rien au monde je n'aurais voulu me hasarder à six pieds du bord. Véritablement, j'étais si profondément agité par la situation périlleuse de mon compagnon que je me laissai tomber tout de mon long sur le sol, m'accrochant à quelques arbustes voisins, n'osant pas même lever les yeux vers le ciel. Je m'efforçais en vain de me débarrasser de l'idée que la fureur du vent mettait en danger la base même de la montagne. Il me fallut du temps pour me raisonner et trouver le courage de me mettre sur mon séant et de regarder au loin dans l'espace.

– Il vous faut prendre le dessus sur ces lubies-là, me dit le guide, car je vous ai amené ici pour vous faire voir à loisir le théâtre de l'événement dont je parlais tout à l'heure, et pour vous raconter toute l'histoire avec la scène même sous vos yeux.

« Nous sommes maintenant, reprit-il avec cette manière minutieuse qui le caractérisait, nous sommes maintenant sur la côte même de Norvège, au 68e degré de latitude, dans la province de Nortland et dans le lugubre district de Lofoden. La montagne dont nous occupons le sommet est Helseggen, la Nuageuse. Maintenant, levez-vous un peu ; accrochez-vous au gazon, si vous sentez venir le vertige, – c'est cela, – et regardez au-delà de cette ceinture de vapeurs qui nous cache la mer à nos pieds.

Je regardai vertigineusement, et je vis une vaste étendue de mer, dont la couleur d'encre me rappela tout d'abord le tableau du géographe Nubien et sa *Mer des Ténèbres*. C'était un panorama plus effroyablement désolé qu'il n'est donné à une imagination humaine de le concevoir. À droite et à gauche, aussi loin que l'œil pouvait atteindre, s'allongeaient, comme les remparts du monde, les lignes d'une falaise horriblement noire et surplombante, dont le caractère sombre était puissamment renforcé par le ressac qui montait jusque sur la crête blanche et lugubre, hurlant et mugissant éternellement. Juste en face du promontoire sur le sommet duquel nous étions placés, à une distance de cinq ou six milles en mer, on apercevait une île qui avait l'air désert, ou plutôt on la devinait au moutonnement énorme des brisants dont elle était enveloppée. À deux milles environ plus près de la terre, se dressait un autre îlot plus petit, horriblement pierreux et stérile, et entouré de groupes interrompus de roches noires.

L'aspect de l'Océan, dans l'étendue comprise entre le rivage et l'île la plus éloignée, avait quelque chose d'extraordinaire. En ce moment même, il soufflait du côté de la terre une si forte brise qu'un brick, tout au large, était à la cape avec deux ris dans sa toile et que sa coque disparaissait quelquefois tout entière ; et pourtant il n'y avait rien qui ressemblât à une houle faite, mais seulement, et en dépit du vent, un clapotement d'eau bref, vif et tracassé dans tous les sens ; – très peu d'écume excepté dans le voisinage immédiat des rochers.

– L'île que vous voyez là-bas, reprit le vieux homme, est appelée par les Norvégiens Vurrgh. Celle qui est à moitié chemin est Moskoe. Celle qui est à un mille au nord est Ambaaren. Là-bas sont Islesen, Hotholm, Keildhelm, Suarven et Buckolm. Plus loin, – entre Moskoe et Vurrgh, – Otterholm, Flimen, Sandflesen et Stockholm. Tels sont les vrais noms de ces endroits ; – mais pourquoi ai-je jugé nécessaire de vous les nommer, je n'en sais rien, je n'y puis rien comprendre – pas plus que vous. – Entendez-vous quelque chose ? Voyez-vous quelque changement sur l'eau ?

Nous étions depuis dix minutes environ au haut de Helseggen, où nous étions montés en partant de l'intérieur de Lofoden, de sorte que nous n'avions pu apercevoir la mer que lorsqu'elle nous avait apparu tout d'un coup du sommet le plus élevé. Pendant que le vieux homme parlait, j'eus la perception d'un bruit très fort et qui allait croissant, comme le mugissement d'un immense troupeau de buffles dans une prairie d'Amérique ; et, au moment même, je vis ce que les marins appellent le caractère *clapoteux* de la mer se changer rapidement en un courant qui se faisait vers l'est. Pendant que je regardais, ce courant prit une prodigieuse rapidité. Chaque instant ajoutait à sa vitesse, – à son impétuosité déréglée. En cinq minutes, toute la mer, jusqu'à Vurrgh, fut fouettée par une indomptable furie ; mais c'était entre Moskoe et la côte que dominait principalement le vacarme. Là, le vaste lit des eaux, sillonné et couturé par mille courants contraires, éclatait soudainement en convulsions frénétiques, – haletant, bouillonnant, sifflant, pirouettant en gigantesques et innombrables tourbillons, et tournoyant et se ruant tout entier vers l'est avec une rapidité qui ne se manifeste que dans des chutes d'eau précipitées.

Au bout de quelques minutes, le tableau subit un autre changement radical. La surface générale devint un peu plus unie et les tourbillons disparurent un à un, pendant que de prodigieuses bandes d'écume apparurent là où je n'en avais vu aucune jusqu'alors. Ces bandes, à la longue, s'étendirent à une grande distance, et, se combinant entre elles, elles adoptèrent le mouvement giratoire des tourbillons apaisés et semblèrent former le germe d'un vortex plus vaste. Soudainement, très soudainement, celui-ci apparut et prit une existence distincte et définie, dans un cercle de plus d'un mille de diamètre. Le bord du tourbillon était marqué par une large ceinture d'écume lumineuse ; mais pas une parcelle ne glissait dans la gueule du terrible entonnoir, dont l'intérieur, aussi loin que l'œil pouvait y plonger, était fait d'un mur liquide, poli, brillant et d'un noir de jais, faisant avec l'horizon un angle de 45 degrés environ, tournant sur lui-même sous l'influence d'un mouvement étourdissant, et projetant dans les airs une voix effrayante, moitié cri, moitié rugissement, telle que la puissante cataracte du Niagara elle-même, dans ses convulsions, n'en a jamais envoyé de pareille vers le ciel.

La montagne tremblait dans sa base même, et le roc remuait. Je me jetai à plat ventre, et, dans un excès d'agitation nerveuse, je m'accrochai au maigre gazon.

– Ceci, dis-je enfin au vieillard, ne peut pas être autre chose que le grand tourbillon du Maelstrom.

– On l'appelle quelquefois ainsi, dit-il ; mais nous autres Norvégiens, nous le nommons le Moskoe-Strom, de l'île de Moskoe, qui est située à moitié chemin.

Les descriptions ordinaires de ce tourbillon ne m'avaient nullement préparé à ce que je voyais. Celle de Jonas Ramus, qui est peut-être plus détaillée qu'aucune, ne donne pas la plus légère idée de la magnificence et de l'horreur du tableau, – ni de l'étrange et ravissante sensation de nouveauté qui confond le spectateur. Je ne sais pas précisément de quel point de vue ni à quelle heure l'a vu l'écrivain en question ; mais ce ne peut être ni du sommet de Helseggen ni pendant une tempête. Il y a néanmoins quelques passages de sa description qui peuvent être cités pour les détails, quoiqu'ils soient très insuffisants pour donner une impression du spectacle.

« Entre Lofoden et Moskoe, dit-il, la profondeur de l'eau est de trente-six à quarante brasses ; mais, de l'autre côté, du côté de Ver (il veut dire Vurrgh), cette profondeur diminue au point qu'un navire ne pourrait y chercher un passage sans courir le danger de se déchirer sur les roches, ce qui peut arriver par le temps le plus calme. Quand vient la marée, le courant se jette dans l'espace compris entre Lofoden et Moskoe avec une tumultueuse rapidité ; mais le rugissement de son terrible reflux est à peine égalé par celui des plus hautes et des plus terribles cataractes ; le bruit se fait entendre à plusieurs lieues, et les tourbillons, ou tournants creux, sont d'une telle étendue et d'une telle profondeur que, si un navire entre dans la région de son attraction, il est inévitablement absorbé et entraîné au fond, et là déchiré en morceaux contre les rochers ; et, quand le courant se relâche, les débris sont rejetés à la surface. Mais ces intervalles de tranquillité n'ont lieu qu'entre le reflux et le flux, par un temps calme, et ne durent qu'un quart d'heure ; puis la violence du courant revient graduellement.

« Quand il bouillonne le plus et quand sa force est accrue par une tempête, il est dangereux d'en approcher, même d'un mille norvégien. Des barques, des yachts, des navires ont été entraînés pour n'y avoir pas pris garde avant de se trouver à portée de son attraction. Il arrive assez fréquemment que des baleines viennent trop près du courant et sont maîtrisées par sa violence ; et il est impossible de décrire leurs mugissements et leurs beuglements dans leur inutile effort pour se dégager.

« Une fois, un ours, essayant de passer à la nage le détroit entre Lofoden et Moskoe, fut saisi par le courant et emporté au fond ; il rugissait si effroyablement qu'on l'entendait du rivage. De vastes troncs de pins et sapins, engloutis par le courant, reparaissent brisés et déchirés, au point qu'on dirait qu'il leur a poussé des poils. Cela démontre clairement que le fond est fait de roches pointues sur lesquelles ils ont été roulés çà et là. Ce courant est réglé par le flux et le reflux de la mer, qui a constamment lieu de six en six heures. Dans l'année 1645, le dimanche de la Sexagésime, de fort grand matin, il se précipita avec un tel fracas et une telle impétuosité que des pierres se détachaient des maisons de la côte… »

En ce qui concerne la profondeur de l'eau, je ne comprends pas comment on a pu s'en assurer dans la proximité immédiate du tourbillon. Les *quarante brasses* doivent avoir trait seulement aux parties du canal qui sont tout près du rivage, soit de Moskoe, soit de Lofoden. La profondeur au centre du Moskoe-Strom doit être incommensurablement plus grande, et il suffit, pour en acquérir la certitude, de jeter un coup d'œil oblique dans l'abîme du tourbillon, quand on est sur le sommet le plus élevé de Helseggen. En plongeant mon regard du haut de ce pic dans le Phlégéthon hurlant, je ne pouvais m'empêcher de sourire de la simplicité avec laquelle le bon Jonas Ramus raconte comme choses difficiles à croire ses anecdotes d'ours et de baleines, car il me semblait que c'était chose évidente de soi que le plus grand vaisseau de ligne possible arrivant dans le rayon de cette mortelle attraction devait y résister aussi peu qu'une plume à un coup de vent et disparaître tout en grand et tout d'un coup.

Les explications qu'on a données du phénomène, – dont quelques-unes, je me le rappelle, me paraissaient suffisamment plausibles à la lecture, – avaient maintenant un aspect très différent et très peu satisfaisant. L'explication généralement reçue est que, comme les trois petits tourbillons des îles de Féroé, celui-ci « n'a pas d'autre cause que le choc des vagues montant et retombant, au flux et reflux, le long d'un banc de roches qui endigue les eaux et les rejette en cataracte ; et qu'ainsi, plus la marée s'élève, plus la chute est profonde, et que le résultat naturel est un tourbillon ou vortex, dont la prodigieuse puissance de succion est suffisamment démontrée par de moindres exemples ». Tels sont les termes de l'*Encyclopédie britannique*. Kircher et d'autres imaginent qu'au milieu du canal du Maelstrom est un abîme qui traverse le globe et aboutit dans quelque région très éloignée ; – le golfe de Bothnie a même été désigné une fois un peu légèrement. Cette opinion assez puérile était celle à laquelle, pendant que je contemplais le lieu, mon imagination donnait le plus volontiers son assentiment ; et, comme j'en faisais part au guide, je fus assez surpris de l'entendre me dire que bien que telle fût l'opinion presque générale des Norvégiens à ce sujet, ce n'était néanmoins pas la sienne. Quant à cette idée, il confessa qu'il était incapable de la comprendre, et je finis par être d'accord avec lui ; car pour concluante qu'elle soit sur le papier, elle devient absolument inintelligible et absurde à côté du tonnerre de l'abîme.

— Maintenant que vous avez bien vu le tourbillon, me dit le vieux homme, si vous voulez que nous nous glissions derrière cette roche, sous le vent, de manière qu'elle amortisse le vacarme de l'eau, je vous conterai une histoire qui vous convaincra que je dois en savoir quelque chose, du Moskoe-Strom !

Je me plaçai comme il le désirait, et il commença :

— Moi et mes deux frères, nous possédions autrefois un semaque gréé en goélette, de soixante et dix tonneaux à peu près, avec lequel nous pêchions habituellement parmi les îles au-delà de Moskoe, près de Vurrgh. Tous les violents remous de mer donnent une bonne pêche, pourvu qu'on s'y prenne en temps opportun et qu'on ait le courage de tenter l'aventure ; mais, parmi tous les hommes de la côte de Lofoden, nous trois seuls, nous faisions notre métier ordinaire d'aller aux îles, comme je vous dis. Les pêcheries ordinaires sont beaucoup plus bas vers le sud. On y peut prendre du poisson à toute heure, sans courir grand risque, et, naturellement, ces endroits-là sont préférés ; mais les places de choix, par ici, entre les rochers, donnent non seulement le poisson de la plus belle qualité, mais aussi en bien plus grande abondance ; si bien que nous prenions souvent en un seul jour ce que les timides dans le métier n'auraient pas pu attraper tous ensemble en une semaine. En somme, nous

faisions de cela une espèce de spéculation désespérée, –
le risque de la vie remplaçait le travail, et le courage
tenait lieu de capital.

« Nous abritions notre semaque dans une anse à cinq
milles sur la côte au-dessus de celle-ci ; et c'était notre
habitude, par le beau temps, de profiter du répit de
quinze minutes pour nous lancer à travers le canal principal du Moskoe-Strom, bien au-dessus du trou, et d'aller
jeter l'ancre quelque part dans la proximité d'Otterholm
ou de Sandflesen, où les remous ne sont pas aussi violents qu'ailleurs. Là, nous attendions ordinairement,
pour lever l'ancre et retourner chez nous, à peu près
jusqu'à l'heure de l'apaisement des eaux. Nous ne nous
aventurions jamais dans cette expédition sans un bon
vent largue pour aller et revenir, – un vent dont nous
pouvions être sûrs pour notre retour, – et nous nous
sommes rarement trompés sur ce point. Deux fois en six
ans, nous avons été forcés de passer la nuit à l'ancre par
suite d'un calme plat, ce qui est un cas bien rare dans ces
parages ; et, une autre fois, nous sommes restés à terre
près d'une semaine, affamés jusqu'à la mort, grâce à un
coup de vent qui se mit à souffler peu de temps après
notre arrivée et rendit le canal trop orageux pour songer
à le traverser. Dans cette occasion, nous aurions été
entraînés au large en dépit de tout (car les tourbillons
nous ballottaient çà et là avec une telle violence qu'à la
fin nous avions chassé sur notre ancre faussée), si nous
n'avions dérivé dans un de ces innombrables courants qui
se forment, ici aujourd'hui, et demain ailleurs, et qui
nous conduisit sous le vent de Flimen, où, par bonheur,
nous pûmes mouiller.

« Je ne vous dirai pas la vingtième partie des dangers
que nous essuyâmes dans les pêcheries, – c'est un mauvais parage, même par le beau temps, – mais nous trou-
vions toujours le moyen de défier le Moskoe-Strom sans
accident ; parfois pourtant le cœur me montait aux lèvres

quand nous étions d'une minute en avance ou en retard
sur l'accalmie. Quelquefois, le vent n'était pas aussi vif
que nous l'espérions en mettant à la voile, et alors nous
allions moins vite que nous ne l'aurions voulu, pendant
que le courant rendait le semaque plus difficile à
gouverner.

« Mon frère aîné avait un fils âgé de dix-huit ans, et
j'avais pour mon compte deux grands garçons. Ils nous
eussent été d'un grand secours dans de pareils cas, soit
qu'ils eussent pris les avirons, soit qu'ils eussent pêché à
l'arrière ; – mais, vraiment, bien que nous consentissions
à risquer notre vie, nous n'avions pas le cœur de laisser
ces jeunesses affronter le danger ; – car, tout bien considéré, c'était un horrible danger, c'est la pure vérité.

« Il y a maintenant trois ans moins quelques jours
qu'arriva ce que je vais vous raconter. C'était le 10 juillet
18.., un jour que les gens de ce pays n'oublieront jamais,
– car ce fut un jour où souffla la plus terrible tempête
qui soit jamais tombée de la calotte des cieux. Cependant, toute la matinée et même fort avant dans l'après-
midi, nous avions eu une jolie brise bien faite du
sud-ouest, le soleil était superbe, si bien que le plus vieux
loup de mer n'aurait pas pu prévoir ce qui allait arriver.

« Nous étions passés tous les trois, mes deux frères et
moi, à travers les îles à deux heures de l'après-midi environ, et nous eûmes bientôt chargé le semaque de fort
beau poisson, qui – nous l'avions remarqué tous trois –
était plus abondant ce jour-là que nous ne l'avions jamais
vu. Il était juste sept heures *à ma montre* quand nous
levâmes l'ancre pour retourner chez nous, de manière à
faire le plus dangereux du Strom dans l'intervalle des
eaux tranquilles, que nous savions avoir lieu à huit
heures.

« Nous partîmes avec une bonne brise à tribord, et
pendant quelque temps, nous filâmes très rondement,

sans songer le moins du monde au danger ; car, en réalité, nous ne voyions pas la moindre cause d'appréhension. Tout à coup nous fûmes masqués par une saute de vent qui venait de Helseggen. Cela était tout à fait extraordinaire, – c'était une chose qui ne nous était jamais arrivée, – et je commençais à être un peu inquiet, sans savoir exactement pourquoi. Nous fîmes arriver au vent, mais nous ne pûmes jamais fendre les remous, et j'étais sur le point de proposer de retourner au mouillage, quand, regardant à l'arrière, nous vîmes tout l'horizon enveloppé d'un nuage singulier, couleur de cuivre, qui montait avec la plus étonnante vélocité.

« En même temps, la brise qui nous avait pris en tête tomba, et, surpris alors par un calme plat, nous dérivâmes à la merci de tous les courants. Mais cet état de choses ne dura pas assez longtemps pour nous donner le temps d'y réfléchir. En moins d'une minute, la tempête était sur nous, – une minute après, le ciel était entièrement chargé, – et il devint soudainement si noir qu'avec les embruns qui nous sautaient aux yeux nous ne pouvions plus nous voir l'un l'autre à bord.

« Vouloir décrire un pareil coup de vent, ce serait folie. Le plus vieux marin de Norvège n'en a jamais essuyé de pareil. Nous avions amené toute la voile avant que le coup de vent nous surprît ; mais, dès la première rafale, nos deux mâts vinrent par-dessus bord, comme s'ils avaient été sciés par le pied, – le grand mât emportant avec lui mon plus jeune frère qui s'y était accroché par prudence.

« Notre bateau était bien le plus léger joujou qui eût jamais glissé sur la mer. Il avait un pont effleuré avec une seule petite écoutille à l'avant, et nous avions toujours eu pour habitude de la fermer solidement en traversant le Strom, bonne précaution dans une mer clapoteuse. Mais, dans cette circonstance présente, nous aurions sombré du premier coup, – car, pendant quelques instants, nous fûmes littéralement ensevelis sous l'eau. Comment mon frère aîné échappa-t-il à la mort ? je ne le puis dire, je n'ai jamais pu me l'expliquer. Pour ma part, à peine avais-je lâché la misaine que je m'étais jeté sur le pont à plat ventre, les pieds contre l'étroit plat-bord de l'avant, et les mains accrochées à un boulon, auprès du pied du mât de misaine. Le pur instinct m'avait fait agir ainsi, – c'était indubitablement ce que j'avais de mieux à faire, – car j'étais trop ahuri pour penser.

« Pendant quelques minutes, nous fûmes complètement inondés, comme je vous le disais, et, pendant tout ce temps, je retins ma respiration et me cramponnai à l'anneau. Quand je sentis que je ne pouvais pas rester ainsi plus longtemps sans être suffoqué, je me dressai sur mes genoux, tenant toujours bon avec mes mains, et je dégageai ma tête. Alors notre petit bateau donna de lui-même une secousse, juste comme un chien qui sort de l'eau, et se leva en partie au-dessus de la mer. Je m'efforçai alors de secouer de mon mieux la stupeur qui m'avait envahi et de recouvrer suffisamment mes esprits pour voir ce qu'il y avait à faire, quand je sentis quelqu'un qui me saisissait le bras. C'était mon frère aîné, et mon cœur en sauta de joie, car je le croyais par-dessus bord ; – mais, un moment après, toute cette joie se changea en horreur, quand, appliquant sa bouche à mon oreille, il vociféra ce simple mot : *Le Moskoe-Strom !*

« Personne ne saura jamais ce que furent en ce moment mes pensées. Je frissonnai de la tête aux pieds, comme pris du plus violent accès de fièvre. Je comprenais suffisamment ce qu'il entendait par ce seul mot, – je savais bien ce qu'il voulait me faire entendre ! Avec le vent qui nous poussait maintenant, nous étions destinés au tourbillon du Strom, et rien ne pouvait nous sauver !

« Vous avez bien compris qu'en traversant le canal de Strom nous faisions toujours notre route bien au-dessus du tourbillon, même par le temps le plus calme, et encore avions-nous bien soin d'attendre et d'épier le répit de la marée ; mais, maintenant, nous courions droit sur le gouffre lui-même, et avec une pareille tempête ! "À coup sûr, pensai-je, nous y serons juste au moment de l'accalmie, il y a là encore un petit espoir." Mais, une minute après, je me maudissais d'avoir été assez fou pour rêver d'une espérance quelconque. Je voyais parfaitement que nous étions condamnés, eussions-nous été un vaisseau de je ne sais combien de canons !

« En ce moment, la première fureur de la tempête était passée, ou peut-être ne la sentions-nous pas autant parce que nous fuyions devant ; mais, en tout cas, la mer, que le vent avait d'abord maîtrisée, plane et écumeuse, se dressait maintenant en véritables montagnes. Un changement singulier avait eu lieu aussi dans le ciel. Autour de nous, dans toutes les directions, il était toujours noir comme de la poix, mais presque au-dessus de nous il s'était fait une ouverture circulaire, – un ciel clair, – clair comme je ne l'ai jamais vu, – d'un bleu brillant et foncé, – et à travers ce trou resplendissait la pleine lune avec un éclat que je ne lui avais jamais connu. Elle éclairait toutes choses autour de nous avec la plus grande netteté, – mais, grand Dieu ! quelle scène à éclairer !

« Je fis un ou deux efforts pour parler à mon frère ; mais le vacarme, sans que je pusse m'expliquer comment, était accru à un tel point que je ne pus lui faire entendre un seul mot, bien que je criasse dans son oreille de toute la force de mes poumons. Tout à coup il secoua la tête, devint pâle comme la mort et leva un de ses doigts comme pour me dire : *Écoute !*

« D'abord, je ne compris pas ce qu'il voulait dire, – mais bientôt une épouvantable pensée se fit jour en moi. Je tirai ma montre de mon gousset. Elle ne marchait pas. Je regardai le cadran au clair de lune, et je fondis en larmes en la jetant dans l'Océan. *Elle s'était arrêtée à*

sept heures ! Nous avions laissé passer le répit de la marée,
et le tourbillon du Strom était dans sa pleine furie !

« Quand un navire est bien construit, proprement
équipé et pas trop chargé, les lames, par une grande brise,
et quand il est au large, semblent toujours s'échapper de
dessous sa quille, – ce qui paraît très étrange à un homme
de terre, – et ce qu'on appelle, en langage de bord, che-
vaucher (*riding*). Cela allait bien, tant que nous grim-
pions lestement sur la houle ; mais, actuellement, une
mer gigantesque venait nous prendre par notre arrière et
nous enlevait avec elle, – haut, haut, – comme pour nous
pousser jusqu'au ciel. Je n'aurais jamais cru qu'une lame
pût monter si haut. Puis nous descendions en faisant une
courbe, une glissade, un plongeon, qui me donnait la
nausée et le vertige, comme si je tombais en rêve du haut
d'une immense montagne. Mais, du haut de la lame,
j'avais jeté un rapide coup d'œil autour de moi, – et ce
seul coup d'œil avait suffi. Je vis exactement notre position en une seconde. Le tourbillon de Moskoe-Strom
était à un quart de mille environ, droit devant nous, mais
il ressemblait aussi peu au Moskoe-Strom de tous les
jours que ce tourbillon que vous voyez maintenant ressemble à un remous de moulin. Si je n'avais pas su où
nous étions et ce que nous avions à attendre, je n'aurais
pas reconnu l'endroit. Tel que je le vis, je fermai involontairement les yeux d'horreur ; mes paupières se collèrent
comme dans un spasme.

« Moins de deux minutes après, nous sentîmes tout à
coup la vague s'apaiser, et nous fûmes enveloppés
d'écume. Le bateau fit un brusque demi-tour par bâbord,
et partit dans cette nouvelle direction comme la foudre.
Au même instant, le rugissement de l'eau se perdit dans
une espèce de clameur aiguë, – un son tel que vous pouvez le concevoir en imaginant les soupapes de plusieurs
milliers de steamers lâchant à la fois leur vapeur. Nous

étions alors dans la ceinture moutonneuse qui cercle toujours le tourbillon ; et je croyais naturellement qu'en une seconde nous allions plonger dans le gouffre, au fond duquel nous ne pouvions pas voir distinctement, en raison de la prodigieuse vélocité avec laquelle nous y étions entraînés. Le bateau ne semblait pas plonger dans l'eau, mais la raser, comme une bulle d'air qui voltige sur la surface de la lame. Nous avions le tourbillon à tribord, et à bâbord se dressait le vaste Océan que nous venions de quitter. Il s'élevait comme un mur gigantesque se tordant entre nous et l'horizon.

« Cela peut paraître étrange, mais alors, quand nous fûmes dans la gueule même de l'abîme, je me sentis plus de sang-froid que quand nous en approchions. Ayant fait mon deuil de toute espérance, je fus délivré d'une grande partie de cette terreur qui m'avait d'abord écrasé. Je suppose que c'était le désespoir qui roidissait mes nerfs.

« Vous prendrez peut-être cela pour une fanfaronnade, mais ce que je vous dis est la vérité : je commençai à songer quelle magnifique chose c'était de mourir d'une pareille manière, et combien il était sot à moi de m'occuper d'un aussi vulgaire intérêt que ma conservation individuelle, en face d'une si prodigieuse manifestation de la puissance de Dieu. Je crois que je rougis de honte quand cette idée traversa mon esprit. Peu d'instants après, je fus possédé de la plus ardente curiosité relativement au tourbillon lui-même. Je sentis positivement le *désir* d'explorer ses profondeurs, même au prix du sacrifice que j'allais faire ; mon principal chagrin était de penser que je ne pourrais jamais raconter à mes vieux camarades les mystères que j'allais connaître. C'étaient là, sans doute, de singulières pensées pour occuper l'esprit d'un homme dans une pareille extrémité, – et j'ai souvent eu l'idée depuis lors que les évolutions du bateau autour du gouffre m'avaient un peu étourdi la tête.

« Il y eut une autre circonstance qui contribua à me rendre maître de moi-même ; ce fut la complète cessation du vent, qui ne pouvait plus nous atteindre dans notre situation actuelle : – car, comme vous pouvez en juger par vous-même, la ceinture d'écume est considérablement au-dessous du niveau général de l'Océan, et ce dernier nous dominait maintenant comme la crête d'une haute et noire montagne. Si vous ne vous êtes jamais trouvé en mer par une grosse tempête, vous ne pouvez vous faire une idée du trouble d'esprit occasionné par l'action simultanée du vent et des embruns. Cela vous aveugle, vous étourdit, vous étrangle et vous ôte toute faculté d'action ou de réflexion. Mais nous étions maintenant grandement soulagés de tous ces embarras, – comme ces misérables condamnés à mort, à qui on accorde dans leur prison quelques petites faveurs qu'on leur refusait tant que l'arrêt n'était pas prononcé.

« Combien de fois fîmes-nous le tour de cette ceinture, il m'est impossible de le dire. Nous courûmes tout autour, pendant une heure à peu près ; nous volions plutôt que nous ne flottions, et nous nous rapprochions toujours de plus en plus du centre du tourbillon, et toujours plus près, toujours plus près de son épouvantable arête intérieure.

« Pendant tout ce temps, je n'avais pas lâché le boulon. Mon frère était à l'arrière, se tenant à une petite barrique vide, solidement attachée sous l'échauguette, derrière l'habitacle ; c'était le seul objet du bord qui n'eût pas été balayé quand le coup de temps nous avait surpris.

« Comme nous approchions de la margelle de ce puits mouvant, il lâcha le baril et tâcha de saisir l'anneau, que, dans l'agonie de sa terreur, il s'efforçait d'arracher de mes mains, et qui n'était pas assez large pour nous donner sûrement prise à tous deux. Je n'ai jamais éprouvé de douleur plus profonde que quand je le vis tenter une pareille action, – quoique je visse bien qu'alors il était insensé et que la pure frayeur en avait fait un fou furieux.

« Néanmoins, je ne cherchai pas à lui disputer la place. Je savais bien qu'il importait fort peu à qui appartiendrait l'anneau ; je lui laissai le boulon, et m'en allai au baril de l'arrière. Il n'y avait pas grande difficulté à opérer cette manœuvre ; car le semaque filait en rond avec assez d'aplomb et assez droit sur sa quille, poussé quelquefois çà et là par les immenses houles et les bouillonnements du tourbillon. À peine m'étais-je arrangé dans ma nouvelle position que nous donnâmes une violente embardée à tribord et que nous piquâmes la tête la première dans l'abîme. Je murmurai une rapide prière à Dieu, et je pensai que tout était fini.

« Comme je subissais l'effet douloureusement nauséabond de la descente, je m'étais instinctivement cramponné au baril avec plus d'énergie, et j'avais fermé les yeux. Pendant quelques secondes, je n'osai pas les ouvrir, – m'attendant à une destruction instantanée et m'étonnant de ne pas déjà en être aux angoisses suprêmes de l'immersion. Mais les secondes s'écoulaient ; je vivais encore. La sensation de chute avait cessé, et le mouvement du navire ressemblait beaucoup à ce qu'il était déjà, quand nous étions pris dans la ceinture d'écume, à l'exception que maintenant nous donnions davantage de la bande. Je repris courage et regardai une fois encore le tableau.

« Jamais je n'oublierai les sensations d'effroi, d'horreur et d'admiration que j'éprouvai en jetant les yeux autour de moi. Le bateau semblait suspendu comme par magie, à mi-chemin de sa chute, sur la surface intérieure d'un entonnoir d'une vaste circonférence, d'une profondeur prodigieuse, et dont les parois, admirablement polies, auraient pu être prises pour de l'ébène, sans l'éblouissante vélocité avec laquelle elles pirouettaient et l'étincelante et horrible clarté qu'elles répercutaient sous les rayons de la pleine lune, qui, de ce trou circulaire que j'ai déjà décrit, ruisselaient en un fleuve d'or et de splendeur le long des murs noirs et pénétraient jusque dans les plus intimes profondeurs de l'abîme.

« D'abord, j'étais trop troublé pour observer n'importe quoi avec quelque exactitude. L'explosion générale de cette magnificence terrifique était tout ce que je pouvais voir. Néanmoins, quand je revins un peu à moi, mon regard se dirigea instinctivement vers le fond. Dans cette direction, je pouvais plonger ma vue sans obstacle à cause de la situation de notre semaque qui était suspendu sur la surface inclinée du gouffre ; il courait toujours sur sa quille, c'est-à-dire que son pont formait un plan parallèle à celui de l'eau, qui faisait comme un talus incliné à plus de 45 degrés, de sorte que nous avions l'air de nous soutenir sur notre côté. Je ne pouvais m'empêcher de remarquer, toutefois, que je n'avais guère plus de peine à me retenir des mains et des pieds, dans cette situation, que si nous avions été sur un plan horizontal ; et cela tenait, je suppose, à la vélocité avec laquelle nous tournions.

« Les rayons de la lune semblaient chercher le fin fond de l'immense gouffre ; cependant, je ne pouvais rien distinguer nettement à cause d'un épais brouillard qui enveloppait toutes choses, et sur lequel planait un magnifique arc-en-ciel, semblable à ce pont étroit et vacillant que les musulmans affirment être le seul passage entre le Temps et l'Éternité. Ce brouillard ou cette écume était sans doute occasionné par le conflit des grands murs de l'entonnoir, quand ils se rencontraient et se brisaient au fond ; – quant au hurlement qui montait de ce brouillard vers le ciel, je n'essayerai pas de le décrire.

« Notre première glissade dans l'abîme, à partir de la ceinture d'écume, nous avait portés à une grande distance sur la pente ; mais postérieurement notre descente ne s'effectua pas aussi rapidement, à beaucoup près. Nous filions toujours, toujours circulairement, non plus avec un mouvement uniforme, mais avec des élans qui parfois ne nous projetaient qu'à une centaine de yards, et d'autres fois nous faisaient accomplir une évolution complète autour du tourbillon. À chaque tour, nous nous rapprochions du gouffre, lentement, il est vrai, mais d'une manière très sensible.

« Je regardai au large sur le vaste désert d'ébène qui nous portait, et je m'aperçus que notre barque n'était pas le seul objet qui fût tombé dans l'étreinte du tourbillon. Au-dessus et au-dessous de nous, on voyait des débris de navires, de gros morceaux de charpente, des troncs d'arbres, ainsi que bon nombre d'articles plus petits, tels que des pièces de mobilier, des malles brisées, des barils et des douves. J'ai déjà décrit la curiosité surnaturelle qui s'était substituée à mes primitives terreurs. Il me sembla qu'elle augmentait à mesure que je me rapprochais de mon épouvantable destinée. Je commençai alors à épier avec un étrange intérêt les nombreux objets qui flottaient en notre compagnie. Il *fallait* que j'eusse le délire, – car je trouvais même une sorte d'*amusement* à calculer les vitesses relatives de leur descente vers le tourbillon d'écume.

« – Ce sapin, me surpris-je une fois à dire, sera certainement la première chose qui fera le terrible plongeon et qui disparaîtra ; – et je fus fort désappointé de voir qu'un bâtiment de commerce hollandais avait pris les devants et s'était engouffré le premier. À la longue, après avoir fait quelques conjectures de cette nature, et m'être toujours trompé, – ce fait, – le fait de mon invariable mécompte, – me jeta dans un ordre de réflexions qui firent de nouveau trembler mes membres et battre mon cœur encore plus lourdement.

« Ce n'était pas une nouvelle terreur qui m'affectait ainsi, mais l'aube d'une espérance bien plus émouvante. Cette espérance surgissait en partie de la mémoire, en partie de l'observation présente. Je me rappelai l'immense variété d'épaves qui jonchaient la côte de Lofoden, et qui avaient toutes été absorbées et revomies par le Moskoe-Strom. Ces articles, pour la plus grande partie, étaient déchirés de la manière la plus extraordinaire, – éraillés, écorchés, au point qu'ils avaient l'air d'être tout garnis de pointes et d'esquilles. – Mais je me rappelais distinctement alors qu'il y en avait quelques-uns qui n'étaient pas défigurés du tout. Je ne pouvais maintenant me rendre compte de cette différence qu'en supposant que les fragments écorchés fussent les seuls qui eussent été complètement absorbés, – les autres étant entrés dans le tourbillon à une période assez avancée de la marée, ou, après y être entrés, étant, par une raison ou par une autre, descendus assez lentement pour ne pas atteindre le fond avant le retour du flux ou du reflux, – suivant le cas. Je concevais qu'il était possible, dans les deux cas, qu'ils eussent remonté, en tourbillonnant de nouveau jusqu'au niveau de l'Océan, sans subir le sort de ceux qui avaient été entraînés de meilleure heure ou absorbés plus rapidement.

« Je fis aussi trois observations importantes : la première que, – règle générale, – plus les corps étaient gros, plus leur descente était rapide ; – la seconde, que, deux masses étant données, d'une égale étendue, l'une sphérique et l'autre de *n'importe quelle autre forme*, la supériorité de vitesse dans la descente était pour la sphère ; – la troisième, que, de deux masses d'un volume égal, l'une cylindrique, et l'autre de n'importe quelle autre forme, le cylindre était absorbé le plus lentement.

« Depuis ma délivrance, j'ai eu à ce sujet quelques conversations avec un vieux maître d'école du district ; et c'est de lui que j'ai appris l'usage des mots cylindre et sphère. Il m'a expliqué – mais j'ai oublié l'explication – que ce que j'avais observé était la conséquence naturelle de la forme des débris flottants, et il m'a démontré comment un cylindre, tournant dans un tourbillon, présentait plus de résistance à sa succion et était attiré avec plus de difficulté qu'un corps d'une autre forme quelconque et d'un volume égal[1].

« Il y avait une circonstance saisissante qui donnait une grande force à ces observations, et me rendait anxieux de les vérifier : c'était qu'à chaque révolution nous passions devant un baril ou devant une vergue ou un mât de navire, et que la plupart de ces objets, nageant à notre niveau quand j'avais ouvert les yeux pour la première fois sur les merveilles du tourbillon, étaient maintenant situés bien au-dessus de nous et semblaient n'avoir guère bougé de leur position première.

« Je n'hésitai pas plus longtemps sur ce que j'avais à faire. Je résolus de m'attacher avec confiance à la barrique que je tenais toujours embrassée, de larguer le câble qui la retenait à la cage, et de me jeter avec à la mer. Je m'efforçai d'attirer par signes l'attention de mon frère sur les barils flottants auprès desquels nous passions, et je fis tout ce qui était en mon pouvoir pour lui faire comprendre ce que j'allais tenter. Je crus à la longue qu'il avait deviné mon dessein ; – mais, qu'il l'eût ou ne l'eût pas saisi, il secoua la tête avec désespoir et refusa de quitter sa place près du boulon. Il m'était impossible de m'emparer de lui ; la conjoncture ne permettait pas de délai. Ainsi, avec une amère angoisse, je l'abandonnai à sa destinée ; je m'attachai moi-même à la barrique avec le câble qui l'amarrait à l'échauguette, et, sans hésiter un moment de plus, je me précipitai avec dans la mer.

« Le résultat fut précisément ce que j'espérais. Comme c'est moi-même qui vous raconte cette histoire, – comme vous voyez que j'ai échappé, – et comme vous connaissez déjà le mode de salut que j'employai et pouvez dès lors

---

1. *Archimède*, De accidentibus in fluido. – *E. A. P.*

prévoir tout ce que j'aurais de plus à vous dire, j'abrége-
rai mon récit et j'irai droit à la conclusion.

« Il s'était écoulé une heure environ depuis que j'avais
quitté le bord du semaque, quand, étant descendu à une
vaste distance au-dessous de moi, il fit coup sur coup
trois ou quatre tours précipités, et, emportant mon frère
bien-aimé, piqua de l'avant décidément et pour toujours
dans le chaos d'écume. Le baril auquel j'étais attaché
nageait presque à moitié chemin de la distance qui sépa-
rait le fond du gouffre de l'endroit où je m'étais précipité
par-dessus bord, quand un grand changement eut lieu
dans le caractère du tourbillon. La pente des parois du
vaste entonnoir se fit de moins en moins escarpée. Les
évolutions du tourbillon devinrent graduellement de
moins en moins rapides. Peu à peu l'écume et l'arc-en-ciel
disparurent, et le fond du gouffre sembla s'élever
lentement.

« Le ciel était clair, le vent était tombé, et la pleine lune
se couchait radieusement à l'ouest, quand je me retrouvai
à la surface de l'Océan juste en vue de la côte de Lofoden
et au-dessus de l'endroit où *était* naguère le tourbillon
du Moskoe-Strom. C'était l'heure de l'accalmie – mais la
mer se soulevait toujours en vagues énormes par suite de
la tempête. Je fut porté violemment dans le canal du
Strom et jeté en quelques minutes à la côte, parmi les
pêcheries. Un bateau me repêcha, – épuisé de fatigue ; –
et, maintenant que le danger avait disparu, le souvenir
de ces horreurs m'avait rendu muet. Ceux qui me tirèrent
à bord étaient mes vieux camarades de mer et mes compagnons de chaque jour – mais ils ne me reconnaissaient
pas plus qu'ils n'auraient reconnu un voyageur revenu du
monde des esprits. Mes cheveux, qui, la veille, étaient
d'un noir de corbeau, étaient aussi blancs que vous les
voyez maintenant. Ils dirent aussi que toute l'expression
de ma physionomie était changée. Je leur contai mon his-

toire, – ils ne voulurent pas y croire. – Je vous la raconte, à vous, maintenant, et j'ose à peine espérer que vous y ajouterez plus de foi que les plaisants pêcheurs de Lofoden.

LA VÉRITÉ
SUR LE CAS DE M. VALDEMAR

Que le cas extraordinaire de M. Valdemar ait excité une discussion, il n'y a certes pas lieu de s'en étonner. C'eût été un miracle qu'il n'en fût pas ainsi, – particulièrement dans de telles circonstances. Le désir de toutes les parties intéressées à tenir l'affaire secrète, au moins pour le présent ou en attendant l'opportunité d'une nouvelle investigation, et nos efforts pour y réussir ont laissé place à un récit tronqué ou exagéré qui s'est propagé dans le public, et qui, présentant l'affaire sous les couleurs les plus désagréablement fausses, est naturellement devenu la source d'un grand discrédit.

Il est maintenant devenu nécessaire que je donne *les faits*, autant du moins que je les comprends moi-même. Succinctement les voici :

Mon attention, dans ces trois dernières années, avait été à plusieurs reprises attirée vers le magnétisme ; et, il y a environ neuf mois, cette pensée frappa presque soudainement mon esprit que, dans la série des expériences faites jusqu'à présent, il y avait une très remarquable et très inexplicable lacune : – personne n'avait encore été magnétisé *in articulo mortis*. Restait à savoir, d'abord si dans un pareil état existait chez le patient une réceptibilité quelconque de l'influx magnétique ; en second lieu, si, dans le cas d'affirmative, elle était atténuée ou augmentée par la circonstance ; troisièmement, jusqu'à quel

point et pour combien de temps les empiétements de la
mort pouvaient être arrêtés par l'opération. Il y avait
d'autres points à vérifier, mais ceux-ci excitaient le plus
ma curiosité, – particulièrement le dernier, à cause du
caractère immensément grave de ses conséquences.

En cherchant autour de moi un sujet au moyen duquel
je pusse éclairer ces points, je fus amené à jeter les yeux
sur mon ami, M. Ernest Valdemar, le compilateur bien
connu de la *Bibliotheca forensica*, et auteur (sous le pseu-
donyme d'Issachar Marx) des traductions polonaises de
Wallenstein et de *Gargantua*. M. Valdemar, qui résidait
généralement à Harlem (New York) depuis l'année 1839,
est ou était particulièrement remarquable par l'excessive
maigreur de sa personne, – ses membres inférieurs ressemblant beaucoup à ceux de John Randolph, – et aussi
par la blancheur de ses favoris qui faisaient contraste
avec sa chevelure noire, que chacun prenait conséquemment pour une perruque. Son tempérament était singulièrement nerveux et en faisait un excellent sujet pour les
expériences magnétiques. Dans deux ou trois occasions,
je l'avais amené à dormir sans grande difficulté ; mais je
fus désappointé quant aux autres résultats que sa constitution particulière m'avait naturellement fait espérer. Sa
volonté n'était jamais positivement ni entièrement sou-
mise à mon influence, et relativement à la *clairvoyance* je
ne réussis à faire avec lui rien sur quoi l'on pût faire fond.
J'avais toujours attribué mon insuccès sur ces points au
dérangement de sa santé. Quelques mois avant l'époque
où je fis sa connaissance, les médecins l'avaient déclaré
atteint d'une phtisie bien caractérisée. C'était à vrai dire
sa coutume de parler de sa fin prochaine avec beaucoup
de sang-froid, comme d'une chose qui ne pouvait être ni
évitée ni regrettée.

Quand ces idées, que j'exprimais tout à l'heure, me
vinrent pour la première fois, il était très naturel que je
pensasse à M. Valdemar. Je connaissais trop bien la

solide philosophie de l'homme pour redouter quelques scrupules de sa part, et il n'avait point de parents en Amérique qui pussent plausiblement intervenir. Je lui parlai franchement de la chose ; et, à ma grande surprise, il parut y prendre un intérêt très vif. Je dis à ma grande surprise, car, quoiqu'il eût toujours gracieusement livré sa personne à mes expériences, il n'avait jamais témoigné de sympathie pour mes études. Sa maladie était de celles qui admettent un calcul exact relativement à l'époque de leur *dénouement* ; et il fut finalement convenu entre nous qu'il m'enverrait chercher vingt-quatre heures avant le terme marqué par les médecins pour sa mort.

Il y a maintenant sept mois passés que je reçus de M. Valdemar le billet suivant :

« Mon cher P...,

« Vous pouvez aussi bien venir *maintenant*. D... et F... s'accordent à dire que je n'irai pas, demain, au-delà de minuit ; et je crois qu'ils ont calculé juste, ou bien peu s'en faut.

« VALDEMAR. »

Je recevais ce billet une demi-heure après qu'il m'était écrit, et, en quinze minutes au plus, j'étais dans la chambre du mourant. Je ne l'avais pas vu depuis dix jours, et je fus effrayé de la terrible altération que ce court intervalle avait produite en lui. Sa face était d'une couleur de plomb ; les yeux étaient entièrement éteints, et l'amaigrissement était si remarquable que les pommettes avaient crevé la peau. L'expectoration était excessive ; le pouls à peine sensible. Il conservait néanmoins d'une manière fort singulière toutes ses facultés spirituelles et une certaine quantité de force physique. Il parlait distinctement, – prenait sans aide quelques drogues palliatives, – et, quand j'entrai dans la chambre, il était occupé à écrire quelques notes sur un agenda. Il était soutenu dans

son lit par des oreillers. Les docteurs D... et F... lui donnaient leurs soins.

Après avoir serré la main de Valdemar, je pris ces messieurs à part et j'obtins un compte rendu minutieux de
l'état du malade. Le poumon gauche était depuis dix-huit
mois dans un état semi-osseux ou cartilagineux, et conséquemment tout à fait impropre à toute fonction vitale.
Le droit, dans sa région supérieure, s'était aussi ossifié,
sinon en totalité, du moins partiellement, pendant que la
partie inférieure n'était plus qu'une masse de tubercules
purulents, se pénétrant les uns les autres. Il existait plusieurs perforations profondes, et en un certain point il y
avait adhérence permanente des côtes. Ces phénomènes
du lobe droit étaient de date comparativement récente.
L'ossification avait marché avec une rapidité très insolite
– un mois auparavant on n'en découvrait encore aucun
symptôme – et l'adhérence n'avait été remarquée que
dans ces trois derniers jours. Indépendamment de la phtisie, on soupçonnait un anévrisme de l'aorte, mais sur ce
point les symptômes d'ossification rendaient impossible
tout diagnostic exact. L'opinion des deux médecins était
que M. Valdemar mourrait le lendemain dimanche vers
minuit. Nous étions au samedi, et il était sept heures du
soir.

En quittant le chevet du moribond pour causer avec
moi, les docteurs D... et F... lui avaient dit un suprême
adieu. Ils n'avaient pas l'intention de revenir ; mais, à ma
requête, ils consentirent à venir voir le patient vers dix
heures de la nuit.

Quand ils furent partis, je causai librement avec
M. Valdemar de sa mort prochaine, et plus particulièrement de l'expérience que nous nous étions proposée. Il
se montra toujours plein de bon vouloir ; il témoigna
même un vif désir de cette expérience et me pressa de
commencer tout de suite. Deux domestiques, un homme
et une femme, étaient là pour donner leurs soins ; mais

je ne me sentis pas tout à fait libre de m'engager dans
une tâche d'une telle gravité sans autres témoignages plus
rassurants que ceux que pourraient produire ces gens-là
en cas d'accident soudain. Je renvoyais donc l'opération
à huit heures, quand l'arrivée d'un étudiant en médecine,
avec lequel j'étais un peu lié, M. Théodore L..., me
tira définitivement d'embarras. Primitivement j'avais
résolu d'attendre les médecins ; mais je fus induit à
commencer tout de suite, d'abord par les sollicitations de
M. Valdemar, en second lieu par la conviction que je
n'avais pas un instant à perdre, car il s'en allait
évidemment.

M. L... fut assez bon pour accéder au désir que
j'exprimai qu'il prît des notes de tout ce qui surviendrait ;
et c'est d'après son procès-verbal que je décalque pour
ainsi dire mon récit. Quand je n'ai pas condensé, j'ai
copié mot pour mot.

Il était environ huit heures moins cinq, quand, prenant
la main du patient, je le priai de confirmer à M. L...,
aussi distinctement qu'il le pourrait, que c'était son for-
mel désir, à lui Valdemar, que je fisse une expérience
magnétique sur lui, dans de telles conditions.

Il répliqua faiblement, mais très distinctement : « Oui,
je désire être magnétisé » ; ajoutant immédiatement
après : « Je crains bien que vous n'ayez différé trop
longtemps. »

Pendant qu'il parlait, j'avais commencé les passes que
j'avais déjà reconnues les plus efficaces pour l'endormir.
Il fut évidemment influencé par le premier mouvement
de ma main qui traversa son front ; mais, quoique je
déployasse toute ma puissance, aucun autre effet sensible
ne se manifesta jusqu'à dix heures dix minutes, quand les
médecins D... et F... arrivèrent au rendez-vous. Je leur
expliquai en peu de mots mon dessein ; et, comme ils n'y
faisaient aucune objection, disant que le patient était

déjà dans sa période d'agonie, je continuai sans hésitation, changeant toutefois les passes latérales en passes longitudinales, et concentrant tout mon regard juste dans l'œil du moribond.

Pendant ce temps, son pouls devint imperceptible, et sa respiration obstruée et marquant un intervalle d'une demi-minute.

Cet état dura un quart d'heure, presque sans changement. À l'expiration de cette période, néanmoins, un soupir naturel, quoique horriblement profond, s'échappa du sein du moribond, et la respiration ronflante cessa, c'est-à-dire que son ronflement ne fut plus sensible ; les intervalles n'étaient pas diminués. Les extrémités du patient étaient d'un froid de glace.

À onze heures moins cinq minutes, j'aperçus des symptômes non équivoques de l'influence magnétique. Le vacillement vitreux de l'œil s'était changé en cette expression pénible de regard *en dedans* qui ne se voit jamais que dans les cas de somnambulisme et à laquelle il est impossible de se méprendre ; avec quelques passes latérales rapides, je fis palpiter les paupières, comme quand le sommeil nous prend, et, en insistant un peu, je les fermai tout à fait. Ce n'était pas assez pour moi, et je continuai mes exercices vigoureusement et avec la plus intense projection de volonté jusqu'à ce que j'eusse complètement paralysé les membres du dormeur, après les avoir placés dans une position en apparence commode. Les jambes étaient tout à fait allongées, les bras à peu près étendus, et reposant sur le lit à une distance médiocre des reins. La tête était très légèrement élevée.

Quand j'eus fait tout cela, il était minuit sonné, et je priai ces messieurs d'examiner la situation de M. Valdemar. Après quelques expériences, ils reconnurent qu'il était dans un état de catalepsie magnétique extraordinairement parfaite. La curiosité des deux médecins était grandement excitée. Le docteur D... résolut tout à coup de passer toute la nuit auprès du patient, pendant que le docteur F... prit congé de nous en promettant de revenir au petit jour ; M. L... et les gardes-malade restèrent.

Nous laissâmes M. Valdemar absolument tranquille jusqu'à trois heures du matin ; alors, je m'approchai de lui et le trouvai exactement dans le même état que quand le docteur F... était parti, – c'est-à-dire qu'il était étendu dans la même position ; que le pouls était imperceptible, la respiration douce, à peine sensible – excepté par l'application d'un miroir aux lèvres –, les yeux fermés naturellement, et les membres aussi rigides et aussi froids que du marbre. Toutefois, l'apparence générale n'était certainement pas celle de la mort.

En approchant de M. Valdemar, je fis une espèce de demi-effort pour déterminer son bras droit à suivre le mien dans les mouvements que je décrivais doucement çà et là au-dessus de sa personne. Autrefois, quand j'avais tenté ces expériences avec le patient, elles n'avaient jamais pleinement réussi, et assurément je n'espérais guère mieux réussir cette fois ; mais, à mon grand étonnement, son bras suivit très doucement, quoique les indiquant faiblement, toutes les directions que le mien lui assigna. Je me déterminai à essayer quelques mots de conversation.

– Monsieur Valdemar, dis-je, dormez-vous ?

Il ne répondit pas, mais j'aperçus un tremblement sur ses lèvres, et je fus obligé de répéter ma question une seconde et une troisième fois. À la troisième tout son être fut agité d'un léger frémissement ; les paupières se soulevèrent d'elles-mêmes comme pour dévoiler une ligne blanche du globe ; les lèvres remuèrent paresseusement et laissèrent échapper ces mots dans un murmure à peine intelligible :

– Oui ; je dors maintenant. Ne m'éveillez pas !... – Laissez-moi mourir ainsi !

Je tâtai les membres et les trouvai toujours aussi rigides. Le bras droit, comme tout à l'heure, obéissait à

la direction de ma main. Je questionnai de nouveau le
somnambule.

– Vous sentez-vous toujours mal à la poitrine, monsieur Valdemar ?

La réponse ne fut pas immédiate ; elle fut encore moins
accentuée que la première :

– Mal ? – non, – je meurs.

Je ne jugeai pas convenable de le tourmenter davantage
pour le moment, et il ne se dit, il ne se fit rien de nouveau
jusqu'à l'arrivée du docteur F..., qui précéda un peu le
lever du soleil, et éprouva un étonnement sans bornes en
trouvant le patient encore vivant. Après avoir tâté le
pouls du somnambule et lui avoir appliqué un miroir sur
les lèvres, il me pria de lui parler encore.

– Monsieur Valdemar, dormez-vous toujours ?

Comme précédemment, quelques minutes s'écoulèrent
avant la réponse ; et, durant l'intervalle, le moribond
sembla rallier toute son énergie pour parler. À ma question répétée pour la quatrième fois, il répondit très faiblement, presque inintelligiblement :

– Oui, toujours ; – je dors, – je meurs.

C'était alors l'opinion, ou plutôt le désir des médecins,
qu'on permît à M. Valdemar de rester sans être troublé
dans cet état actuel de calme apparent, jusqu'à ce que la
mort survînt ; et cela devait avoir lieu, – on fut unanime
là-dessus, – dans un délai de cinq minutes. Je résolus
cependant de lui parler encore une fois, et je répétai simplement ma question précédente.

Pendant que je parlais, il se fit un changement marqué
dans la physionomie du somnambule. Les yeux roulèrent
dans leurs orbites, lentement découverts par les paupières
qui remontaient ; la peau prit un ton général cadavéreux,
ressemblant moins à du parchemin qu'à du papier blanc ;
et les deux taches hectiques circulaires, qui jusque-là
étaient vigoureusement fixées dans le centre de chaque
joue, *s'éteignirent* tout d'un coup. Je me sers de cette

expression, parce que la soudaineté de leur disparition me fait penser à une bougie soufflée plutôt qu'à toute autre chose. La lèvre supérieure, en même temps, se tordit en remontant au-dessus des dents que tout à l'heure elle couvrait entièrement, pendant que la mâchoire inférieure tombait avec une saccade qui put être entendue, laissant la bouche toute grande ouverte, et découvrant en plein la langue noire et boursouflée. Je présume que tous les témoins étaient familiarisés avec les horreurs d'un lit de mort ; mais l'aspect de M. Valdemar en ce moment était tellement hideux, hideux au-delà de toute conception, que ce fut une reculade générale loin de la région du lit.

Je sens maintenant que je suis arrivé à un point de mon récit où le lecteur révolté me refusera toute croyance. Cependant, mon devoir est de continuer.

Il n'y avait plus dans M. Valdemar le plus faible symptôme de vitalité ; et, concluant qu'il était mort, nous le laissions aux soins des gardes-malade, quand un fort mouvement de vibration se manifesta dans la langue. Cela dura pendant une minute peut-être. À l'expiration de cette période, des mâchoires distendues et immobiles jaillit une voix, – une voix telle que ce serait folie d'essayer de la décrire. Il y a cependant deux ou trois épithètes qui pourraient lui être appliquées comme des à-peu-près : ainsi, je puis dire que le son était âpre, déchiré, caverneux ; mais le hideux total n'est pas définissable, par la raison que de pareils sons n'ont jamais hurlé dans l'oreille de l'humanité. Il y avait cependant deux particularités qui – je le pensai alors, et je le pense encore, – peuvent être justement prises comme caractéristiques de l'intonation, et qui sont propres à donner quelque idée de son étrangeté extraterrestre. En premier lieu, la voix semblait parvenir à nos oreilles, – aux miennes du moins, – comme d'une très lointaine distance ou de quelque abîme souterrain. En second lieu, elle m'impressionna (je crains, en vérité, qu'il me soit impossible de me faire comprendre) de la même manière que les matières glutineuses ou gélatineuses affectent le sens du toucher.

J'ai parlé à la fois de son et de voix. Je veux dire que le son était d'une syllabisation distincte, et même terriblement, effroyablement distincte. M. Valdemar *parlait*, évidemment pour répondre à la question que je lui avais adressée quelques minutes auparavant. Je lui avais demandé, on s'en souvient, s'il dormait toujours. Il disait maintenant :

– Oui, – non, – *j'ai dormi*, – et maintenant, – maintenant, *je suis mort*.

Aucune des personnes présentes n'essaya de nier ni même de réprimer l'indescriptible, la frissonnante horreur que ces quelques mots ainsi prononcés étaient si bien faits pour créer. M. L..., l'étudiant, s'évanouit. Les gardes-malade s'enfuirent immédiatement de la chambre, et il fut impossible de les y ramener. Quant à mes propres impressions, je ne prétends pas les rendre intelligibles pour le lecteur. Pendant près d'une heure, nous nous occupâmes en silence (pas un mot ne fut prononcé) à rappeler M. L... à la vie. Quand il fut revenu à lui, nous reprîmes nos investigations sur l'état de M. Valdemar.

Il était resté à tous égards tel que je l'ai décrit en dernier lieu, à l'exception que le miroir ne donnait plus aucun vestige de respiration. Une tentative de saignée au bras resta sans succès. Je dois mentionner aussi que ce membre n'était plus soumis à ma volonté. Je m'efforçai en vain de lui faire suivre la direction de ma main. La seule indication réelle de l'influence magnétique se manifestait maintenant dans le mouvement vibratoire de la langue. Chaque fois que j'adressais une question à M. Valdemar, il semblait qu'il fît un effort pour répondre, mais que sa volition ne fût pas suffisamment durable. Aux questions faites par une autre personne que moi il paraissait absolument insensible, – quoique j'eusse tenté de mettre chaque membre de la société en rapport magnétique avec lui. Je crois que j'ai maintenant relaté tout ce qui est nécessaire pour faire comprendre l'état du somnambule dans cette période. Nous nous procurâmes d'autres infirmiers, et, à dix heures, je sortis de la maison, en compagnie des deux médecins et de M. L...

Dans l'après-midi, nous revînmes tous voir le patient. Son état était absolument le même. Nous eûmes alors une discussion sur l'opportunité et la possibilité de l'éveiller ; mais nous fûmes bientôt d'accord en ceci qu'il n'en pouvait résulter aucune utilité. Il était évident que jusque-là, la mort, ou ce qu'on l'on définit habituellement par le mot *mort*, avait été arrêtée par l'opération magnétique. Il nous semblait clair à tous qu'éveiller M. Valdemar c'eût été simplement assurer sa minute suprême, ou au moins accélérer sa désorganisation.

Depuis lors, jusqu'à la fin de la semaine dernière, – *un intervalle de sept mois à peu près*, – nous nous réunîmes journellement dans la maison de M. Valdemar, accompagnés de médecins et d'autre amis. Pendant tout ce temps, le somnambule resta *exactement* tel que je l'ai décrit. La surveillance des infirmiers était continuelle.

Ce fut vendredi dernier que nous résolûmes finalement de faire l'expérience du réveil, ou du moins d'essayer de l'éveiller ; et c'est le résultat, déplorable peut-être, de cette dernière tentative, qui a donné naissance à tant de discussions dans les cercles privés, à tant de bruits dans lesquels je ne puis m'empêcher de voir le résultat d'une crédulité populaire injustifiable.

Pour arracher M. Valdemar à la catalepsie magnétique, je fis usage des passes accoutumées. Pendant quelque temps, elles furent sans résultat. Le premier symptôme de retour à la vie fut un abaissement partiel de l'iris. Nous observâmes comme un fait très remarquable que cette descente de l'iris était accompagnée de flux très abondant d'une liqueur jaunâtre (de dessous les paupières) d'une odeur âcre et fortement désagréable.

On me suggéra alors d'essayer d'influencer le bras du patient, comme par le passé. J'essayai, je ne pus. Le docteur F... exprima le désir que je lui adressasse une question. Je le fis de la manière suivante :

– Monsieur Valdemar, pouvez-vous nous expliquer quels sont maintenant vos sensations ou vos désirs ?

Il y eut un retour immédiat des cercles hectiques sur les joues ; la langue trembla ou plutôt roula violemment dans la bouche (quoique les mâchoires et les lèvres demeurassent toujours immobiles), et à la longue la même horrible voix que j'ai décrite fit éruption :

– Pour l'amour de Dieu ! – vite ! – vite ! – faites-moi dormir, – ou bien, vite ! éveillez-moi ! – vite ! *Je vous dis que je suis mort !*

J'étais totalement énervé, et pendant une minute, je restai indécis sur ce que j'avais à faire. Je fis d'abord un effort pour calmer le patient ; mais, cette totale vacance de ma volonté ne me permettant pas d'y réussir, je fis l'inverse et m'efforçai aussi vivement que possible de le réveiller. Je vis bientôt que cette tentative aurait un plein succès, – ou du moins je me figurai bientôt que mon succès serait complet, – et je suis sûr que chacun dans la chambre s'attendait au réveil du somnambule.

Quant à ce qui arriva en réalité, aucun être humain n'aurait jamais pu s'y attendre ; c'est au-delà de toute possibilité.

Comme je faisais rapidement les passes magnétiques à travers les cris de « Mort ! Mort ! » qui faisaient littéralement explosion sur la langue et non sur les lèvres du sujet, – tout son corps, – d'un seul coup, – dans l'espace d'une minute, et même moins, – se déroba, – s'émietta, – se *pourrit* absolument sous mes mains. Sur le lit, devant tous les témoins, gisait une masse dégoûtante et quasi liquide, – une abominable putréfaction.

RÉVÉLATION MAGNÉTIQUE

Bien que les ténèbres du doute enveloppent encore toute la théorie positive du magnétisme, ses foudroyants effets sont maintenant presque universellement admis. Ceux qui doutent de ces effets sont de purs douteurs de profession, une impuissante et peu honorable caste. Ce serait absolument perdre son temps aujourd'hui que de s'amuser à prouver que l'homme, par un pur exercice de sa volonté, peut impressionner suffisamment son semblable pour le jeter dans une condition anormale, dont les phénomènes ressemblent littérablement à ceux de la mort, ou du moins leur ressemblent plus qu'aucun des phénomènes produits dans une condition anormale connue ; que, tout le temps que dure cet état, la personne ainsi influencée n'emploie qu'avec effort, et conséquemment avec peu d'aptitude, les organes extérieurs des sens, et que néanmoins elle perçoit, avec une perspicacité singulièrement subtile et par un canal mystérieux, des objets situés au-delà de la portée des organes physiques ; que de plus, ses facultés intellectuelles s'exaltent et se fortifient d'une manière prodigieuse ; que ses sympathies avec la personne qui agit sur elle sont profondes ; et que finalement sa *susceptibilité* des impressions magnétiques croît en proportion de leur fréquence, en même temps que les phénomènes particuliers obtenus s'étendent et se prononcent davantage et dans la même proportion. Je dis qu'il serait superflu de démontrer ces faits divers, où est contenue la loi générale du magnétisme, et qui en sont les traits principaux. Je n'infligerai donc pas aujourd'hui à mes lecteurs une démonstration aussi parfaitement oiseuse. Mon dessein, quant à présent, est en vérité d'une tout autre nature. Je sens le besoin, en dépit de tout un monde de préjugés, de raconter, sans commentaires, mais dans tous ses détails, un très remarquable dialogue qui eut lieu entre un somnambule et moi.

J'avais depuis longtemps l'habitude de magnétiser la personne en question, M. Vankirk, et la *susceptibilité* vive, l'exaltation du sens magnétique s'étaient déjà manifestées. Pendant plusieurs mois, M. Vankirk avait beaucoup souffert d'une phtisie avancée, dont les effets les plus cruels avaient été diminués par mes passes, et, dans la nuit du mercredi, 15 courant, je fus appelé à son chevet.

Le malade souffrait des douleurs vives dans la région du cœur et respirait avec une grande difficulté, ayant tous les symptômes ordinaires d'un asthme. Dans des spasmes semblables, il avait généralement trouvé du soulagement dans des applications de moutarde aux centres nerveux ; mais ce soir-là, il y avait eu recours en vain.

Quand j'entrai dans sa chambre, il me salua d'un gracieux sourire, et, quoiqu'il fût en proie à des douleurs physiques aiguës, il me parut absolument calme quant au moral.

– Je vous ai envoyé chercher cette nuit, dit-il, non pas tant pour m'administrer un soulagement physique que pour me satisfaire relativement à de certaines impressions psychiques qui m'ont récemment causé beaucoup d'anxiété et de surprise. Je n'ai pas besoin de vous dire combien j'ai été sceptique jusqu'à présent sur le sujet de l'immortalité de l'âme. Je ne puis pas vous nier que, dans cette âme que j'allais niant, a toujours existé comme un demi-sentiment assez vague de sa propre existence. Mais ce demi-sentiment ne s'est jamais élevé à l'état de conviction. De tout cela ma raison n'avait rien à faire. Tous mes efforts pour établir là-dessus une enquête logique n'ont abouti qu'à me laisser plus sceptique qu'auparavant. Je me suis avisé d'étudier Cousin ; je l'ai étudié dans ses propres ouvrages aussi bien que dans ses échos européens et américains. J'ai eu entre les mains, par exemple, le *Charles Elwood* de Brownson. Je l'ai lu avec une profonde attention. Je l'ai trouvé logique d'un bout à l'autre ; mais les portions qui ne sont pas de la pure logique sont malheureusement les arguments primordiaux du héros incrédule du livre. Dans son résumé, il me parut évident que le raisonneur n'avait pas même réussi à se convaincre lui-même. La fin du livre a visiblement oublié le commencement, comme Trinculo son gouvernement. Bref, je ne fus pas longtemps à m'apercevoir que, si l'homme doit être intellectuellement convaincu de sa propre immortalité, il ne le sera jamais par les pures abstractions qui ont été si longtemps la manie des moralistes anglais, français et allemands. Les abstractions peuvent être un amusement et une gymnastique, mais elles ne prennent pas possession de l'esprit. Tant que nous serons sur cette terre, la philosophie, j'en suis persuadé, nous sommera toujours en vain de considérer les qualités comme des êtres. La volonté peut consentir, – mais l'âme, – mais l'intellect, jamais.

« Je répète donc que j'ai seulement senti à moitié, et que je n'ai jamais cru intellectuellement. Mais, dernièrement, il y eut en moi un certain renforcement de sentiment, qui prit une intensité assez grande pour ressembler à un acquiescement de la raison, au point que je trouve fort difficile de distinguer entre les deux. Je crois avoir le droit d'attribuer simplement cet effet à l'influence magnétique. Je ne saurais expliquer ma pensée que par une hypothèse, à savoir que l'exaltation magnétique me rend apte à concevoir un système de raisonnement qui

dans mon existence anormale me convainc, mais qui, par
une complète analogie avec le phénomène magnétique, ne
s'étend pas, excepté par son *effet*, jusqu'à mon existence
normale. Dans l'état somnambulique, il y a simultanéité
et contemporanéité entre le raisonnement et la conclusion, entre la cause et son effet. Dans mon état naturel,
la cause s'évanouissant, l'effet seul subsiste, et encore
peut-être fort affaibli.

« Ces considérations m'ont induit à penser que l'on
pourrait tirer quelques bons résultats d'une série de questions bien dirigées, proposées à mon intelligence dans
l'état magnétique. Vous avez souvent observé la profonde
connaissance de soi-même manifestée par le somnambule
et la vaste science qu'il déploie sur tous les points relatifs
à l'état magnétique. De cette connaissance de soi-même
on pourrait tirer des instructions suffisantes pour la
rédaction rationnelle d'un catéchisme.

Naturellement, je consentis à faire cette expérience.
Quelques passes plongèrent M. Vankirk dans le sommeil
magnétique. Sa respiration devint immédiatement plus
aisée, et il ne parut plus souffrir aucun malaise physique.
La conversation suivante s'engagea. – *V* dans le dialogue
représentera le somnambule, et *P*, ce sera moi.

P. Êtes-vous endormi ?

V. Oui, – non. Je voudrais bien dormir plus
profondément.

P. (après quelques nouvelles passes). Dormez-vous bien
maintenant ?

V. Oui.

P. Comment supposez-vous que finira votre maladie
actuelle ?

*V. (après une longue hésitation et parlant comme avec
effort).* J'en mourrai.

P. Cette idée de mort vous afflige-t-elle ?

V. (avec vivacité). Non, non !

P. Cette perspective vous réjouit-elle ?

V. Si j'étais éveillé, j'aimerais mourir. Mais maintenant il n'y a pas lieu de le désirer. L'état magnétique est assez près de la mort pour me contenter.

P. Je voudrais bien une explication un peu plus nette, monsieur Vankirk.

V. Je le voudrais bien aussi ; mais cela demande plus d'effort que je ne me sens capable d'en faire. Vous ne me questionnez pas convenablement.

P. Alors, que faut-il vous demander ?

V. Il faut que vous commenciez par le commencement.

P. Le commencement ! Mais où est-il, le commencement ?

V. Vous savez bien que le commencement est Dieu. *(Ceci fut dit sur un ton bas, ondoyant, et avec tous les signes de la plus profonde vénération).*

P. Qu'est-ce que Dieu ?

V. (hésitant quelques minutes). Je ne puis pas le dire.

P. Dieu n'est-il pas un esprit ?

V. Quand j'étais éveillé, je savais ce que vous entendiez par esprit. Mais maintenant, cela ne me semble plus qu'un mot, – tel, par exemple, que vérité, beauté, – une qualité enfin.

P. Dieu n'est-il pas immatériel ?

V. Il n'y a pas d'immatérialité ; – c'est un simple mot. Ce qui n'est pas matière n'est pas, – à moins que les qualités ne soient des êtres.

P. Dieu est-il donc matériel ?

V. Non. *(Cette réponse m'abasourdit).*

P. Alors, qu'est-il ?

V. (après une longue pause, et en marmottant). Je le vois, – je le vois, – mais c'est une chose très difficile à dire. *(Autre pause également longue).* Il n'est pas esprit, car il existe. Il n'est pas non plus matière, *comme vous l'entendez.* Mais il y a des *gradations* de matière dont

l'homme n'a aucune connaissance, la plus dense entraî-
nant la plus subtile, la plus subtile pénétrant la plus
dense. L'atmosphère, par exemple, met en mouvement le
principe électrique, pendant que le principe électrique
pénètre l'atmosphère. Ces *gradations* de matière aug-
mentent en raréfaction et en subtilité jusqu'à ce que nous
arrivions à une matière *imparticulée*, – sans molécules –
indivisible, – *une ;* et ici la loi d'impulsion et de pénétration est modifiée. La matière suprême ou *imparticulée*
non seulement pénètre les êtres, mais met tous les êtres
en mouvement – et ainsi elle *est* tous les êtres en un, qui
est elle-même. Cette matière est Dieu. Ce que les hommes
cherchent à personnifier dans le mot *pensée*, c'est la
matière en mouvement.

P. Les métaphysiciens maintiennent que toute action
se réduit à mouvement et pensée, et que celle-ci est l'origine de celui-là.

V. Oui ; je vois maintenant la confusion d'idées. Le
mouvement est l'action de l'esprit, non de la pensée. La
matière imparticulée, ou Dieu, à l'état de repos, est,
autant que nous pouvons le concevoir, ce que les
hommes appellent esprit. Et cette faculté d'automouve-
ment – équivalente en effet à la volonté humaine – est
dans la matière imparticulée le résultat de son unité et de
son omnipotence ; comment, je ne le sais pas, et maintenant je vois clairement que je ne le saurai jamais ; mais
la matière imparticulée, mise en mouvement par une loi
ou une qualité contenue en elle, est pensante.

P. Ne pouvez-vous pas me donner une idée plus précise
de ce que vous entendez par matière imparticulée ?

V. Les matières dont l'homme a connaissance
échappent aux sens, à mesure que l'on monte l'échelle.
Nous avons, par exemple, un métal, un morceau de bois,
une goutte d'eau, l'atmosphère, un gaz, le calorique,
l'électricité, l'éther lumineux. Maintenant, nous appelons
toutes ces choses matière, et nous embrassons toute

matière dans une définition générale ; mais, en dépit de tout ceci, il n'y a pas deux idées plus essentiellement distinctes que celle que nous attachons au métal et celle que nous attachons à l'éther lumineux. Si nous prenons ce dernier, nous sentons une presque irrésistible tentation de le classer avec l'esprit ou avec le néant. La seule considération qui nous retient est notre conception de sa constitution atomique. Et encore ici même, avons-nous besoin d'appeler à notre aide et de nous remémorer notre notion primitive de l'atome, c'est-à-dire de quelque chose possédant dans une infinie exiguïté la solidité, la tangibilité, la pesanteur. Supprimons l'idée de la constitution atomique, et il nous sera impossible de considérer l'éther comme une entité, ou au moins comme une matière. Faute d'un meilleur mot, nous pourrions l'appeler esprit. Maintenant, montons d'un degré au-delà de l'éther lumineux, concevons une matière qui soit à l'éther, quant à la raréfaction, ce que l'éther est au métal, et nous arrivons enfin, en dépit de tous les dogmes de l'école, à une masse unique, – à une matière imparticulée. Car, bien que nous puissions admettre une infinie petitesse dans les atomes eux-mêmes, supposer une infinie petitesse dans les espaces qui les séparent est une absurdité. Il y aura un point, – il y aura un degré de raréfaction, où, si les atomes sont en nombre suffisant, les espaces s'évanouiront, et où la masse sera absolument une. Mais la considération de la constitution atomique étant maintenant mise de côté, la nature de cette masse glisse inévitablement dans notre conception de l'esprit. Il est clair, toutefois, qu'elle est tout aussi *matière* qu'auparavant. Le vrai est qu'il est aussi impossible de concevoir l'esprit que d'imaginer ce qui n'est pas. Quand nous nous flattons d'avoir enfin trouvé cette conception, nous avons simplement donné le change à notre intelligence par la considération de la matière infiniment raréfiée.

P. Il me semble qu'il y a une insurmontable objection à cette idée de cohésion absolue, – et c'est la très faible résistance subie par les corps célestes dans leurs révolutions à travers l'espace, – résistance qui existe à un degré quelconque, cela est aujourd'hui démontré, – mais à un degré si faible qu'elle a échappé à la sagacité de Newton lui-même. Nous savons que la résistance des corps est surtout en raison de leur densité. L'absolue cohésion est l'absolue densité ; là où il n'y a pas d'intervalles, il ne peut pas y avoir de passage. Un éther absolument dense constituerait un obstacle plus efficace à la marche d'une planète qu'un éther de diamant ou de fer.

V. Vous m'avez fait cette objection avec une aisance qui est à peu près en raison de son apparente irréfutabilité. – Une étoile marche ; qu'importe que l'étoile passe à travers l'éther ou l'éther à travers elle ? Il n'y a pas d'erreur astronomique plus inexplicable que celle qui concilie le retard connu des comètes avec l'idée de leur passage à travers l'éther ; car, quelque raréfié qu'on suppose l'éther, il fera toujours obstacle à toute révolution sidérale, dans une période singulièrement plus courte que ne l'ont admis tous ces astronomes qui se sont appliqués à glisser sournoisement sur un point qu'ils jugeaient insoluble. Le retard réel est d'ailleurs à peu près égal à celui qui peut résulter du frottement de l'éther dans son passage incessant à travers l'astre. La force de retard est donc double, d'abord momentanée et complète en elle-même, et en second lieu infiniment croissante.

P. Mais dans tout cela, – dans cette identification de la pure matière avec Dieu, n'y a-t-il rien d'irrespectueux ? *(Je fus forcé de répéter cette question pour que le somnambule pût complètement saisir ma pensée).*

V. Pouvez-vous dire pourquoi la matière est moins respectée que l'esprit ? Mais vous oubliez que la matière dont je parle est, à tous égards et surtout relativement à ses hautes propriétés, la véritable *intelligence* ou *esprit* des écoles et en même temps la *matière* de ces mêmes écoles. Dieu, avec tous les pouvoirs attribués à l'esprit, n'est que la perfection de la matière.

P. Vous affirmez donc que la matière imparticulée en mouvement est pensée ?

V. En général, ce mouvement est la pensée universelle de l'esprit universel. Cette pensée crée. Toutes les choses créées ne sont que les pensées de Dieu.

P. Vous dites : en général.

V. Oui, l'esprit universel est Dieu ; pour les nouvelles individualités, la *matière* est nécessaire.

P. Mais vous parlez maintenant d'esprit et de matière comme les métaphysiciens.

V. Oui, pour éviter la confusion. Quand je dis esprit, j'entends la matière imparticulée ou suprême ; sous le nom de matière, je comprends toutes les autres espèces.

P. Vous disiez : pour les nouvelles individualités, la matière est nécessaire.

V. Oui, car l'esprit existant incorporellement, c'est Dieu. Pour créer des êtres individuels pensants, il était nécessaire d'incarner des portions de l'esprit divin. C'est ainsi que l'homme est individualisé ; dépouillé du vêtement corporel, il serait Dieu. Maintenant, le mouvement spécial des portions incarnées de la matière imparticulée, c'est la pensée de l'homme, comme le mouvement de l'ensemble est celle de Dieu.

P. Vous dites que, dépouillé de son corps, l'homme sera Dieu ?

V. (après quelque hésitation). Je n'ai pas pu dire cela, c'est une absurdité.

P. (consultant ses notes). Vous avez affirmé que, dépouillé du vêtement corporel, l'homme serait Dieu.

V. Et cela est vrai. L'homme ainsi dégagé serait Dieu, il serait désindividualisé ; mais il ne peut être ainsi dépouillé, – du moins il ne le sera jamais ; – autrement, il nous faudrait concevoir une action de Dieu revenant sur elle-même, une action futile et sans but. L'homme est une créature ; les créatures sont les pensées de Dieu, et c'est la nature d'une pensée d'être irrévocable.

P. Je ne comprends pas. Vous dites que l'homme ne pourra jamais rejeter son corps.

V. Je dis qu'il ne sera jamais sans corps.

P. Expliquez-vous.

V. Il y a deux corps : le rudimentaire et le complet, correspondant aux deux conditions de la chenille et du papillon. Ce que nous appelons mort n'est que la métamorphose douloureuse ; notre incarnation actuelle est progressive, préparatoire, temporaire ; notre incarnation future est parfaite, finale, immortelle. La vie finale est le but suprême.

P. Mais nous avons une notion palpable de la métamorphose de la chenille.

V. Nous, certainement, mais non la chenille. La matière dont notre corps rudimentaire est composé est à la portée des organes de ce même corps, ou, plus distinctement, nos organes rudimentaires sont appropriés à la matière dont est fait le corps rudimentaire, mais non à celle dont le corps suprême est composé. Le corps ultérieur ou suprême échappe donc à nos sens rudimentaires, et nous percevons seulement la coquille qui tombe en dépérissant et se détache de la forme intérieure, et non la forme intime elle-même ; mais cette forme intérieure, aussi bien que la coquille, est appréciable pour ceux qui ont déjà opéré la conquête de la vie ultérieure.

P. Vous avez dit souvent que l'état magnétique ressemblait singulièrement à la mort. Comment cela ?

V. Quand je dis qu'il ressemble à la mort, j'entends qu'il ressemble à la vie ultérieure, car, lorsque je suis magnétisé, les sens de ma vie rudimentaire sont en vacance, et je perçois les choses extérieures directement, sans organes, par un agent qui sera à mon service dans la vie ultérieure ou inorganique.

P. Inorganique ?

V. Oui. Les organes sont des mécanismes par lesquels l'individu est mis en rapport sensible avec certaines catégories et formes de la matière, à l'exclusion des autres catégories et des autres formes. Les organes de l'homme sont appropriés à sa condition rudimentaire, et à elle seule. Sa condition ultérieure, étant inorganique, est propre à une compréhension infinie de toutes choses, une seule exceptée, – qui est la nature de la volonté de Dieu, c'est-à-dire le mouvement de la matière imparticulée. Vous aurez une idée distincte du corps définitif en le concevant tout cervelle ; il n'est pas cela, mais une conception de cette nature vous rapprochera de l'idée de sa constitution réelle. Un corps lumineux communique une vibration à l'éther chargé de transmettre la lumière ; cette vibration en engendre de semblables dans la rétine, lesquelles en communiquent de semblables au nerf optique ; le nerf les traduit au cerveau, et le cerveau à la matière imparticulée qui le pénètre ; le mouvement de cette dernière est la pensée, et sa première vibration, c'était la perception. Tel est le mode par lequel l'esprit de la vie rudimentaire communique avec le monde extérieur, et ce monde extérieur est, dans la vie rudimentaire, limité par l'idiosyncrasie des organes. Mais, dans la vie ultérieure, inorganique, le monde extérieur communique avec le corps entier, – qui est d'une substance ayant quelque affinité avec le cerveau, comme je vous l'ai dit, – sans autre intervention que celle d'un éther infiniment plus subtil que l'éther lumineux ; et le corps tout entier vibre à l'unisson avec cet éther et met en mouvement la matière imparticulée dont il est pénétré. C'est donc à l'absence d'organes idiosyncrasiques qu'il faut attribuer la perception quasi illimitée de la vie ultérieure. Les organes sont des cages nécessaires où sont enfermés les êtres rudimentaires jusqu'à ce qu'ils soient garnis de toutes leurs plumes.

P. Vous parlez d'êtres rudimentaires, y a-t-il d'autres êtres rudimentaires pensants que l'homme ?

V. L'incalculable agglomération de matière subtile dans les nébuleuses, les planètes, les soleils et autres corps qui ne sont ni nébuleuses, ni soleils, ni planètes a pour unique destination de servir d'aliment aux organes idio-syncrasiques d'une infinité d'êtres rudimentaires ; mais, sans cette nécessité de la vie rudimentaire, acheminement à la vie définitive, de pareils mondes n'auraient pas existé ; chacun de ces mondes est occupé par une variété distincte de créatures organiques, rudimentaires, pensantes ; dans toutes, les organes varient avec les caractères généraux de l'habitacle. À la mort ou métamorphose, ces créatures, jouissant de la vie ultérieure, de l'immortalité, et connaissant tous les secrets, excepté l'*unique*, opèrent tous leurs actes et se meuvent dans tous les sens par un pur effet de leur volonté ; elles habitent non plus les étoiles qui nous paraissent les seuls mondes palpables et pour la commodité desquelles nous croyons stupidement que l'espace a été créé, mais l'espace lui-même, cet infini dont l'immensité véritablement substantielle absorbe les étoiles comme des ombres et pour l'œil des anges les efface comme des non-entités.

P. Vous dites que, sans la *nécessité* de la vie rudimentaire, les astres n'auraient pas été créés. Mais pourquoi cette nécessité ?

V. Dans la vie inorganique, aussi bien que généralement dans la matière inorganique, il n'y a rien qui puisse contredire l'action d'une loi simple, unique, qui est la Volition divine. La vie et la matière organiques, – complexes, substantielles et gouvernées par une loi multiple, – ont été constituées dans le but de créer un empêchement.

P. Mais encore, – où était la nécessité de créer cet empêchement ?

V. Le résultat de la loi inviolée est perfection, justice, bonheur négatif. Le résultat de la loi violée est imperfection, injustice, douleur positive. Grâce aux empêchements apportés par le nombre, la complexité ou la substantialité des lois de la vie et de la matière organiques, la violation de la loi devient jusqu'à un certain point praticable. Ainsi la douleur, qui est impossible dans la vie inorganique, est possible dans l'organique.

P. Mais en vue de quel résultat satisfaisant la possibilité de la douleur a-t-elle été créée ?

V. Toutes choses sont bonnes ou mauvaises par comparaison. Une suffisante analyse démontrera que le plaisir, dans tous les cas, n'est que le contraste de la peine. Le plaisir positif est une pure idée. Pour être heureux jusqu'à un certain point, il faut que nous ayons souffert jusqu'au même point. Ne jamais souffrir serait équivalent à n'avoir jamais été heureux. Mais il est démontré que dans la vie inorganique la peine ne peut pas exister ; de là la nécessité de la peine dans la vie organique. La douleur de la vie primitive sur la Terre est la seule base, la seule garantie du bonheur dans la vie ultérieure, dans le ciel.

P. Mais encore il y a une de vos expressions que je ne puis absolument pas comprendre : l'immensité véritablement *substantielle* de l'infini.

V. C'est probablement parce que vous n'avez pas une notion suffisamment générique de l'expression *substance* elle-même. Nous ne devons pas la considérer comme une qualité, mais comme un sentiment ; c'est la perception, dans les êtres pensants, de l'appropriation de la matière à leur organisation. Il y a bien des choses sur la Terre qui seraient néant pour les habitants de Vénus, bien des choses visibles et tangibles dans Vénus, dont nous sommes incompétents à apprécier l'existence. Mais, pour les êtres inorganiques, – pour les anges, – la totalité de la matière imparticulée est substance, c'est-à-dire que, pour eux, la totalité de ce que nous appelons espace est la plus véritable substantialité. Cependant, les astres, pris au point de vue matériel, échappent au sens angélique dans la même proportion que la matière imparticulée, prise au point de vue immatériel, échappe aux sens organiques.

Comme le somnambule, d'une voix faible, prononçait ces derniers mots, j'observai dans sa physionomie une singulière expression qui m'alarma un peu et me décida à le réveiller immédiatement. Je ne l'eus pas plus tôt fait qu'il tomba en arrière sur son oreiller et expira, avec un brillant sourire qui illuminait tous ses traits. Je remarquai que moins d'une minute après son corps avait l'immuable rigidité de la pierre ; son front était d'un froid de glace, tel sans doute que je l'eusse trouvé après une longue pression de la main d'Azraël. Le somnambule, pendant la dernière partie de son discours, m'avait-il donc parlé du fond de la région des ombres ?

SOUVENIRS DE M. AUGUSTE BEDLOE

Vers la fin de l'année 1827, pendant que je demeurais près de Charlottesville, dans la Virginie, je fis par hasard la connaissance de M. Auguste Bedloe. Ce jeune gentleman était remarquable à tous égards et excitait en moi une curiosité et un intérêt profonds. Je jugeai impossible de me rendre compte de son être tant physique que moral. Je ne pus obtenir sur sa famille aucun renseignement positif. D'où venait-il ? Je ne le sus jamais bien. Même relativement à son âge, quoique je l'aie appelé un jeune gentleman, il y avait quelque chose qui m'intriguait au suprême degré. Certainement il semblait jeune, et même il affectait de parler de sa jeunesse ; cependant, il y avait des moments où je n'aurais guère hésité à le supposer âgé d'une centaine d'années. Mais c'était surtout son extérieur qui avait un aspect tout à fait particulier. Il était singulièrement grand et mince ; – se voûtant beaucoup ; – les membres excessivement longs et émaciés ; – le front large et bas ; – une complexion absolument exsangue ; – sa bouche, large et flexible, et ses dents, quoique saines, plus irrégulières que je n'en vis jamais dans aucune bouche humaine. L'expression de son sourire, toutefois, n'était nullement désagréable, comme on pourrait le supposer ; mais elle n'avait aucune espèce de nuance. C'était une profonde mélancolie, une tristesse sans phases et sans intermittences. Ses yeux étaient d'une largeur anormale et ronds comme ceux d'un chat. Les pupilles elles-mêmes subissaient une contraction et une dilatation proportionnelles à l'accroissement et à la diminution de la lumière, exactement comme on l'a observé dans les races félines. Dans les moments d'excitation, les prunelles devenaient brillantes à un degré presque inconcevable et semblaient émettre des rayons lumineux d'un éclat non réfléchi, mais intérieur, comme fait un flambeau ou le soleil ; toutefois, dans leur condition habituelle, elles étaient tellement ternes, inertes et nuageuses qu'elles faisaient penser aux yeux d'un corps enterré depuis longtemps.

Ces particularités personnelles semblaient lui causer beaucoup d'ennui, et il y faisait continuellement allusion dans un style semi-explicatif, semi-justificatif qui, la première fois que je l'entendis, m'impressionna très péniblement. Toutefois, je m'y accoutumai bientôt et mon déplaisir se dissipa. Il semblait avoir l'intention d'insinuer, plutôt que d'affirmer positivement, que physiquement il n'avait pas toujours été ce qu'il était ; qu'une longue série d'attaques névralgiques l'avait réduit d'une condition de beauté personnelle non commune à celle que je voyais. Depuis plusieurs années, il recevait les soins d'un médecin nommé Templeton, – un vieux gentleman âgé de soixante-dix ans, peut-être, – qu'il avait pour la première fois rencontré à Saratoga et des soins duquel il tira dans ce temps, ou crut tirer, un grand secours. Le résultat fut que Bedloe, qui était riche, fit un arrangement avec le docteur Templeton, par lequel ce dernier, en échange d'une généreuse rémunération annuelle, consentit à consacrer exclusivement son temps et son expérience médicale à soulager le malade.

Le docteur Templeton avait voyagé dans les jours de sa jeunesse, et était devenu à Paris un des sectaires les plus ardents des doctrines de Mesmer. C'était uniquement par le moyen des remèdes magnétiques qu'il avait réussi à soulager les douleurs aiguës de son malade ; et ce succès avait très naturellement inspiré à ce dernier une certaine confiance dans les opinions qui servaient de base à ces remèdes. D'ailleurs, le docteur, comme tous les enthousiastes, avait travaillé de son mieux à faire de son pupille un parfait prosélyte, et finalement il réussit si bien qu'il décida le patient à se soumettre à de nombreuses expériences. Fréquemment répétées, elles amenèrent un résultat qui, depuis longtemps, est devenu assez commun pour n'attirer que peu ou point l'attention, mais qui, à l'époque dont je parle, s'était très rarement manifesté en Amérique. Je veux dire qu'entre le docteur Templeton et Bedloe s'était établi peu à peu un rapport magnétique très distinct et très fortement accentué. Je n'ai pas toutefois l'intention d'affirmer que ce rapport s'étendît au-delà des limites de la puissance somnifère; mais cette puissance elle-même avait atteint une grande intensité. À la première tentative faite pour produire le sommeil magnétique, le disciple de Mesmer échoua complètement. À la cinquième ou sixième, il ne réussit que très imparfaitement, et après des efforts opiniâtres. Ce fut seulement à la douzième que le triomphe fut complet. Après celle-là, la volonté du patient succomba rapidement sous celle du médecin, si bien que, lorsque je fis pour la première fois leur connaissance, le sommeil arrivait presque instantanément par un pur acte de volition de l'opérateur, même quand le malade n'avait pas conscience de sa présence. C'est seulement maintenant, en l'an 1845, quand de semblables miracles ont été journellement attestés par des milliers d'hommes, que je me hasarde à citer cette apparente impossibilité comme un fait positif.

Le tempérament de Bedloe était au plus haut degré sensitif, excitable, enthousiaste. Son imagination, singulièrement vigoureuse et créatrice, tirait sans doute une force additionnelle de l'usage habituel de l'opium, qu'il consommait en grande quantité, et sans lequel l'existence lui eût été impossible. C'était son habitude d'en prendre une bonne dose immédiatement après son déjeuner, chaque matin, – ou plutôt immédiatement après une tasse de fort café, car il ne mangeait rien dans l'avant-midi, – et alors il partait seul, ou seulement accompagné d'un chien, pour une longue promenade à travers la chaîne de sauvages et lugubres hauteurs qui courent à l'ouest et au sud de Charlottesville, et qui sont décorées ici du nom de *Ragged Mountains*[1].

Par un jour sombre, chaud et brumeux, vers la fin de novembre, et durant l'étrange interrègne de saisons que nous appelons en Amérique l'été indien, M. Bedloe partit, suivant son habitude, pour les montagnes. Le jour s'écoula, et il ne revint pas.

Vers huit heures du soir, étant sérieusement alarmés par cette absence prolongée, nous allions nous mettre à sa recherche, quand il reparut inopinément, ni mieux ni plus mal portant, et plus animé que de coutume. Le récit qu'il fit de son expédition et des événements qui l'avaient retenu fut en vérité des plus singuliers :

– Vous vous rappelez, dit-il, qu'il était environ neuf heures du matin quand je quittai Charlottesville. Je dirigeai immédiatement mes pas vers la montagne et, vers dix heures, j'entrai dans une gorge qui était entièrement nouvelle pour moi. Je suivis toutes les sinuosités de cette passe avec beaucoup d'intérêt. – Le théâtre qui se présentait de tous côtés, quoique ne méritant peut-être pas l'appellation de sublime, portait en soi un caractère indescriptible, et pour moi délicieux, de lugubre désolation. La solitude semblait absolument vierge. Je ne pouvais m'empêcher de croire que les gazons verts et les roches grises que je foulais n'avaient jamais été foulés par un pied humain. L'entrée du ravin est si complètement

---

1. *Montagnes déchirées* ; une branche des Montagnes bleues, *Blue Ridge*, partie orientale des Alleghanys. – C. B.

cachée, et de fait inaccessible, excepté à travers une série d'accidents, qu'il n'était pas du tout impossible que je fusse en vérité le premier aventurier, – le premier et le seul qui eût jamais pénétré ces solitudes.

« L'épais et singulier brouillard ou fumée qui distingue l'été indien, et qui s'étendait alors pesamment sur tous les objets, approfondissait sans doute les impressions vagues que ces objets créaient en moi. Cette brume poétique était si dense que je ne pouvais jamais voir au-delà d'une douzaine de yards de ma route. Ce chemin était excessivement sinueux et, comme il était impossible de voir le soleil, j'avais perdu toute idée de la direction dans laquelle je marchais. Cependant, l'opium avait produit son effet accoutumé, qui est de revêtir tout le monde extérieur d'une intensité d'intérêt. Dans le tremblement d'une feuille, – dans la couleur d'un brin d'herbe, – dans la forme d'un trèfle, – dans le bourdonnement d'une abeille, – dans l'éclat d'une goutte de rosée, – dans le soupir du vent, – dans les vagues odeurs qui venaient de la forêt, – se produisait tout un monde d'inspirations, – une procession magnifique et bigarrée de pensées désordonnées et rapsodiques.

« Tout occupé par ces rêveries, je marchai plusieurs heures, durant lesquelles le brouillard s'épaissit autour de moi à un degré tel que je fus réduit à chercher mon chemin à tâtons. Et alors un indéfinissable malaise s'empara de moi. Je craignais d'avancer, de peur d'être précipité dans quelque abîme. Je me souvins aussi d'étranges histoires sur ces *Ragged Mountains*, et de races d'hommes bizarres et sauvages qui habitaient leurs bois et leurs cavernes. Mille pensées vagues me pressaient et me déconcertaient, – pensées que leur vague rendait encore plus douloureuses. Tout à coup mon attention fut arrêtée par un fort battement de tambour.

« Ma stupéfaction, naturellement, fut extrême. Un tambour, dans ces montagnes, était chose inconnue. Je n'aurais pas été plus surpris par le son de la trompette de l'Archange. Mais une nouvelle et bien plus extraordinaire cause d'intérêt et de perplexité se manifesta. J'entendais s'approcher un bruissement sauvage, un cliquetis, comme d'un trousseau de grosses clefs, – et à l'instant même un homme à moitié nu, au visage basané, passa devant moi en poussant un cri aigu. Il passa si près de ma personne que je sentis le chaud de son haleine sur ma figure. Il tenait dans sa main un instrument composé d'une série d'anneaux de fer et les secouait vigoureusement en courant. À peine avait-il disparu dans le brouillard que, haletante derrière lui, la gueule ouverte et les yeux étincelants, s'élança une énorme bête. Je ne pouvais pas me méprendre sur son espèce : c'était une hyène.

« La vue de ce monstre soulagea plutôt qu'elle n'augmenta mes terreurs ; – car j'étais bien sûr maintenant que je rêvais, et je m'efforçai, je m'excitai moi-même à réveiller ma conscience. Je marchai délibérément et lestement en avant. Je me frottai les yeux. Je criai très haut. Je me pinçai les membres. Une petite source s'étant présentée à ma vue, je m'y arrêtai, et je m'y lavai les mains, la tête et le cou. Je crus sentir se dissiper les sensations équivoques qui m'avaient tourmenté jusque-là. Il me parut, quand je me relevai, que j'étais un nouvel homme, et je poursuivis fermement et complaisamment ma route inconnue.

« À la longue, tout à fait épuisé par l'exercice et par la lourdeur oppressive de l'atmosphère, je m'assis sous un arbre. En ce moment parut un faible rayon de soleil, et l'ombre des feuilles de l'arbre tomba sur le gazon, légèrement mais suffisamment définie. Pendant quelques minutes, je fixai cette ombre avec étonnement. Sa forme me comblait de stupeur. Je levai les yeux. L'arbre était un palmier.

« Je me levai précipitamment et dans un état d'agitation terrible, – car l'idée que je rêvais n'était plus désormais suffisante. Je vis, – je sentis que j'avais le parfait gouvernement de mes sens, – et ces sens apportaient maintenant à mon âme un monde de sensations nouvelles et singulières. La chaleur devint tout d'un coup intolérable. Une étrange odeur chargeait la brise. – Un murmure profond et continuel, comme celui qui s'élève d'une rivière abondante, mais coulant régulièrement, vint à mes oreilles, entremêlé du bourdonnement particulier d'une multitude de voix humaines.

« Pendant que j'écoutais, avec un étonnement qu'il est bien inutile de vous décrire, un fort et bref coup de vent enleva, comme une baguette de magicien, le brouillard qui chargeait la terre.

« Je me trouvai au pied d'une haute montagne dominant une vaste plaine, à travers laquelle coulait une majestueuse rivière. Au bord de cette rivière s'élevait une ville d'un aspect oriental, telle que nous en voyons dans les *Mille et Une Nuits*, mais d'un caractère encore plus singulier qu'aucune de celles qui y sont décrites. De ma position, qui était bien au-dessus du niveau de la ville, je pouvais apercevoir tous ses recoins et tous ses angles, comme s'ils eussent été dessinés sur une carte. Les rues paraissaient innombrables et se croisaient irrégulièrement dans toutes les directions, mais ressemblaient moins à des rues qu'à de longues allées contournées, et fourmillaient littéralement d'habitants. Les maisons étaient étrangement pittoresques. De chaque côté, c'était une véritable débauche de balcons, de vérandas, de minarets, de niches et de tourelles fantastiquement découpées. Les bazars abondaient ; les plus riches marchandises s'y déployaient avec une variété et une profusion infinie : soies, mousselines, la plus éblouissante coutellerie, diamants et bijoux des plus magnifiques. À côté de ces choses, on voyait de tous côtés des pavillons, des palanquins, des litières où se trouvaient de magnifiques dames sévèrement voilées, des éléphants fastueusement caparaçonnés, des idoles grotesquement taillées, des tambours, des bannières et des gongs, des lances, des casse-tête dorés et argentés. Et parmi la foule, la clameur, la mêlée et la confusion générales, parmi un million d'hommes noirs et jaunes, en turban et en robe, avec la barbe flottante, circulait une multitude innombrable de bœufs saintement enrubannés, pendant que des légions de singes malpropres et sacrés grimpaient, jacassant et piaillant, après les corniches des mosquées, ou se suspendaient aux minarets et aux tourelles. Des rues fourmillantes aux quais de la rivière descendaient d'innombrables escaliers qui conduisaient à des bains, pendant que la rivière elle-même semblait avec peine se frayer un passage à travers les vastes flottes de bâtiments surchargés qui tourmentaient sa surface en tous sens. Au-delà des murs de la ville s'élevaient fréquemment en groupes majestueux, le palmier et le cocotier, avec d'autres arbres d'un grand âge, gigantesques et solennels ; et çà et là on pouvait apercevoir un champ de riz, la hutte de chaume d'un paysan, une citerne, un temple isolé, un camp de gypsies, ou une gracieuse fille solitaire prenant sa route, avec une cruche sur sa tête, vers les bords de la magnifique rivière.

« Maintenant, sans doute, vous direz que je rêvais ; mais nullement. Ce que je voyais, – ce que j'entendais, – ce que je sentais, – ce que je pensais n'avait rien en soi de l'idiosyncrasie non méconnaissable du rêve. Tout se tenait logiquement et faisait corps. D'abord, doutant si j'étais réellement éveillé, je me soumis à une série d'épreuves qui me convainquirent bien vite que je l'étais réellement. Or, quand quelqu'un rêve, et que dans son rêve il soupçonne qu'il rêve, le soupçon ne manque jamais de se confirmer et le dormeur est presque immédiatement réveillé. Ainsi, Novalis ne se trompe pas en disant que *nous sommes près de nous réveiller quand nous rêvons que nous rêvons.* Si la vision s'était offerte à moi telle que je l'eusse soupçonnée d'être un rêve, alors elle eût pu être purement un rêve ; mais, se présentant comme je l'ai dit, et suspectée et vérifiée comme elle le fut, je suis forcé de la classer parmi d'autres phénomènes.

– En cela, je n'affirme pas que vous ayez tort, remarqua le docteur Templeton. Mais poursuivez. Vous vous levâtes, et vous descendîtes dans la cité.

– Je me levai, continua Bedloe en regardant le docteur avec un air de profond étonnement ; je me levai, comme vous dîtes, et descendis dans la cité. Sur ma route, je tombai au milieu d'une immense populace qui encombrait chaque avenue, se dirigeant toute dans le même sens et montrant dans son action la plus violente animation. Très soudainement, et sous je ne sais quelle pression inconcevable, je me sentis profondément pénétré d'un intérêt personnel dans ce qui allait arriver. Je croyais sentir que j'avais un rôle important à jouer, sans comprendre exactement quel il était. Contre la foule qui m'environnait j'éprouvais toutefois un profond sentiment d'animosité. Je m'arrachai du milieu de cette cohue, et rapidement, par un chemin circulaire, j'arrivai à la ville, et j'y entrai. Elle était en proie au tumulte et à la plus violente discorde. Un petit détachement d'hommes ajustés moitié à l'indienne, moitié à l'européenne, et commandés par des gentlemen qui portaient un uniforme en partie anglais, soutenait un combat très inégal contre la populace fourmillante des avenues. Je rejoignis cette faible troupe, je me saisis des armes d'un officier tué, et je frappai au hasard avec la férocité nerveuse du désespoir. Nous fûmes bientôt écrasés par le nombre et contraints de chercher un refuge dans une espèce de kiosque. Nous nous y barricadâmes, et nous fûmes pour le moment en sûreté. Par une meurtrière, près du sommet du kiosque, j'aperçus une vaste foule dans une agitation furieuse, entourant et assaillant un beau palais qui dominait la rivière. Alors, par une fenêtre supérieure du palais, descendit un personnage d'une apparence efféminée, au moyen d'une corde faite avec les turbans de ses domestiques. Un bateau était tout près, dans lequel il s'échappa vers le bord opposé de la rivière.

« Et alors un nouvel objet prit possession de mon âme. J'adressai à mes compagnons quelques paroles précipitées, mais énergiques, et, ayant réussi à en rallier quelques-uns à mon dessein, je fis une sortie furieuse hors du kiosque. Nous nous précipitâmes sur la foule qui l'assiégeait. Ils s'enfuirent d'abord devant nous. Ils se rallièrent, combattirent comme des enragés, et firent une nouvelle retraite. Cependant, nous avions été emportés loin du kiosque, et nous étions perdus et embarrassés dans des rues étroites, étouffées par de hautes maisons, dans le fond desquelles le soleil n'avait jamais envoyé sa lumière. La populace se pressait impétueusement sur nous, nous harcelait avec ses lances, et nous accablait de ses volées de flèches. Ces dernières étaient remarquables et ressemblaient en quelque sorte au kriss tortillé des Malais ; – imitant le mouvement d'un serpent qui rampe, – longues et noires, avec une pointe empoisonnée. L'une d'elles me frappa à la tempe droite. Je pirouettai, je tombai. Un mal instantané et terrible s'empara de moi. Je m'agitai, – je m'efforçai de respirer, – je mourus.

– Vous ne vous obstinerez plus sans doute, dis-je en souriant, à croire que toute votre aventure n'est pas un rêve ? Êtes-vous décidé à soutenir que vous êtes mort ?

Quand j'eus prononcé ces mots, je m'attendais à quelque heureuse saillie de Bedloe, en manière de réplique ; mais, à mon grand étonnement, il hésita, trembla, devint terriblement pâle et garda le silence. Je levai les yeux sur Templeton. Il se tenait droit et roide sur sa chaise ; – ses dents claquaient et ses yeux s'élançaient de leurs orbites.

– Continuez, dit-il enfin à Bedloe d'une voix rauque.

– Pendant quelques minutes, poursuivit ce dernier, ma seule impression, – ma seule sensation, – fut celle de la nuit et du non-être, avec la conscience de la mort. À la longue, il me sembla qu'une secousse violente et soudaine comme l'électricité traversait mon âme. Avec cette secousse vint le sens de l'élasticité et de la lumière. Quant à cette dernière, je la sentis, je ne la vis pas. En un instant, il me sembla que je m'élevais de terre ; mais je ne possédais pas ma présence corporelle, visible, audible, ou palpable. La foule s'était retirée. Le tumulte avait cessé. La ville était comparativement calme. Au-dessous de moi gisait mon corps, avec la flèche dans ma tempe, toute la tête grandement enflée et défigurée. Mais toutes ces choses, je les sentis, – je ne les vis pas. Je ne pris d'intérêt à rien. Et même le cadavre me semblait un objet avec lequel je n'avais rien de commun. Je n'avais aucune volonté, mais il me sembla que j'étais mis en mouvement et que je m'envolais légèrement hors de l'enceinte de la ville par le même circuit que j'avais pris pour y entrer. Quand j'eus atteint, dans la montagne, l'endroit du ravin où j'avais rencontré l'hyène, j'éprouvai de nouveau un choc comme celui d'une pile galvanique ; le sentiment de la pesanteur, celui de substance rentrèrent en moi. Je redevins moi-même, mon propre individu, et je dirigeai vivement mes pas vers mon logis ; – mais le passé n'avait pas perdu l'énergie vivante de la réalité, – et maintenant encore je ne puis contraindre mon intelligence, même pour une minute, à considérer tout cela comme un songe.

– Ce n'en était pas un, dit Templeton, avec un air de profonde solennité ; mais il serait difficile de dire quel autre terme définirait le mieux le cas en question. Supposons que l'âme de l'homme moderne est sur le bord de quelques prodigieuses découvertes psychiques. Contentons-nous de cette hypothèse. Quant au reste, j'ai quelques éclaircissements à donner. Voici une peinture à l'aquarelle que je vous aurais déjà montrée si un indéfinissable sentiment d'horreur ne m'en avait pas empêché jusqu'à présent.

Nous regardâmes la peinture qu'il nous présentait. Je n'y vis aucun caractère bien extraordinaire ; mais son effet sur Bedloe fut prodigieux. À peine l'eut-il regardée qu'il faillit s'évanouir. Et cependant, ce n'était qu'un portrait à la miniature, un portrait merveilleusement fini, à vrai dire, de sa propre physionomie si originale. Du moins, telle fut ma pensée en la regardant.

– Vous apercevez la date de la peinture, dit Templeton ; elle est là, à peine visible, dans ce coin, – 1780. C'est dans cette année que cette peinture fut faite. C'est le portrait d'un ami défunt, – un M. Oldeb, – à qui je m'attachai très vivement à Calcutta, durant l'administration de Warren Hastings. Je n'avais alors que vingt ans. Quand je vous vis pour la première fois, monsieur Bedloe, à Saratoga, ce fut la miraculeuse similitude qui existait entre vous et le portrait qui me détermina à vous aborder, à rechercher votre amitié et à amener ces arrangements qui firent de moi votre compagnon perpétuel. En agissant ainsi, j'étais poussé en partie, et peut-être principalement, par les souvenirs pleins de regrets du défunt, mais d'une autre part aussi par une curiosité inquiète à votre endroit, et qui n'était pas dénuée d'une certaine terreur.

« Dans votre récit de la vision qui s'est présentée à vous dans les montagnes, vous avez décrit, avec le plus minutieux détail, la ville indienne de Bénarès, sur la Rivière-Sainte. Les rassemblements, les combats, le massacre, c'étaient les épisodes réels de l'insurrection de Cheyte-Sing, qui eut lieu en 1780, alors que Hastings courut les plus grands dangers pour sa vie. L'homme qui s'est échappé par la corde faite de turbans, c'était Cheyte-Sing lui-même. La troupe du kiosque était composée de cipayes et d'officiers anglais, Hastings à leur tête. Je faisais partie de cette troupe, et je fis tous mes efforts pour empêcher cette imprudente et fatale sortie de l'officier qui tomba dans la bagarre sous la flèche empoisonnée d'un Bengali. Cet officier était mon plus cher ami. C'était Oldeb. Vous verrez par ce manuscrit, – ici le narrateur produisit un livre de notes, dans lequel quelques pages paraissaient d'une date toute fraîche, – que, pendant que vous *pensiez* ces choses au milieu de la montagne, j'étais occupé ici, à la maison, à les *décrire* sur le papier.

Une semaine environ après cette conversation, l'article suivant parut dans un journal de Charlottesville :

« C'est pour nous un devoir douloureux d'annoncer la mort de M. Auguste Bedlo, un gentleman que ses manières charmantes et ses nombreuses vertus avaient depuis longtemps rendu cher aux citoyens de Charlottesville.

» M. B., depuis quelques années, souffrait d'une névralgie qui avait souvent menacé d'aboutir fatalement ; mais elle ne peut être regardée que comme la cause indirecte de sa mort. La cause immédiate fut d'un caractère singulier et spécial. Dans une excursion qu'il fit dans les *Ragged Mountains*, il y a quelques jours, il contracta un léger rhume avec de la fièvre, qui fut suivi d'un grand mouvement du sang à la tête. Pour le soulager, le docteur Templeton eut recours à la saignée locale. Des sangsues furent appliquées aux tempes. Dans un délai effroyablement court, le malade mourut, et l'on s'aperçut que, dans le bocal qui contenait les sangsues, avait été introduite par hasard une de ces sangsues vermiculaires venimeuses qui se rencontrent çà et là dans les étangs circonvoisins. Cette bête se fixa d'elle-même sur une petite artère de la tempe droite. Son extrême ressemblance avec la sangsue médicinale fit que la méprise fut découverte trop tard.

» *N.B.* – La sangsue venimeuse de Charlottesville peut toujours se distinguer de la sangsue médicinale par sa noirceur et spécialement par ses tortillements, ou mouvements vermiculaires, qui ressemblent beaucoup à ceux d'un serpent. »

Je me trouvais avec l'éditeur du journal en question, et nous causions de ce singulier accident, quand il me vint à l'idée de lui demander pourquoi l'on avait imprimé le nom du défunt avec l'orthographe : *Bedlo*.

– Je présume, dis-je, que vous avez quelque autorité pour l'orthographier ainsi ; j'ai toujours cru que le nom devait s'écrire avec un *e* à la fin.

– Autorité ? non, répliqua-t-il. C'est une simple erreur du typographe. Le nom est Bedloe avec un *e* ; c'est connu de tout le monde, et je ne l'ai jamais vu écrit autrement.

– Il peut donc se faire, murmurai-je en moi-même, comme je tournai sur mes talons, qu'une vérité soit plus étrange que toutes les fictions ; – car qu'est-ce que Bedlo sans *e*, si ce n'est Oldeb retourné ? Et cet homme me dit que c'est une faute typographique !

MORELLA

Lui-même, par lui-même, avec lui-même
homogène éternel.

PLATON.

Ce que j'éprouvais relativement à mon amie Morella
était une profonde mais très singulière affection. Ayant
fait sa connaissance par hasard, il y a nombre d'années,
mon âme, dès notre première rencontre, brûla de feux
qu'elle n'avait jamais connus ; – mais ces feux n'étaient
point ceux d'Éros et ce fut pour mon esprit un amer
tourment que la conviction croissante que je ne pourrais
jamais définir leur caractère insolite, ni régulariser leur
intensité errante. Cependant, nous nous convînmes, et la
destinée nous fit nous unir à l'autel. Jamais je ne parlai
de passion, jamais je ne songeai à l'amour. Néanmoins,
elle fuyait la société, et, s'attachant à moi seul, elle me
rendit heureux. Être étonné, c'est un bonheur ; – et rêver,
n'est-ce pas un bonheur aussi ?

L'érudition de Morella était profonde. Comme j'espère
le montrer, ses talents n'étaient pas d'un ordre secon-
daire ; la puissance de son esprit était gigantesque. Je le
sentis, et dans mainte occasion, je devins son écolier.
Toutefois, je m'aperçus bientôt que Morella, en raison de
son éducation faite à Presbourg, étalait devant moi bon
nombre de ces écrits mystiques qui sont généralement

considérés comme l'écume de la première littérature allemande. Ces livres, pour des raisons que je ne pouvais
concevoir, faisaient son étude constante et favorite ; – et
si avec le temps ils devinrent aussi la mienne, il ne faut
attribuer cela qu'à la simple mais très efficace influence
de l'habitude et de l'exemple.

.En toutes ces choses, si je ne me trompe, ma raison
n'avait presque rien à faire. Mes convictions, ou je ne me
connais plus moi-même, n'étaient en aucune façon basées
sur l'idéal et on n'aurait pu découvrir, à moins que je ne
m'abuse grandement, aucune teinture du mysticisme de
mes lectures, soit dans mes actions, soit dans mes pensées. Persuadé de cela, je m'abandonnai aveuglément à la
direction de ma femme, et j'entrai avec un cœur imper-
turbé dans le labyrinthe de ses études. Et alors, – quand,
me plongeant dans des pages maudites, je sentais un
esprit maudit qui s'allumait en moi, – Morella venait,
posant sa main froide sur la mienne et ramassant dans
les cendres d'une philosophie morte quelques graves et
singulières paroles qui, par leur sens bizarre, s'incrus-
taient dans ma mémoire. Et alors, pendant des heures, je
m'étendais, rêveur, à son côté, et je me plongeais dans la
musique de sa voix, – jusqu'à ce que cette mélodie à la
longue s'infectât de terreur ; – et une ombre tombait sur
mon âme, et je devenais pâle, et je frissonnais intérieurement à ces sons trop extraterrestres. Et ainsi, la jouissance s'évanouissait soudainement dans l'horreur, et
l'idéal du beau devenait l'idéal de la hideur, comme la
vallée de Hinnom est devenue la Géhenne.

Il est inutile d'établir le caractère exact des problèmes
qui, jaillissant des volumes dont j'ai parlé, furent pendant longtemps presque le seul objet de conversation
entre Morella et moi. Les gens instruits dans ce que l'on
peut appeler la morale théologique les concevront facilement, et ceux qui sont illettrés n'y comprendraient que
peu de chose en tout cas. L'étrange panthéisme de Fichte,

la Palingénésie modifiée des Pythagoriciens, et, par-
dessus tout, la doctrine de l'*identité* telle qu'elle est présentée par Schelling, étaient généralement les points de
discussion qui offraient le plus de charmes à l'imaginative Morella. Cette identité, dite personnelle, M. Locke,
je crois, la fait judicieusement consister dans la perma-
nence de l'être rationnel. En tant que par personne nous
entendons une essence pensante, douée de raison, et en
tant qu'il existe une conscience qui accompagne toujours
la pensée, c'est elle, – cette conscience, – qui nous fait
tous être ce que nous appelons *nous-même*, – nous distin-
guant ainsi des autres êtres pensants, et nous donnant
notre identité personnelle. Mais le *principium individua-
tionis*, – la notion de cette identité qui, *à la mort, est, ou
n'est pas perdue à jamais*, fut pour moi, en tout temps, un
problème du plus intense intérêt, non seulement à cause
de la nature inquiétante et embarrassante de ses conséquences, mais aussi à cause de la façon singulière et agitée dont en parlait Morella.

Mais, en vérité, le temps était maintenant arrivé où le
mystère de la nature de ma femme m'oppressait comme
un charme. Je ne pouvais plus supporter l'attouchement
de ses doigts pâles, ni le timbre profond de sa parole
musicale, ni l'éclat de ses yeux mélancoliques. Et elle
savait tout cela, mais ne m'en faisait aucun reproche ; elle
semblait avoir conscience de ma faiblesse ou de ma folie,
et, tout en souriant, elle appelait cela la Destinée. Elle
semblait aussi avoir conscience de la cause, à moi inconnue, de l'altération graduelle de mon amitié ; mais elle ne
me donnait aucune explication et ne faisait aucune allusion à la nature de cette cause. Morella toutefois n'était
qu'une femme, et elle dépérissait journellement. À la
longue, une tache pourpre se fixa immuablement sur sa
joue, et les veines bleues de son front pâle devinrent proé-
minentes. Et ma nature se fondait parfois en pitié ; mais,

un moment après, je rencontrais l'éclair de ses yeux chargés de pensées, et alors mon âme se trouvait mal et éprouvait le vertige de celui dont le regard a plongé dans quelque lugubre et insondable abîme.

Dirai-je que j'aspirais, avec un désir intense et dévorant, au moment de la mort de Morella ? Cela fut ainsi ; mais le fragile esprit se cramponna à son habitacle d'argile pendant bien des jours, bien des semaines et bien des mois fastidieux, si bien qu'à la fin mes nerfs torturés remportèrent la victoire sur ma raison ; et je devins furieux de tous ces retards, et avec un cœur de démon je maudis les jours, et les heures, et les minutes amères qui semblaient s'allonger et s'allonger sans cesse, à mesure que sa noble vie déclinait, comme les ombres dans l'agonie du jour.

Mais, un soir d'automne, comme l'air dormait immobile dans le ciel, Morella m'appela à son chevet. Il y avait un voile de brume sur toute la terre, et un chaud embrasement sur les eaux, et, à voir les splendeurs d'octobre dans le feuillage de la forêt, on eût dit qu'un bel arc-en-ciel s'était laissé choir du firmament.

– Voici le jour des jours, dit-elle quand j'approchai, le plus beau des jours pour vivre ou pour mourir. C'est un beau jour pour les fils de la terre et de la vie, – ah ! plus beau encore pour les filles du ciel et de la mort !

Je baisai son front, et elle continua :

– Je vais mourir, cependant je vivrai.

– Morella !

– Ils n'ont jamais été, ces jours où il t'aurait été permis de m'aimer ; – mais celle que, dans la vie, tu abhorras, dans la mort tu l'adoreras.

– Morella !

– Je répète que je vais mourir. Mais en moi est un gage de cette affection – ah ! quelle mince affection ! – que vous avez éprouvée pour moi, Morella. Et, quand mon esprit partira, l'enfant vivra, – ton enfant, mon enfant à moi, Morella. Mais tes jours seront des jours pleins de chagrin, – de ce chagrin qui est la plus durable des impressions, comme le cyprès est le plus vivace des arbres ; car les heures de ton bonheur sont passées, et la joie ne se cueille pas deux fois dans une vie, comme les roses de Pæstum deux fois dans une année. Tu ne joueras plus avec le temps le jeu de l'homme de Téos ; le myrte et la vigne te seront choses inconnues, et partout sur la terre tu porteras avec toi ton suaire, comme le musulman de La Mecque.

– Morella ! m'écriai-je, Morella ! comment sais-tu cela ?

Mais elle retourna son visage sur l'oreiller ; un léger tremblement courut sur ses membres, elle mourut, et je n'entendis plus sa voix.

Cependant, comme elle l'avait prédit, son enfant, – auquel en mourant elle avait donné naissance, et qui ne respira qu'après que la mère eut cessé de respirer, – son enfant, une fille, vécut. Et elle grandit étrangement en taille et en intelligence, et devint la parfaite ressemblance de celle qui était partie, et je l'aimai d'un plus fervent amour que je ne me serais cru capable d'en éprouver pour aucune habitante de la Terre.

Mais, avant qu'il fût longtemps, le ciel de cette pure affection s'assombrit, et la mélancolie, et l'horreur, et l'angoisse y défilèrent en nuages. J'ai dit que l'enfant grandit étrangement en taille et en intelligence. Étrange, en vérité, fut le rapide accroissement de la nature corporelle, – mais terribles, oh ! terribles furent les tumultueuses pensées qui s'amoncelèrent sur moi, pendant que je surveillais le développement de son être intellectuel. Pouvait-il en être autrement, quand je découvrais chaque jour dans les conceptions de l'enfant la puissance adulte et les facultés de la femme ? – quand les leçons de l'expérience tombaient des lèvres de l'enfance ? – quand je voyais à chaque instant la sagesse et les passions de la

maturité jaillir de cet œil noir et méditatif ? Quand, dis-je,
tout cela frappa mes sens épouvantés, – quand il fut
impossible à mon âme de se le dissimuler plus longtemps,
– à mes facultés frissonnantes de repousser cette certitude, – y a-t-il lieu de s'étonner que des soupçons d'une
nature terrible et inquiétante se soient glissés dans mon
esprit, ou que mes pensées se soient reportées avec horreur vers les contes étranges et les pénétrantes théories
de la défunte Morella ? J'arrachai à la curiosité du
monde un être que la destinée me commandait d'adorer,
et, dans la rigoureuse retraite de mon intérieur, je veillai
avec une anxiété mortelle sur tout ce qui concernait la
créature aimée.

Et comme les années se déroulaient, et comme chaque
jour je contemplais son saint, son doux, son éloquent
visage, et comme j'étudiais ses formes mûrissantes,
chaque jour je découvrais de nouveaux points de ressemblance entre l'enfant et sa mère, la mélancolique et la
morte. Et, d'instant en instant, ces ombres de ressemblance s'épaississaient, toujours plus pleines, plus défi-
nies, plus inquiétantes et plus affreusement terribles dans
leur aspect. Car, que son sourire ressemblât au sourire
de sa mère, je pouvais l'admettre ; mais cette ressemblance était une *identité* qui me donnait le frisson ; – que
ses yeux ressemblassent à ceux de Morella, je devais le
supporter ; mais aussi ils pénétraient trop souvent dans
les profondeurs de mon âme avec l'étrange et intense pensée de Morella elle-même. Et dans le contour de son
front élevé, et dans les boucles de sa chevelure soyeuse,
et dans ses doigts pâles qui s'y plongeaient d'*habitude*, et
dans le timbre grave et musical de sa parole, et par-dessus
tout, – oh ! par-dessus tout, – dans les phrases et les
expressions de la morte sur les lèvres de l'aimée, de la
vivante, je trouvais un aliment pour une horrible pensée
dévorante, – pour un ver qui ne voulait pas mourir.

Ainsi passèrent deux lustres de sa vie, et toujours ma fille restait sans nom sur la terre. *Mon enfant* et *mon amour* étaient les appellations habituellement dictées par l'affection paternelle, et la sévère réclusion de son existence s'opposait à toute autre relation. Le nom de Morella était mort avec elle. De la mère, je n'avais jamais parlé à la fille ; – il m'était impossible d'en parler. En réalité, durant la brève période de son existence, cette dernière n'avait reçu aucune impression du monde extérieur, excepté celles qui avaient pu lui être fournies dans les étroites limites de sa retraite.

À la longue, cependant, la cérémonie du baptême s'offrit à mon esprit, dans cet état d'énervation et d'agitation, comme l'heureuse délivrance des terreurs de ma destinée. Et, aux fonts baptismaux, j'hésitai sur le choix d'un nom. Et une foule d'épithètes de sagesse et de beauté, de noms tirés des temps anciens et modernes de mon pays et des pays étrangers, vint se presser sur mes lèvres, et une multitude d'appellations charmantes de noblesse, de bonheur et de bonté.

Qui m'inspira donc alors d'agiter le souvenir de la morte enterrée ? Quel démon me poussa à soupirer un son dont le simple souvenir faisait toujours refluer mon sang par torrents des tempes au cœur ? Quel méchant esprit parla du fond des abîmes de mon âme, quand, sous ces voûtes obscures et dans le silence de la nuit, je chuchotai dans l'oreille du saint homme les syllabes « Morella » ? Quel être, plus que démon, convulsa les traits de mon enfant et les couvrit des teintes de la mort, quand, tressaillant à ce nom à peine perceptible, elle tourna ses yeux limpides du sol vers le ciel, et, tombant prosternée sur les dalles noires de notre caveau de famille, répondit : *Me voilà !*

Ces simples mots tombèrent distincts, froidement, tranquillement distincts, dans mon oreille, et, de là, comme du plomb fondu, roulèrent en sifflant dans ma cervelle. Les années, les années peuvent passer, mais le souvenir de cet instant, – jamais ! Ah ! les fleurs et la vigne n'étaient pas choses inconnues pour moi ; – mais l'aconit et le cyprès m'ombragèrent nuit et jour. Et je perdis tout sentiment du temps et des lieux, et les étoiles de ma destinée disparurent du ciel, et dès lors la terre devint ténébreuse, et toutes les figures terrestres passèrent près de moi comme des ombres voltigeantes, et parmi elles je n'en voyais qu'une, – Morella ! Les vents du firmament ne soupiraient qu'un son à mes oreilles, et le clapotement de la mer murmurait incessamment : « Morella ! » Mais elle mourut, et, de mes propres mains je la portai à sa tombe, et je ris d'un amer et long rire, quand, dans le caveau où je déposai la seconde, je ne découvris aucune trace de la première – Morella.

LIGEIA

> Et il y a là-dedans la volonté, qui ne
> meurt pas. Qui donc connaît les mystères
> de la volonté, ainsi que sa vigueur ! Car
> Dieu n'est qu'une grande volonté péné-
> trant toutes choses par l'intensité qui lui
> est propre. L'homme ne cède aux anges
> et ne se rend entièrement à la mort que
> par l'infirmité de sa pauvre volonté.
>
> JOSEPH GLANVILL.

Je ne puis pas me rappeler, sur mon âme, comment,
quand, ni même où je fis pour la première fois connaissance avec lady Ligeia. De longues années se sont écoulées depuis lors, et une grande souffrance a affaibli ma
mémoire. Ou peut-être ne puis-je plus *maintenant* me rappeler ces points, parce qu'en vérité le caractère de ma
bien-aimée, sa rare instruction, son genre de beauté, si
singulier et si placide, et la pénétrante et subjugante éloquence de sa profonde parole musicale ont fait leur
chemin dans mon cœur d'une manière si patiente, si
constante, si furtive que je n'y ai pas pris garde et n'en
ai pas eu conscience.

Cependant, je crois que je la rencontrai pour la première fois, et plusieurs fois depuis lors, dans une vaste et
antique ville délabrée sur les bords du Rhin. Quant à sa
famille, – très certainement elle m'en a parlé. Qu'elle fût
d'une date excessivement ancienne, je n'en fais aucun

doute. – Ligeia ! Ligeia ! – Plongé dans des études qui
par leur nature sont plus propres que toute autre à amor-
tir les impressions du monde extérieur, – il me suffit de
ce mot si doux, – Ligeia ! – pour ramener devant les yeux
de ma pensée l'image de celle qui n'est plus. Et maintenant, pendant que j'écris, il me revient, comme une lueur,
que je n'ai *jamais su* le nom de famille de celle qui fut
mon amie et ma fiancée, qui devint mon compagnon
d'études, et enfin l'épouse de mon cœur. Était-ce par
suite de quelque injonction folâtre de ma Ligeia, –
était-ce une preuve de la force de mon affection que je
ne pris aucun renseignement sur ce point ? Ou plutôt
était-ce un caprice à moi, – une offrande bizarre et
romantique sur l'autel du culte le plus passionné ? Je me
me rappelle le fait que confusément ; – faut-il donc
s'étonner si j'ai entièrement oublié les circonstances qui
lui donnèrent naissance ou qui l'accompagnèrent ? Et, en
vérité, si jamais l'esprit de roman, – si jamais la pâle
Ashotophet de l'idolâtre Égypte, aux ailes ténébreuses,
ont présidé, comme on dit, aux mariages de sinistre
augure, – très sûrement ils ont présidé au mien.

Il est néanmoins un sujet très cher sur lequel ma
mémoire n'est pas en défaut, c'est la *personne* de Ligeia.
Elle était d'une grande taille, un peu mince, et même dans
les derniers jours très amaigrie. J'essayerais en vain de
dépeindre la majesté, l'aisance tranquille de sa démarche
et l'incompréhensible légèreté, l'élasticité de son pas ; elle
venait et s'en allait comme une ombre. Je ne m'apercevais
jamais de son entrée dans mon cabinet de travail que par
la chère musique de sa voix douce et profonde, quand
elle posait sa main de marbre sur mon épaule. Quant à
la beauté de la figure, aucune femme ne l'a jamais égalée.
C'était l'éclat d'un rêve d'opium, une vision aérienne et
ravissante, plus étrangement céleste que les rêveries qui
voltigeaient dans les âmes assoupies des filles de Délos.
Cependant, ses traits n'étaient pas jetés dans ce moule

régulier qu'on nous a faussement enseigné à révérer dans
les ouvrages classiques du paganisme. « Il n'y a pas de
beauté exquise, dit lord Verulam, parlant avec justesse de
toutes les formes et de tous les genres de beauté, sans
une certaine *étrangeté* dans les proportions. » Toutefois,
bien que je visse que les traits de Ligeia n'étaient pas
d'une régularité classique, quoique je sentisse que sa
beauté était véritablement *exquise* et fortement pénétrée
de cette *étrangeté*, je me suis efforcé en vain de découvrir
cette irrégularité et de poursuivre jusqu'en son gîte ma
perception de l'étrange. J'examinais le contour du front
haut et pâle, – un front irréprochable, – combien ce mot
est froid appliqué à une majesté aussi divine ! – la peau
rivalisant avec le plus pur ivoire, la largeur imposante, le
calme, la gracieuse proéminence des régions au-dessus
des tempes, et puis cette chevelure d'un noir de corbeau,
lustrée, luxuriante, naturellement bouclée et démontrant
toute la force de l'expression homérique : *chevelure d'hya-
cinthe*. Je considérais les lignes délicates du nez, et nulle
autre part que dans les gracieux médaillons hébraïques
je n'avais contemplé une semblable perfection ; c'était ce
même jet, cette même surface unie et superbe, cette même
tendance presque imperceptible à l'aquilin, ces mêmes
narines harmonieusement arrondies et révélant un esprit
libre. Je regardais la charmante bouche ; c'était là
qu'était le triomphe de toutes les choses célestes ; le tour
glorieux de la lèvre supérieure, un peu courte, l'air doucement, voluptueusement reposé de l'inférieure, les fossettes qui se jouaient et la couleur qui parlait, les dents,
réfléchissant comme une espèce d'éclair chaque rayon de
la lumière bénie qui tombait sur elles dans ses sourires
sereins et placides, mais toujours radieux et triomphants.
J'analysais la forme du menton, et, là aussi, je trouvais
la grâce dans la largeur, la douceur et la majesté, la
plénitude et la spiritualité grecques, ce contour que le
dieu Apollon ne révéla qu'en rêve à Cléomènes, fils de

Cléomènes d'Athènes ; et puis je regardais dans les grands yeux de Ligeia.

Pour les yeux, je ne trouve pas de modèles dans la plus lointaine Antiquité. Peut-être bien était-ce dans les yeux de ma bien-aimée que se cachait le mystère dont parle lord Verulam : ils étaient, je crois, plus grands que les yeux ordinaires de l'humanité ; mieux fendus que les plus beaux yeux de gazelle de la tribu de la vallée de Nourjahad ; mais ce n'était que par intervalles, dans des moments d'excessive animation, que cette particularité devenait singulièrement frappante. Dans ces moments-là, sa beauté était – du moins, elle apparaissait telle à ma pensée enflammée – la beauté de la fabuleuse houri des Turcs. Les prunelles étaient du noir le plus brillant et surplombées par des cils de jais très longs ; ses sourcils, d'un dessin légèrement irrégulier, avaient la même couleur ; toutefois, l'*étrangeté* que je trouvais dans les yeux était indépendante de leur forme, de leur couleur et de leur éclat, et devait décidément être attribuée à l'*expression*. Ah ! mot qui n'a pas de sens ! un pur son ! vaste latitude où se retranche toute notre ignorance du spirituel ! L'expression des yeux de Ligeia !... Combien de longues heures ai-je médité dessus ! combien de fois, durant toute une nuit d'été, me suis-je efforcé de les sonder ! Qu'était donc ce je ne sais quoi, ce quelque chose plus profond que le puits de Démocrite, qui gisait au fond des pupilles de ma bien-aimée ? Qu'était cela ?... J'étais possédé de la passion de le découvrir. Ces yeux ! ces larges, ces brillantes, ces divines prunelles ! elles étaient devenues pour moi les étoiles jumelles de Léda, et, moi, j'étais pour elles le plus fervent des astrologues.

Il n'y a pas de cas, parmi les nombreuses et incompréhensibles anomalies de la science psychologique, qui soit plus saisissant, plus excitant que celui, – négligé, je crois, dans les écoles, – où, dans nos efforts pour ramener dans notre mémoire une chose oubliée depuis longtemps, nous

nous trouvons souvent *sur le bord même* du souvenir,
sans pouvoir toutefois nous souvenir. Et ainsi que de fois,
dans mon ardente analyse des yeux de Ligeia, ai-je senti
s'approcher la complète connaissance de leur expression !
– Je l'ai sentie s'approcher, mais elle n'est pas devenue
tout à fait mienne, et à la longue elle a disparu entièrement ! Et, étrange, oh ! le plus étrange des mystères ! J'ai
trouvé dans les objets les plus communs du monde une
série d'analogies pour cette expression. Je veux dire
qu'après l'époque où la beauté de Ligeia passa dans mon
esprit et s'y installa comme dans un reliquaire je puisai
dans plusieurs êtres du monde matériel une sensation
analogue à celle qui se répandait sur moi, en moi, sous
l'influence de ses larges et lumineuses prunelles. Cependant, je n'en suis pas moins incapable de définir ce sentiment, de l'analyser, ou même d'en avoir une perception
nette. Je l'ai reconnu quelquefois, je le répète, à l'aspect
d'une vigne rapidement grandie, dans la contemplation
d'une phalène, d'un papillon, d'une chrysalide, d'un courant d'eau précipité. Je l'ai trouvé dans l'Océan, dans la
chute d'un météore ; je l'ai senti dans les regards de
quelques personnes extraordinairement âgées. Il y a dans
le ciel une ou deux étoiles, plus particulièrement une
étoile de sixième grandeur, double et changeante, qu'on
trouvera près de la grande étoile de la Lyre, qui, vues au
télescope, m'ont donné un sentiment analogue. Je m'en
suis senti rempli par certains sons d'instruments à cordes,
et quelquefois aussi par des passages de mes lectures.
Parmi d'innombrables exemples, je me rappelle fort bien
quelque chose dans un volume de Joseph Glanvill, qui,
peut-être simplement à cause de sa bizarrerie, – qui sait ?
– m'a toujours inspiré le même sentiment. « Et il y a
là-dedans la volonté qui ne meurt pas. Qui donc connaît
les mystères de la volonté, ainsi que sa vigueur ? car Dieu
n'est qu'une grande volonté pénétrant toutes choses par
l'intensité qui lui est propre ; l'homme ne cède aux anges

et ne se rend entièrement à la mort que par l'infirmité de sa pauvre volonté. »

Par la suite des temps et par des réflexions subséquentes, je suis parvenu à déterminer un certain rapport éloigné entre ce passage du philosophe anglais et une partie du caractère de Ligeia. Une *intensité* singulière dans la pensée, dans l'action, dans la parole était peut-être en elle le résultat ou au moins l'indice de cette gigantesque puissance de volition qui, durant nos longues relations, eût pu donner d'autres et plus positives preuves de son existence. De toutes les femmes que j'ai connues, elle, la toujours placide Ligeia, à l'extérieur si calme, était la proie la plus déchirée par les tumultueux vautours de la cruelle passion. Et je ne pouvais évaluer cette passion que par la miraculeuse expansion de ces yeux qui me ravissaient et m'effrayaient en même temps, par la mélodie presque magique, la modulation, la netteté et la placidité de sa voix profonde, et par la sauvage énergie des étranges paroles qu'elle prononçait habituellement, et dont l'effet était doublé par le contraste de son débit.

J'ai parlé de l'instruction de Ligeia ; elle était immense, telle que jamais je n'en vis de pareille dans une femme. Elle connaissait à fond les langues classiques, et, aussi loin que s'étendaient mes propres connaissances dans les langues modernes de l'Europe, je ne l'ai jamais prise en faute. Véritablement, sur n'importe quel thème de l'érudition académique si vantée, si admirée, uniquement à cause qu'elle est plus abstruse, ai-je jamais trouvé Ligeia en faute ? Combien ce trait unique de la nature de ma femme, seulement dans cette dernière période, avait frappé, subjugué mon attention ! J'ai dit que son instruction dépassait celle d'aucune femme que j'eusse connue, – mais où est l'homme qui a traversé avec succès tout le vaste champ des sciences morales, physiques et mathématiques ? Je ne vis pas alors ce que maintenant je perçois clairement, que les connaissances de Ligeia étaient gigantesques, étourdissantes ; cependant, j'avais une conscience suffisante de son infinie supériorité pour me résigner, avec la confiance d'un écolier, à me laisser guider par elle à travers le monde chaotique des investigations métaphysiques dont je m'occupais avec ardeur dans les premières années de notre mariage. Avec quel vaste triomphe, avec quelles vives délices, avec quelle espérance éthéréenne sentais-je, – ma Ligeia penchée sur moi au milieu d'études si peu frayées, si peu connues, – s'élargir par degrés cette admirable perspective, cette longue avenue, splendide et vierge, par laquelle je devais enfin arriver au terme d'une sagesse trop précieuse et trop divine pour n'être pas interdite !

Aussi, avec quelle poignante douleur ne vis-je pas, au bout de quelques années, mes espérances si bien fondées prendre leur vol et s'enfuir ! Sans Ligeia, je n'étais qu'un enfant tâtonnant dans la nuit. Sa présence, ses leçons pouvaient seules éclairer d'une lumière vivante les mystères du transcendantalisme dans lesquels nous nous étions plongés. Privée du lustre rayonnant de ses yeux, toute cette littérature, ailée et dorée naguère, devenait maussade, saturnienne et lourde comme le plomb. Et maintenant, ces beaux yeux éclairaient de plus en plus rarement les pages que je déchiffrais. Ligeia tomba malade. Les étranges yeux flamboyèrent avec un éclat trop splendide ; les pâles doigts prirent la couleur de la mort, la couleur de la cire transparente ; les veines bleues de son grand front palpitèrent impétueusement au courant de la plus douce émotion : je vis qu'il lui fallait mourir, et je luttai désespérément en esprit avec l'affreux Azraël.

Et les efforts de cette femme passionnée furent, à mon grand étonnement, encore plus énergiques que les miens. Il y avait certes dans sa sérieuse nature de quoi me faire croire que pour elle la mort viendrait sans son monde de terreurs. Mais il n'en fut pas ainsi ; les mots sont impuissants pour donner une idée de la férocité de résistance qu'elle déploya dans sa lutte avec l'Ombre. Je gémissais d'angoisse à ce lamentable spectacle. J'aurais voulu la calmer, j'aurais voulu la raisonner ; mais, dans l'intensité de son sauvage désir de vivre, – de vivre, – de *rien* que vivre, – toute consolation et toutes raisons eussent été le comble de la folie. Cependant, jusqu'au dernier moment, au milieu des tortures et des convulsions de son sauvage esprit, l'apparente placidité de sa conduite ne se démentit pas. Sa voix devenait plus douce, – devenait plus profonde, – mais je ne voulais pas m'appesantir sur le sens bizarre de ces mots prononcés avec tant de calme. Ma cervelle tournait quand je prêtais l'oreille en extase à cette mélodie surhumaine, à ces ambitions et à ces aspirations que l'humanité n'avait jamais connues jusqu'alors.

Qu'elle m'aimât, je n'en pouvais douter, et il m'était aisé de deviner que, dans une poitrine telle que la sienne, l'amour ne devait pas régner comme une passion ordinaire. Mais, dans la mort seulement, je compris toute la force et toute l'étendue de son affection. Pendant de longues heures, ma main dans la sienne, elle épanchait devant moi le trop-plein d'un cœur dont le dévouement plus que passionné montait jusqu'à l'idolâtrie. Comment avais-je mérité la béatitude d'entendre de pareils aveux ? Comment avais-je mérité d'être damné à ce point que ma bien-aimée me fût enlevée à l'heure où elle m'en octroyait la jouissance ? Mais il ne m'est pas permis de m'étendre sur ce sujet. Je dirai seulement que dans l'abandonnement plus que féminin de Ligeia à un amour, hélas ! non mérité, accordé tout à fait gratuitement, je reconnus enfin le principe de son ardent, de son sauvage regret de cette vie qui fuyait maintenant si rapidement. C'est cette ardeur désordonnée, cette véhémence dans son désir de la vie, – et de *rien* que la vie, – que je n'ai pas la puissance de décrire ; les mots me manqueraient pour l'exprimer.

Juste au milieu de la nuit pendant laquelle elle mourut, elle m'appela avec autorité auprès d'elle, et me fit répéter certains vers composés par elle peu de jours auparavant. Je lui obéis. Ces vers, les voici :

Voyez ! c'est nuit de gala
Depuis ces dernières années désolées !
Une multitude d'anges, ailés, ornés
De voiles, et noyés dans les larmes,
Est assise dans un théâtre, pour voir
Un drame d'espérance et de craintes,
Pendant que l'orchestre soupire par intervalles
La musique des sphères.

Des mimes, faits à l'image du Dieu très-haut,
Marmottent et marmonnent tout bas
Et voltigent de côté et d'autre ;
Pauvres poupées qui vont et viennent
Au commandement des vastes êtres sans forme
Qui transportent la scène çà et là,
Secouant de leurs ailes de condor
L'invisible Malheur !

Ce drame bigarré ! oh ! à coup sûr,
Il ne sera pas oublié,
Avec son Fantôme éternellement pourchassé
Par une foule qui ne peut pas le saisir,
À travers un cercle qui toujours retourne
Sur lui-même, exactement au même point !
Et beaucoup de Folie, et encore plus de Péché
Et d'Horreur font l'âme de l'intrigue !

Mais voyez, à travers la cohue des mimes,
Une forme rampante fait son entrée !
Une chose rouge de sang qui vient en se tordant
De la partie solitaire de la scène !
Elle se tord ! elle se tord ! – Avec des angoisses mortelles
Les mimes deviennent sa pâture,
Et les séraphins sanglotent en voyant les dents du ver
Mâcher des caillots de sang humain.

> *Toutes les lumières s'éteignent – toutes –, toutes !*
> *Et sur chaque forme frissonnante,*
> *Le rideau, vaste drap mortuaire,*
> *Descend avec la violence d'une tempête,*
> *– Et les anges, tous pâles et blêmes,*
> *Se levant et se dévoilant, affirment*
> *Que ce drame est une tragédie qui s'appelle l'Homme,*
> *Et dont le héros est le ver conquérant.*

– Ô Dieu ! cria presque Ligeia, se dressant sur ses pieds et étendant ses bras vers le ciel dans un mouvement spasmodique, comme je finissais de réciter ces vers, ô Dieu ! ô Père céleste ! – ces choses s'accompliront-elles irrémissiblement ? – Ce conquérant ne sera-t-il jamais vaincu ? – Ne sommes-nous pas une partie et une parcelle de Toi ? Qui donc connaît les mystères de la volonté ainsi que sa vigueur ? L'homme ne cède aux anges et ne se rend *entièrement à la mort* que par l'infirmité de sa pauvre volonté.

Et alors, comme épuisée par l'émotion, elle laissa retomber ses bras blancs, et retourna solennellement à son lit de mort. Et, comme elle soupirait ses derniers soupirs, il s'y mêla sur ses lèvres comme un murmure indistinct. Je tendis l'oreille, et je reconnus de nouveau la conclusion du passage de Glanvill : *L'homme ne cède aux anges et ne se rend entièrement à la mort que par l'infirmité de sa pauvre volonté.*

Elle mourut ; et moi, anéanti, pulvérisé par la douleur, je ne pus pas supporter plus longtemps l'affreuse désolation de ma demeure dans cette sombre cité délabrée au bord du Rhin. Je ne manquais pas de ce que le monde appelle la fortune. Ligeia m'en avait apporté plus, beaucoup plus que n'en comporte la destinée ordinaire des mortels. Aussi, après quelques mois perdus dans un vagabondage fastidieux et sans but, je me jetai dans une espèce de retraite dont je fis l'acquisition, – une abbaye dont je ne veux pas dire le nom, – dans une des parties les plus incultes et les moins fréquentées de la belle Angleterre. La sombre et triste grandeur du bâtiment, l'aspect presque sauvage du domaine, les mélancoliques et vénérables souvenirs qui s'y rattachaient étaient à l'unisson du sentiment de complet abandon qui m'avait exilé dans cette lointaine et solitaire région. Cependant, tout en laissant à l'extérieur de l'abbaye son caractère primitif presque intact et le verdoyant délabrement qui tapissait ses murs, je me mis avec une perversité enfantine, et peut-être avec une faible espérance de distraire mes chagrins, à déployer au-dedans des magnificences plus que royales. Je m'étais, depuis l'enfance, pénétré d'un grand goût pour ces folies, et maintenant elles me revenaient comme un radotage de la douleur. Hélas ! je sens qu'on aurait pu découvrir un commencement de folie dans ces splendides et fantastiques draperies, dans ces solennelles sculptures égyptiennes, dans ces corniches et ces ameublements bizarres, dans les extravagantes arabesques de ces tapis tout fleuris d'or ! J'étais devenu un esclave de l'opium, il me tenait dans ses liens, – et tous mes travaux et mes plans avaient pris la couleur de mes rêves. Mais je ne m'arrêterai pas au détail de ces absurdités. Je parlerai seulement de cette chambre, maudite à jamais, où dans un moment d'aliénation mentale je conduisis à l'autel et pris pour épouse, – après l'inoubliable Ligeia ! – lady Rowena Trevanion de Tremaine, à la blonde chevelure et aux yeux bleus.

Il n'est pas un détail d'architecture ou de la décoration de cette chambre nuptiale qui ne soit maintenant présent à mes yeux. Où donc la hautaine famille de la fiancée avait-elle l'esprit, quand, mue par la soif de l'or, elle permit à une fille si tendrement chérie de passer le seuil d'un appartement décoré de cette étrange façon ? J'ai dit que je me rappelais minutieusement les détails de cette chambre, bien que ma triste mémoire perde souvent des choses d'une rare importance ; et pourtant il n'y avait pas dans ce luxe fantastique de système ou d'harmonie qui pût s'imposer au souvenir.

La chambre faisait partie d'une haute tour de cette abbaye, fortifiée comme un château ; elle était d'une forme pentagone et d'une grande dimension. Tout le côté sud du pentagone était occupé par une fenêtre unique, faite d'une immense glace de Venise, d'un seul morceau et d'une couleur sombre, de sorte que les rayons du soleil ou de la lune qui la traversaient jetaient sur les objets intérieurs une lumière sinistre. Au-dessus de cette énorme fenêtre se prolongeait le treillis d'une vieille vigne qui grimpait sur les murs massifs de la tour. Le plafond, de chêne presque noir, était excessivement élevé, façonné en voûte et curieusement sillonné d'ornements des plus bizarres et des plus fantastiques, d'un style semi-gothique, semi-druidique. Au fond de cette voûte mélancolique, au centre même, était suspendue, par une seule chaîne d'or faite de longs anneaux, une vaste lampe de même métal en forme d'encensoir, conçue dans le goût sarrasin et brodée de perforations capricieuses, à travers lesquelles on voyait courir et se tortiller avec la vitalité d'un serpent les lueurs continues d'un feu versicolore.

Quelques rares ottomanes et des candélabres d'une forme orientale occupaient différents endroits, et le lit aussi, – le lit nuptial, – était dans le style indien, – bas, sculpté en bois d'ébène massif, et surmonté d'un balda-quin qui avait l'air d'un drap mortuaire. À chacun des angles de la chambre se dressait un gigantesque sarco-phage de granit noir, tiré des tombes des rois en face de Louqsor, avec son antique couvercle chargé de sculptures immémoriales. Mais c'était dans la tenture de l'apparte-ment, hélas ! qu'éclatait la fantaisie capitale. Les murs, prodigieusement hauts, – au-delà même de toute propor-tion, – étaient tendus du haut jusqu'en bas d'une tapisserie lourde et d'apparence massive qui tombait par vastes nappes, – tapisserie faite avec la même matière qui avait été employée pour le tapis du parquet, les ottomanes, le lit d'ébène, le baldaquin du lit et les somptueux rideaux qui cachaient en partie la fenêtre. Cette matière était un tissu d'or des plus riches, tacheté, par intervalles réguliers, de figures arabesques, d'un pied de diamètre environ, qui enlevaient sur le fond leurs dessins d'un noir de jais. Mais ces figures ne participaient du caractère arabesque que quand on les examinait à un seul point de vue. Par un procédé aujourd'hui fort commun, et dont on retrouve la trace dans la plus lointaine Antiquité, elles étaient faites de manière à changer d'aspect. Pour une personne qui entrait dans la chambre, elles avaient l'air de simples monstruosités ; mais, à mesure qu'on avançait, ce caractère disparaissait graduellement, et, pas à pas, le visiteur changeant de place se voyait entouré d'une procession continue de formes affreuses, comme celles qui sont nées de la superstition du Nord, ou celles qui se dressent dans les sommeils coupables des moines. L'effet fantasmagorique était grandement accru par l'introduction artificielle d'un fort courant d'air continu derrière la tenture, – qui donnait au tout une hideuse et inquiétante animation.

Telle était la demeure, telle était la chambre nuptiale où je passai avec la dame de Tremaine les heures impies du premier mois de notre mariage, – et je les passai sans trop d'inquiétude.

Que ma femme redoutât mon humeur farouche, qu'elle m'évitât, qu'elle ne m'aimât que très médiocrement, – je ne pouvais pas me le dissimuler ; mais cela me faisait presque plaisir. Je la haïssais d'une haine qui appartient moins à l'homme qu'au démon. Ma mémoire se retournait, – oh ! avec quelle intensité de regret ! – vers Ligeia, l'aimée, l'auguste, la belle, la morte. Je faisais des orgies de souvenirs, je me délectais dans sa pureté, dans sa sagesse, dans sa haute nature éthéréenne, dans son amour passionné, idolâtrique. Maintenant, mon esprit brûlait pleinement et largement d'une flamme plus ardente que n'avait été la sienne. Dans l'enthousiasme de mes rêves opiacés, – car j'étais habituellement sous l'empire du poison, – je criais son nom à haute voix durant le silence de la nuit, et, le jour, dans les retraites ombreuses des vallées, comme si, par l'énergie sauvage, la passion solennelle, l'ardeur dévorante de ma passion pour la défunte je pouvais la ressusciter dans les sentiers de cette vie qu'elle avait abandonnée ; pour *toujours* ? était-ce vraiment *possible* ?

Au commencement du second mois de notre mariage, lady Rowena fut attaquée d'un mal soudain dont elle ne se releva que lentement. La fièvre qui la consumait rendait ses nuits pénibles, et, dans l'inquiétude d'un demi-sommeil, elle parlait de sons et de mouvements qui se produisaient çà et là dans la chambre de la tour, et que je ne pouvais vraiment attribuer qu'au dérangement de ses idées ou peut-être aux influences fantasmagoriques de la chambre. À la longue, elle entra en convalescence, et finalement elle se rétablit.

Toutefois, il ne s'était écoulé qu'un laps de temps fort court quand une nouvelle attaque plus violente la rejeta sur son lit de douleur, et, depuis cet accès, sa constitution, qui avait toujours été faible, ne put jamais se relever complètement. Sa maladie montra, dès cette époque, un caractère alarmant et des rechutes plus alarmantes encore, qui défiaient toute la science et tous les efforts de ses médecins. À mesure qu'augmentait ce mal chronique qui, dès lors sans doute, s'était trop bien emparé de sa constitution pour en être arraché par des mains humaines, je ne pouvais m'empêcher de remarquer une irritation nerveuse croissante dans son tempérament et une excitabilité telle que les causes les plus vulgaires lui étaient des sujets de peur. Elle parla encore, et plus souvent alors, avec plus d'opiniâtreté, des bruits, – des légers bruits, – et des mouvements insolites dans les rideaux, dont elle avait, disait-elle déjà souffert.

Une nuit, – vers la fin de septembre, – elle attira mon attention sur ce sujet désolant avec une énergie plus vive que de coutume. Elle venait justement de se réveiller d'un sommeil agité, et j'avais épié, avec un sentiment moitié d'anxiété moitié de vague terreur, le jeu de sa physionomie amaigrie. J'étais assis au chevet du lit d'ébène, sur un des divans indiens. Elle se dressa à moitié, et me parla à voix basse, dans un chuchotement anxieux, de sons qu'elle venait d'entendre, mais que je ne pouvais pas entendre, – de mouvements qu'elle venait d'apercevoir, mais que je ne pouvais apercevoir. Le vent courait activement derrière les tapisseries, et je m'appliquai à lui démontrer – ce que, je le confesse, je ne pouvais pas croire entièrement, – que ces soupirs à peine articulés et ces changements presque insensibles dans les figures du mur n'étaient que les effets naturels du courant d'air habituel. Mais une pâleur mortelle qui inonda sa face me prouva que mes efforts pour la rassurer seraient inutiles. Elle semblait s'évanouir, et je n'avais pas de domestiques à ma portée. Je me souvins de l'endroit où avait été déposé un flacon de vin léger ordonné par les médecins, et je traversai vivement la chambre pour me le procurer. Mais, comme je passais sous la lumière de la lampe, deux circonstances d'une nature saisissante attirèrent mon attention. J'avais senti que quelque chose de palpable, quoique invisible, avait frôlé légèrement ma personne, et je vis sur le tapis d'or, au centre même du riche rayonnement projeté par l'encensoir, une ombre, – une ombre faible, indéfinie, d'un aspect angélique, – telle qu'on peut se figurer l'ombre d'une Ombre. Mais, comme j'étais en proie à une dose exagérée d'opium, je ne fis que peu d'attention à ces choses, et je n'en parlai point à Rowena.

Je trouvai le vin, je traversai de nouveau la chambre, et je remplis un verre que je portai aux lèvres de ma femme défaillante. Cependant, elle était un peu remise, et elle prit le verre elle-même, pendant que je me laissais tomber sur l'ottomane, les yeux fixés sur sa personne.

Ce fut alors que j'entendis distinctement un léger bruit de pas sur le tapis et près du lit ; et, une seconde après, comme Rowena allait porter le vin à ses lèvres, je vis, – je puis l'avoir rêvé, – je vis tomber dans le verre, comme de quelque source invisible suspendue dans l'atmosphère de la chambre, trois ou quatre grosses gouttes d'un fluide brillant et couleur de rubis. Si je le vis, – Rowena ne le vit pas. Elle avala le vin sans hésitation, et je me gardai bien de lui parler d'une circonstance que je devais, après tout, regarder comme la suggestion d'une imagination surexcitée, et dont tout, les terreurs de ma femme, l'opium et l'heure, augmentait l'activité morbide.

Cependant, je ne puis pas me dissimuler qu'immédiatement après la chute des gouttes rouges un rapide changement – en mal – s'opéra dans la maladie de ma femme ; si bien que, la troisième nuit, les mains de ses serviteurs la préparaient pour la tombe, et que j'étais assis seul, son corps enveloppé dans le suaire, dans cette chambre fantastique qui avait reçu la jeune épouse. – D'étranges visions, engendrées par l'opium, voltigeaient autour de moi comme des ombres. Je promenais un œil inquiet sur les sarcophages, dans les coins de la chambre, sur les figures mobiles de la tenture et sur les lueurs vermiculaires et changeantes de la lampe du plafond. Mes yeux tombèrent alors, – comme je cherchais à me rappeler les circonstances d'une nuit précédente, – sur le même point du cercle lumineux, là où j'avais vu les traces légères d'une ombre. Mais elle n'y était plus ; et, respirant avec plus de liberté, je tournai mes regards vers la pâle et rigide figure allongée sur le lit. Alors, je sentis fondre sur moi mille souvenirs de Ligeia, – je sentis refluer vers mon cœur, avec la tumultueuse violence d'une marée, toute cette ineffable douleur que j'avais sentie quand je l'avais vue, *elle* aussi, dans son suaire. – La nuit avançait, et toujours, – le cœur plein des pensées les plus amères dont *elle* était l'objet, *elle*, mon unique, mon suprême amour, – je restais les yeux fixés sur le corps de Rowena.

Il pouvait bien être minuit, peut-être plus tôt, peut-être plus tard, car je n'avais pas pris garde au temps, quand un sanglot, très bas, très léger, mais très distinct, me tira en sursaut de ma rêverie. Je *sentis* qu'il venait du lit d'ébène, – du lit de mort. Je tendis l'oreille, dans une angoisse de terreur superstitieuse, mais le bruit ne se répéta pas. Je forçai mes yeux à découvrir un mouvement quelconque dans le corps, mais je n'en aperçus pas le moindre. Cependant, il était impossible que je me fusse trompé. J'avais entendu le bruit, faible à la vérité, et mon esprit était bien éveillé en moi. Je maintins résolument et opiniâtrement mon attention clouée au cadavre. Quelques minutes s'écoulèrent sans aucun incident qui pût jeter un peu de jour sur ce mystère. À la longue, il devint évident qu'une coloration légère, très faible, à peine sensible, était montée aux joues et avait filtré le long des petites veines déprimées des paupières. Sous la pression d'une horreur et d'une terreur inexplicables, pour lesquelles le langage de l'humanité n'a pas d'expression suffisamment énergique, je sentis les pulsations de mon cœur s'arrêter et mes membres se roidir sur place.

Cependant, le sentiment du devoir me rendit finalement mon sang-froid. Je ne pouvais pas douter plus longtemps que nous n'eussions fait prématurément nos apprêts funèbres ; – Rowena vivait encore. Il était nécessaire de pratiquer immédiatement quelques tentatives ; mais la tour était tout à fait séparée de la partie de l'abbaye habitée par les domestiques, – il n'y en avait aucun à portée de la voix, – je n'avais aucun moyen de les appeler à mon aide, à moins de quitter la chambre pendant quelques minutes, – et, quant à cela, je ne pouvais m'y hasarder. Je m'efforçai donc de rappeler à moi seul et de fixer l'âme voltigeante. Mais, au bout d'un laps de temps très court, il y eut une rechute évidente ; la couleur disparut de la joue et de la paupière, laissant une pâleur plus que marmoréenne ; les lèvres se serrèrent doublement et se recroquevillèrent dans l'expression spectrale de la mort ; une froideur et une viscosité répulsives se répandirent rapidement sur toute la surface du corps, et la complète rigidité cadavérique survint immédiatement. Je retombai en frissonnant sur le lit de repos d'où j'avais été arraché si soudainement, et je m'abandonnai de nouveau à mes rêves, à mes contemplations passionnées de Ligeia.

Une heure s'écoula ainsi, quand – était-ce, grand Dieu ! possible ? – j'eus de nouveau la perception d'un bruit vague qui partait de la région du lit. J'écoutai, au comble de l'horreur. Le son se fit entendre de nouveau, c'était un soupir. Je me précipitai vers le corps, je vis, – je vis distinctement un tremblement sur les lèvres. Une minute après, elles se relâchaient, découvrant une ligne brillante de dents de nacre. La stupéfaction lutta alors dans mon esprit avec la profonde terreur qui jusque-là l'avait dominé. Je sentis que ma vue s'obscurcissait, que ma raison s'enfuyait ; et ce ne fut que par un violent effort que je trouvai à la longue le courage de me roidir à la tâche que le devoir m'imposait de nouveau. Il y avait maintenant une carnation imparfaite sur le front, la joue et la gorge ; une chaleur sensible pénétrait tout le corps ; et même une légère pulsation remuait imperceptiblement la région du cœur.

Ma femme *vivait* ; et, avec un redoublement d'ardeur, je me mis en devoir de la ressusciter. Je frictionnai et je bassinai les tempes et les mains, et j'usai de tous les procédés que l'expérience et de nombreuses lectures médicales pouvaient me suggérer. Mais ce fut en vain. Soudainement, la couleur disparut, la pulsation cessa, l'expression de mort revint aux lèvres, et, un instant après, tout le corps reprenait sa froideur de glace, son ton livide, sa rigidité complète, son contour amorti, et toute la hideuse caractéristique de ce qui a habité la tombe pendant plusieurs jours.

Et puis je retombai dans mes rêves de Ligeia, – et de nouveau – s'étonnera-t-on que je frissonne en écrivant ces lignes ? – *de nouveau* un sanglot étouffé vint à mon oreille de la région du lit d'ébène. Mais à quoi bon détailler minutieusement les ineffables horreurs de cette nuit ? Raconterai-je combien de fois, coup sur coup, presque jusqu'au petit jour, se répéta ce hideux drame de ressuscitation ; que chaque effrayante rechute se changeait en une mort plus rigide et plus irrémédiable ; que chaque nouvelle agonie ressemblait à une lutte contre quelque invisible adversaire, et que chaque lutte était suivie de je ne sais quelle étrange altération dans la physionomie du corps ? Je me hâte d'en finir.

La plus grande partie de la terrible nuit était passée, et celle qui était morte remua de nouveau, – et cette fois-ci, plus énergiquement que jamais quoique se réveillant d'une mort plus effrayante et plus irréparable. J'avais depuis longtemps cessé tout effort et tout mouvement et je restais cloué sur l'ottomane, désespérément englouti dans un tourbillon d'émotions violentes, dont la moins terrible peut-être, la moins dévorante, était un suprême effroi. Le corps, je le répète, remuait, et, maintenant plus activement qu'il n'avait fait jusque-là. Les couleurs de la vie montaient à la face avec une énergie singulière, – les membres se relâchaient, – et, sauf que les paupières restaient toujours lourdement fermées, et que les bandeaux et les draperies funèbres communiquaient encore à la figure leur caractère sépulcral, j'aurais rêvé que Rowena avait entièrement secoué les chaînes de la Mort. Mais si, dès lors, je n'acceptai pas entièrement cette idée, je ne pus pas douter plus longtemps, quand, se levant du lit, – et vacillant, – d'un pas faible, – les yeux fermés, – à la manière d'une personne égarée dans un rêve, – l'être qui était enveloppé du suaire s'avança audacieusement et palpablement dans le milieu de la chambre.

Je ne tremblai pas, – je ne bougeai pas, – car une foule de pensées inexprimables, causées par l'air, la stature, l'allure du fantôme, se ruèrent à l'improviste dans mon cerveau, et me paralysèrent, – me pétrifièrent. Je ne bougeais pas, je contemplais l'apparition. C'était dans mes pensées un désordre fou, un tumulte inapaisable. Était-ce bien la *vivante* Rowena que j'avais en face de moi ? *cela* pouvait-il être vraiment Rowena, – lady Rowena Trevanion de Tremaine, à la chevelure blonde, aux yeux bleus ? Pourquoi, oui, *pourquoi* en doutais-je ? – Le lourd bandeau oppressait la bouche ; – pourquoi donc cela n'eût-il pas été la bouche respirante de la dame de Tremaine ? – Et les joues ? – oui, c'étaient bien là les roses du midi de sa vie ; – oui, ce pouvait être les belles joues de la vivante lady de Tremaine. – Et le menton, avec les fossettes de la santé, ne pouvait-il pas être le sien ? *Mais avait-elle donc grandi depuis sa maladie ?* Quel inexprimable délire s'empara de moi à cette idée ! D'un bond, j'étais à ses pieds ! Elle se retira à mon contact, et elle dégagea sa tête de l'horrible suaire qui l'enveloppait ; et alors déborda dans l'atmosphère fouettée de la chambre une masse énorme de longs cheveux désordonnés ; *ils étaient plus noirs que les ailes de minuit, l'heure au plumage de corbeau !* Et alors je vis la figure qui se tenait devant moi ouvrir lentement, lentement *les yeux*.

– Enfin, les voilà donc ! criai-je d'une voix retentissante ; pourrais-je jamais m'y tromper ? – Voilà bien les yeux adorablement fendus, les yeux noirs, les yeux étranges de mon amour perdu, – de lady, – de LADY LIGEIA !

METZENGERSTEIN

Pestis eram vivus, – moriens tua mors ero.

MARTIN LUTHER.

L'horreur et la fatalité se sont donné carrière dans tous les siècles. À quoi bon mettre une date à l'histoire que j'ai à raconter ? Qu'il me suffise de dire qu'à l'époque dont je parle existait dans le centre de la Hongrie une croyance secrète, mais bien établie, aux doctrines de la métempsycose. De ces doctrines elles-mêmes, de leur fausseté ou de leur probabilité, – je ne dirai rien. J'affirme, toutefois, qu'une bonne partie de notre incrédulité *vient*, – comme dit La Bruyère, qui attribue tout notre malheur à cette cause unique – *de ne pouvoir être seuls*[1].

Mais il y avait quelques points dans la superstition hongroise qui tendaient fortement à l'absurde. Les Hongrois différaient très essentiellement de leurs autorités d'Orient. Par exemple, – *l'âme*, à ce qu'ils croyaient, – je cite les termes d'un subtil et intelligent Parisien, – *ne demeure qu'une seule fois dans un corps sensible. Ainsi un*

---

1. *Mercier, dans* l'An deux mil quatre cent quarante, *soutient sérieusement les doctrines de la métempsycose, et J. d'Israeli dit qu'*il n'y a pas de système aussi simple et qui répugne moins à l'intelligence. *Le colonel Ethan Allen, le* Green Mountain Boa, *passe aussi pour avoir été sérieux métempsycosiste. – E. A. P.*

cheval, un chien, un homme même, ne sont que la ressemblance illusoire de ces êtres[1].

Les familles Berlifitzing et Metzengerstein avaient été en discorde pendant des siècles. Jamais on ne vit deux maisons aussi illustres réciproquement aigries par une inimitié aussi mortelle. Cette haine pouvait tirer son origine des paroles d'une ancienne prophétie : – *Un grand nom tombera d'une chute terrible, quand, comme le cavalier sur son cheval, la mortalité de Metzengerstein triomphera de l'immortalité de Berlifitzing.*

Certes, les termes n'avaient que peu ou point de sens. Mais des causes plus vulgaires ont donné naissance – et cela, sans remonter bien haut, – à des conséquences également grosses d'événements. En outre, les deux maisons, qui étaient voisines, avaient longtemps exercé une influence rivale dans les affaires d'un gouvernement tumultueux. De plus, des voisins aussi rapprochés sont rarement amis ; et, du haut de leurs terrasses massives, les habitants du château Berlifitzing pouvaient plonger leurs regards dans les fenêtres mêmes du palais Metzengerstein. Enfin, le déploiement d'une magnificence plus que féodale était peu fait pour calmer les sentiments irritables des Berlifitzing, moins anciens et moins riches. Y a-t-il donc lieu de s'étonner que les termes de cette prédiction, bien que tout à fait saugrenus, aient si bien créé et entretenu la discorde entre deux familles déjà prédisposées aux querelles par toutes les instigations d'une jalousie héréditaire ? La prophétie semblait impliquer, – si elle impliquait quelque chose, – un triomphe final du côté de la maison déjà plus puissante, et naturellement vivait dans la mémoire de la plus faible et de la moins influente, et la remplissait d'une aigre animosité.

---

1. *J'ignore quel est l'auteur de ce texte bizarre et obscur ; cependant je me suis permis de le rectifier légèrement, en l'adaptant au sens moral du récit. Poe cite quelquefois de mémoire et incorrectement. Le sens,*

Wilhelm, comte Berlifitzing, bien qu'il fût d'une haute origine, n'était, à l'époque de ce récit, qu'un vieux radoteur infirme, et n'avait rien de remarquable, si ce n'est une antipathie invétérée et folle contre la famille de son rival, et une passion si vive pour les chevaux et la chasse que rien, ni ses infirmités physiques, ni son grand âge, ni l'affaiblissement de son esprit, ne pouvait l'empêcher de prendre journellement sa part des dangers de cet exercice. De l'autre côté, Frédérick, baron Metzengerstein, n'était pas encore majeur. Son père, le ministre G..., était mort jeune. Sa mère, Mme Marie, le suivit bientôt. Frédérick était à cette époque dans sa dix-huitième année. Dans une ville, dix-huit ans ne sont pas une longue période de temps ; mais dans une solitude, dans une aussi magnifique solitude que cette vieille seigneurie, le pendule vibre avec une plus profonde et plus significative solennité.

Par suite de certaines circonstances résultant de l'administration de son père, le jeune baron, aussitôt après la mort de celui-ci, entra en possession de ses vastes domaines. Rarement on avait vu un noble de Hongrie posséder un tel patrimoine. Ses châteaux étaient innombrables. Le plus splendide et le plus vaste était le palais Metzengerstein. La ligne frontière de ses domaines n'avait jamais été clairement définie ; mais son parc principal embrassait un circuit de cinquante milles.

L'avènement d'un propriétaire si jeune, et d'un caractère si bien connu, à une fortune si incomparable laissait peu de place aux conjectures relativement à sa ligne probable de conduite. Et, en vérité, dans l'espace de trois jours, la conduite de l'héritier fit pâlir le renom d'Hérode et dépassa magnifiquement les espérances de ses plus enthousiastes admirateurs. De honteuses débauches, de flagrantes perfidies, des atrocités inouïes firent bientôt

---

après tout, me semble se rapprocher de l'opinion attribuée au père Kircher, – que les animaux sont des Esprits enfermés. – C. B.

comprendre à ses vassaux tremblants que rien, – ni sou-
mission servile de leur part, ni scrupules de conscience
de la sienne, – ne leur garantirait désormais de sécurité
contre les griffes sans remords de ce petit Caligula. Vers
la nuit du quatrième jour, on s'aperçut que le feu avait
pris aux écuries du château Berlifitzing, et l'opinion unanime du voisinage ajouta le crime d'incendie à la liste
déjà horrible des délits et des atrocités du baron.

Quant au jeune gentilhomme, pendant le tumulte
occasionné par cet accident, il se tenait, en apparence,
plongé dans une méditation, au haut du palais de famille
des Metzengerstein, dans un vaste appartement solitaire.
La tenture de tapisserie, riche, quoique fanée, qui pendait
mélancoliquement aux murs, représentait les figures fantastiques et majestueuses de mille ancêtres illustres. Ici
des prêtres richement vêtus d'hermine, des dignitaires
pontificaux, siégeaient familièrement avec l'autocrate et
le souverain, opposaient leur *veto* aux caprices d'un roi
temporel, ou contenaient avec le *fiat* de la toute-
puissance papale le sceptre rebelle du Grand Ennemi,
prince des ténèbres. Là, les sombres et grandes figures
des princes Metzengerstein – leurs musculeux chevaux de
guerre piétinant sur les cadavres des ennemis tombés –
ébranlaient les nerfs les plus fermes par leur forte expression ; et ici, à leur tour, voluptueuses et blanches comme
des cygnes, les images des dames des anciens jours flottaient au loin dans les méandres d'une danse fantastique
aux accents d'une mélodie imaginaire.

Mais, pendant que le baron prêtait l'oreille ou affectait
de prêter l'oreille au vacarme toujours croissant des
écuries de Berlifitzing, – et peut-être méditait quelque
trait nouveau, quelque trait décidé d'audace, – ses yeux
se tournèrent machinalement vers l'image d'un cheval
énorme, d'une couleur hors nature, et représenté dans la
tapisserie comme appartenant à un ancêtre sarrasin de la
famille de son rival. Le cheval se tenait sur le premier

plan du tableau, – immobile comme une statue, – pendant qu'un peu plus loin, derrière lui, son cavalier déconfit mourait sous le poignard d'un Metzengerstein.

Sur la lèvre de Frédérick surgit une expression diabolique, comme s'il s'apercevait de la direction que son regard avait prise involontairement. Cependant, il ne détourna pas les yeux. Bien loin de là, il ne pouvait d'aucune façon avoir raison de l'anxiété accablante qui semblait tomber sur ses sens comme un drap mortuaire. Il conciliait difficilement ses sensations incohérentes comme celles des rêves avec la certitude d'être éveillé. Plus il contemplait, plus absorbant devenait le charme, – plus il lui paraissait impossible d'arracher son regard à la fascination de cette tapisserie. Mais le tumulte du dehors devenant soudainement plus violent, il fit enfin un effort, comme à regret, et tourna son attention vers une explosion de lumière rouge, projetée en plein des écuries enflammées sur les fenêtres de l'appartement.

L'action toutefois ne fut que momentanée ; son regard retourna machinalement au mur. À son grand étonnement la tête du gigantesque coursier – chose horrible ! – avait pendant ce temps changé de position. Le cou de l'animal, d'abord incliné comme par la compassion vers le corps terrassé de son seigneur, était maintenant étendu, roide et dans toute sa longueur, dans la direction du baron. Les yeux, tout à l'heure invisibles, contenaient maintenant une expression énergique et humaine, et ils brillaient d'un rouge ardent et extraordinaire ; et les lèvres distendues de ce cheval à la physionomie enragée laissaient pleinement percevoir ses dents sépulcrales et dégoûtantes.

Stupéfié par la terreur, le jeune seigneur gagna la porte en chancelant. Comme il l'ouvrait, un éclat de lumière rouge jaillit au loin dans la salle, qui dessina nettement son reflet sur la tapisserie frissonnante ; et, comme le baron hésitait un instant sur le seuil, il tressaillit en voyant que ce reflet prenait la position exacte et remplissait précisément le contour de l'implacable et triomphant meurtrier du Berlifitzing sarrasin.

Pour alléger ses esprits affaissés, le baron Frédérick chercha précipitamment le plein air. À la porte principale du palais, il rencontra trois écuyers. Ceux-ci, avec beaucoup de difficulté et au grand péril de leur vie, comprimaient les bonds convulsifs d'un cheval gigantesque couleur de feu.

– À qui ce cheval? Où l'avez-vous trouvé? demanda le jeune homme d'une voix querelleuse et rauque, reconnaissant immédiatement que le mystérieux coursier de la tapisserie était le parfait pendant du furieux animal qu'il avait devant lui.

– C'est votre propriété, monseigneur, répliqua l'un des écuyers, du moins il n'est réclamé par aucun autre propriétaire. Nous l'avons pris comme il s'échappait, tout fumant et écumant de rage, des écuries brûlantes du château Berlifitzing. Supposant qu'il appartenait au haras des chevaux étrangers du vieux comte, nous l'avons ramené comme épave. Mais les domestiques désavouent tout droit sur la bête; ce qui est étrange, puisqu'il porte des traces évidentes du feu, qui prouvent qu'il l'a échappé belle.

– Les lettres W. V. B. sont également marquées au fer très distinctement sur son front, interrompit un second écuyer, je supposais donc qu'elles étaient les initiales de Wilhelm von Berlifitzing, mais tout le monde au château affirme positivement n'avoir aucune connaissance du cheval.

– Extrêmement singulier! dit le jeune baron, avec un air rêveur et comme n'ayant aucune conscience du sens de ses paroles. C'est, comme vous dites, un remarquable cheval, – un prodigieux cheval! bien qu'il soit, comme vous le remarquez avec justesse, d'un caractère ombrageux et intraitable; allons! qu'il soit à moi, je le veux bien, ajouta-t-il après une pause ; peut-être un cavalier tel que Frédérick de Metzengerstein pourra-t-il dompter le diable même des écuries de Berlifitzing.

— Vous vous trompez, monseigneur ; le cheval, comme nous vous l'avons dit, je crois, n'appartient pas aux écuries du comte. Si tel eût été le cas, nous connaissons trop bien notre devoir pour l'amener en présence d'une noble personne de votre famille.

— C'est vrai ! observa le baron sèchement.

Et, à ce moment, un jeune valet de chambre arriva du palais, le teint échauffé et à pas précipités. Il chuchota à l'oreille de son maître l'histoire de la disparition soudaine d'un morceau de la tapisserie, dans une chambre qu'il désigna, entrant alors dans des détails d'un caractère minutieux et circonstancié ; mais, comme tout cela fut communiqué d'une voix très basse, pas un mot ne transpira qui pût satisfaire la curiosité excitée des écuyers.

Le jeune Frédérick, pendant l'entretien, semblait agité d'émotions variées. Néanmoins, il recouvra bientôt son calme, et une expression de méchanceté décidée était déjà fixée sur sa physionomie quand il donna des ordres péremptoires pour que l'appartement en question fût immédiatement condamné et la clef remise entre ses mains propres.

— Avez-vous appris la mort déplorable de Berlifitzing, le vieux chasseur ? dit au baron un de ses vassaux, après le départ du page, pendant que l'énorme coursier que le gentilhomme venait d'adopter comme sien s'élançait et bondissait avec une furie redoublée à travers la longue avenue qui s'étendait du palais aux écuries de Metzengerstein.

— Non, dit le baron en se tournant brusquement vers celui qui parlait ; mort ! dis-tu ?

— C'est la pure vérité, monseigneur ; et je présume que, pour un seigneur de votre nom, ce n'est pas un renseignement trop désagréable.

Un rapide sourire jaillit sur la physionomie du baron.

– Comment est-il mort ?

– Dans ses efforts imprudents pour sauver la partie préférée de son haras de chasse, il a péri misérablement dans les flammes.

– En... vé... ri... té...! exclama le baron, comme impressionné lentement et graduellement par quelque évidence mystérieuse.

– En vérité, répéta le vassal.

– Horrible! dit le jeune homme avec beaucoup de calme. Et il rentra tranquillement dans le palais.

À partir de cette époque, une altération marquée eut lieu dans la conduite extérieure du jeune débauché, baron Frédérick von Metzengerstein. Véritablement, sa conduite désappointait toutes les espérances et déroutait les intrigues de plus d'une mère. Ses habitudes et ses manières tranchèrent de plus en plus et, moins que jamais, n'offrirent d'analogie sympathique quelconque avec celle de l'aristocratie du voisinage. On ne le voyait jamais au-delà des limites de son propre domaine, et, dans le vaste monde social, il était absolument sans compagnon, – à moins que ce grand cheval impétueux, hors nature, couleur de feu, qu'il monta continuellement à partir de cette époque, n'eût en réalité quelque droit mystérieux au titre d'ami.

Néanmoins, de nombreuses invitations de la part du voisinage lui arrivaient périodiquement. – « Le baron honorera-t-il notre fête de sa présence ? » – « Le baron se joindra-t-il à nous pour une chasse au sanglier ? » – « Metzengerstein ne chasse pas », – « Metzengerstein n'ira pas », – telles étaient ses hautaines et laconiques réponses.

Ces insultes répétées ne pouvaient pas être endurées par une noblesse impérieuse. De telles invitations devinrent moins cordiales, – moins fréquentes ; – avec le temps elles cessèrent tout à fait. On entendit la veuve de l'infortuné comte de Berlifitzing exprimer le vœu « que le baron fût au logis quand il désirerait n'y pas être, puisqu'il dédaignait la compagnie de ses égaux ; et qu'il fût à cheval quand il voudrait n'y pas être, puisqu'il leur préférait la société d'un cheval ». Ceci à coup sûr n'était que l'explosion niaise d'une pique héréditaire et prouvait que nos paroles deviennent singulièrement absurdes quand nous voulons leur donner une forme extraordinairement énergique.

Les gens charitables, néanmoins, attribuaient le changement de manières du jeune gentilhomme au chagrin naturel d'un fils privé prématurément de ses parents, – oubliant toutefois son atroce et insouciante conduite durant les jours qui suivirent immédiatement cette perte. Il y en eut quelques-uns qui accusèrent simplement en lui une idée exagérée de son importance et de sa dignité. D'autres, à leur tour (et parmi ceux-là peut être cité le médecin de la famille), parlèrent sans hésiter d'une mélancolie morbide et d'un mal héréditaire ; cependant, des insinuations plus ténébreuses, d'une nature plus équivoque, couraient parmi la multitude.

En réalité, l'attachement pervers du baron pour sa monture de récente acquisition, – attachement qui semblait prendre une nouvelle force dans chaque nouvel exemple que l'animal donnait de ses féroces et démoniaques inclinations, – devint à la longue, aux yeux de tous les gens raisonnables, une tendresse horrible et contre nature. Dans l'éblouissement du midi, – aux heures profondes de la nuit, – malade ou bien portant, – dans le calme ou dans la tempête, – le jeune Metzengerstein semblait cloué à la selle du cheval colossal dont les intraitables audaces s'accordaient si bien avec son propre caractère.

Il y avait de plus des circonstances qui, rapprochées des événements récents, donnaient un caractère surnaturel et monstrueux à la manie du cavalier et aux capacités de la bête. L'espace qu'elle franchissait d'un seul saut avait été soigneusement mesuré, et se trouva dépasser

d'une différence stupéfiante les conjectures les plus larges
et les plus exagérées. Le baron, en outre, ne se servait
pour l'animal d'aucun *nom* particulier, quoique tous les
chevaux de son haras fussent distingués par des appellations caractéristiques. Ce cheval-ci avait son écurie à une
certaine distance des autres ; et, quant au pansement et
à tout le service nécessaire, nul, excepté le propriétaire en
personne, ne s'était risqué à remplir ces fonctions, ni
même à entrer dans l'enclos où s'élevait son écurie particulière. On observa aussi que, quoique les trois palefre-
niers qui s'étaient emparés du coursier, quand il fuyait
l'incendie de Berlifitzing, eussent réussi à arrêter sa
course à l'aide d'une chaîne à nœud coulant, cependant
aucun des trois ne pouvait affirmer avec certitude que,
durant cette dangereuse lutte, ou à aucun moment depuis
lors, il eût jamais posé la main sur le corps de la bête.
Des preuves d'intelligence particulière dans la conduite
d'un noble cheval plein d'ardeur ne suffiraient certainement pas à exciter une attention déraisonnable ; mais il y
avait ici certaines circonstances qui eussent violenté les
esprits les plus sceptiques et les plus flegmatiques ; et l'on
disait que parfois l'animal avait fait reculer d'horreur la
foule curieuse devant la profonde et frappante signification de sa marque, – que parfois le jeune Metzengerstein
était devenu pâle et s'était dérobé devant l'expression
soudaine de son œil sérieux et quasi humain.

Parmi toute la domesticité du baron, il ne se trouva
néanmoins personne pour douter de la ferveur extraordinaire d'affection qu'excitaient dans le jeune gentilhomme
les qualités brillantes de son cheval ; personne, excepté
du moins un insignifiant petit page malvenu, dont on
rencontrait partout l'offusquante laideur, et dont les opinions avaient aussi peu d'importance qu'il est possible. Il
avait l'effronterie d'affirmer, – si toutefois ses idées valent
la peine d'être mentionnées, – que son maître ne s'était

jamais mis en selle sans un inexplicable et presque imperceptible frisson, et qu'au retour de chacune de ses longues et habituelles promenades, une expression de triomphante méchanceté faussait tous les muscles de sa face.

Pendant une nuit de tempête, Metzengerstein, sortant d'un lourd sommeil, descendit comme un maniaque de sa chambre, et, montant à cheval en toute hâte, s'élança en bondissant à travers le labyrinthe de la forêt.

Un événement aussi commun ne pouvait pas attirer particulièrement l'attention ; mais son retour fut attendu avec une intense anxiété par tous ses domestiques, quand après quelques heures d'absence, les prodigieux et magnifiques bâtiments du palais de Metzengerstein se mirent à craqueter et à trembler jusque dans leurs fondements, sous l'action d'un feu immense et immaîtrisable, – une masse épaisse et livide.

Comme les flammes, quand on les aperçut pour la première fois, avaient déjà fait un si terrible progrès que tous les efforts pour sauver une portion quelconque des bâtiments eussent été évidemment inutiles, toute la population du voisinage se tenait paresseusement à l'entour, dans une stupéfaction silencieuse, sinon apathique. Mais un objet terrible et nouveau fixa bientôt l'attention de la multitude, et démontra combien est plus intense l'intérêt excité dans les sentiments d'une foule par la contemplation d'une agonie humaine que celui qui est créé par les plus effrayants spectacles de la matière inanimée.

Sur la longue avenue de vieux chênes qui commençait à la forêt et aboutissait à l'entrée principale du palais Metzengerstein, un coursier, portant un cavalier décoiffé et en désordre, se faisait voir bondissant avec une impétuosité qui défiait le démon de la tempête lui-même.

Le cavalier n'était évidemment pas le maître de cette course effrénée. L'angoisse de sa physionomie, les efforts convulsifs de tout son être rendaient témoignage d'une

lutte surhumaine ; mais aucun son, excepté un cri unique,
ne s'échappa de ses lèvres lacérées, qu'il mordait d'outre
en outre dans l'intensité de sa terreur. En un instant, le
choc des sabots retentit avec un bruit aigu et perçant,
plus haut que le mugissement des flammes et le glapisse-
ment du vent ; – un instant encore, et, franchissant d'un
seul bond la grande porte et le fossé, le coursier s'élança
sur les escaliers branlants du palais et disparut avec son
cavalier dans le tourbillon de ce feu chaotique.

La furie de la tempête s'apaisa tout à coup et un calme
absolu prit solennellement sa place. Une flamme blanche
enveloppait toujours le bâtiment comme un suaire, et,
ruisselant au loin dans l'atmosphère tranquille, dardait
une lumière d'un éclat surnaturel, pendant qu'un nuage
de fumée s'abattait pesamment sur les bâtiments sous la
forme distincte d'un gigantesque *cheval*.

CHRONOLOGIE

1806 : Mariage, le 14 mars, de David Poe Jr. et de Mrs. Eliza Hopkins, jeune veuve de dix-neuf ans. Tous les deux sont acteurs dans la même troupe et connaissent des difficultés matérielles de toutes sortes.

1807 : Naissance du premier enfant du couple, William Henry.

1809 : Naissance d'Edgar Poe à Boston, le 19 janvier. Les Poe sont engagés pour l'hiver à New York. David Poe, qui n'a aucun succès, disparaît.

1811 : Mrs. Poe joue à Charleston, en Caroline du Nord, puis à Richmond où elle meurt le 8 décembre de tuberculose pulmonaire à l'âge de vingt-quatre ans. Edgar Poe est recueilli par les Allan et s'appellera dorénavant Edgar Allan Poe. John Allan est un riche négociant en tabac, Frances Allan, son épouse, une belle valétudinaire.

1815 : La famille Allan va en Grande-Bretagne, en Écosse d'abord, puis à Londres où le jeune Edgar Poe fréquente l'école des demoiselles Dubourg (dont le nom reparaît dans *Double assassinat dans la rue Morgue*), puis Manor House School à Stoke Newington (qui servira plus tard de décor à l'action de *William Wilson*). Poe y reçoit une solide formation intellectuelle. Ce dépaysement à un âge encore tendre lui donne aussi le sens du passé et contribuera sans doute à faire de lui le moins provincial des écrivains américains de son temps.

1820 : Retour des Allan à Richmond. Poe fréquente diverses écoles privées. Il est excellent à la nage et à la course, pratique la boxe, est très fort en latin et en français. Il s'éprend de la mère de son camarade Bob Stanard en l'honneur de qui il composera *À Hélène*, puis d'une jeune voisine de son âge, Elmira Royster.

1826 : Il entre à l'université de Virginie le 14 février. Il y étudie le français, l'espagnol, l'italien et le latin. Ses auteurs favoris sont Rollin et Byron. En décembre, John Allan le retire de l'université de Virginie en prenant prétexte de ses dettes de jeu et autres frasques, et prétend l'employer dans sa maison de commerce.

1827 : Poe refuse de se plier aux exigences de John Allan et rompt avec lui. Il se rend en avril à Boston et s'engage le 26 mai dans l'armée américaine sous le nom d'Edgar A. Perry. Il est d'abord en garnison à Fort Independence dans le port de Boston. Au début de l'été, il publie à ses frais et anonymement son premier recueil, *Tamerlan et autres poèmes*. Aucun succès. Il est transféré, le 31 octobre, à Fort Moultrie, Sullivan's Island, dans la rade de Charleston, en Caroline du Nord, qui plus tard servira de cadre au *Scarabée d'or*.

1828 : En décembre sa batterie est transférée à la forteresse Monroe en Virginie.

1829 : Il est promu sergent-major le 1er janvier. Le 4 février, il demande à John Allan de le faire entrer à West Point, le Saint-Cyr américain. Sur ces entrefaites, Mrs. Allan meurt le 28 février, sans que Poe l'ait revue. Il n'arrive à Richmond qu'après les obsèques. Le 15 avril, il obtient sa libération bien que son engagement ne soit pas encore parvenu à expiration et entreprend des démarches pour entrer à West Point. En attendant, il vit à Baltimore chez des parents et c'est là qu'il publie en décembre son second recueil de poèmes, *Al Aaraaf, Tamerlan, suivis de poèmes mineurs*.

1830 : Il entre à West Point en juin. Au début ses études se poursuivent normalement, mais bientôt il est aux prises avec les mêmes difficultés financières qu'à l'université de Virginie, faute de recevoir de John Allan des subsides suffisants.

1831 : Il cherche volontairement à se faire renvoyer de West Point en refusant d'assister aux cours. Il est expulsé le 28 janvier. Il s'installe alors à New York où il publie en avril sans doute son troisième recueil de poèmes, *Poèmes d'Edgar Poe, deuxième édition*. Il se réfugie ensuite à Baltimore chez sa tante, Mrs. Clemm. Il échappe à l'épidémie de choléra. Mais on en retrouve le souvenir dans deux contes : *Le Roi Peste* et *Le Masque de la mort rouge*. Le 13 novembre, pluie de météores sur Baltimore à laquelle il est fait allusion dans *Conversation d'Eiros avec Charmion*.

1832 : Bien que Poe n'ait obtenu aucune récompense au concours de contes organisé par le *Philadelphia Saturday Courier*, cet hebdomadaire publie à partir de janvier plusieurs de ses œuvres : *Metzengerstein, Le Duc de l'Omelette, Un événement à Jérusalem, Le Marché manqué* et *Perte d'haleine*.

1833 : Le 15 juin, le *Baltimore Saturday Visiter* organise un concours de poésie et de contes. Poe envoie un poème et six contes intitulés : *Contes de l'In-Folio Club*. Ce sont : *Epimanes, Manuscrit trouvé dans une bouteille, Lionnerie, Le Visionnaire, Siope* (plus tard intitulé *Silence*) et *Une descente dans le Maelstrom*. Il obtient le premier prix avec *Manuscrit trouvé dans une bouteille* et devient l'ami d'un des juges du concours, John Pendleton Kennedy, riche avocat et écrivain amateur.

1834 : John Allan meurt sans rien laisser à Poe.

1835 : Grâce à l'appui de John P. Kennedy, Poe fait paraître quatre contes dans le *Southern Literary Messenger* : *Bérénice, Morella, Lionnerie* et *Aventure sans pareille d'un certain Hans Pfaall*. En septembre, il s'installe à Richmond et devient secrétaire de rédaction du *Southern Literary Messenger* où dès octobre il publie *Ombre, Le Roi Peste* et *Perte d'haleine*. Mrs. Clemm et sa fille Virginia, que Poe aime passionnément, viennent le rejoindre.

1836 : Poe épouse le 16 mai sa cousine Virginia Clemm, alors âgée de moins de quatorze ans. (Elle était née le 15 août 1822.)

1837 : Dès le 3 janvier Poe quitte le *Messenger* – T. H. White, le propriétaire de cette revue, lui reprochait ses crises d'éthylisme et Poe, de son côté, souffrait d'être maintenu dans une situation subalterne mal rétribuée. Il continue cependant à collaborer au *Messenger* où il publie deux livraisons d'*Arthur Gordon Pym*. En février, Poe emmène Mrs. Clemm et Virginia à New York, mais n'y trouve aucun emploi. Ils s'installent alors durant l'été à Philadelphie. En juillet paraissent à New York *Les Aventures d'Arthur Gordon Pym*. En septembre, *Ligeia* est publié dans *The American Museum*.

1839 : Poe publie à Philadelphie un ouvrage de vulgarisation compilé de seconde main : *Initiation à la conchyliologie*, qui lui vaudra plus tard d'être accusé de plagiat. Il devient secrétaire de rédaction du *Burton's Gentleman's Magazine*. Il y publie des poèmes, de nombreux comptes rendus de livres et les contes suivants : *L'Homme dont il ne restait rien* (août), *La Chute de la maison Usher* (septembre), *William Wilson, Conversation d'Eiros avec Charmion* (octobre) *Morella* (novembre).

1840 : Il publie à Philadelphie son premier recueil de contes sous le titre de *Tales of the Grotesque and Arabesque (Contes grotesques et fantastiques)* et fait paraître en février, dans le *Gentleman's Magazine*, le conte intitulé *Pierre Pendule, l'homme d'affaires*. Mais, en juin, il rompt avec Burton, le propriétaire de la revue. Il voudrait fonder une revue à lui, qu'il appellerait « The Penn Magazine », dont il serait à la fois le rédacteur en chef et le propriétaire, mais il ne réussit pas à réunir l'argent nécessaire.

1841 : Poe devient en mars secrétaire de rédaction de *Graham's Magazine* où il avait publié dès le mois de décembre précédent *L'Homme des foules*. Il fait paraître dans cette revue les contes suivants : *Double assassinat dans la rue Morgue* (avril), *Une descente dans le Maelstrom* (mai), *L'Île de la fée* (juin), *Colloque entre Monos et Una* (qui est une préfiguration d'*Eurêka*) (juin), *Ne pariez jamais votre tête au diable* (septembre) et le 27 novembre, dans le *Saturday Evening Post, La Semaine des trois dimanches*. En décembre il estime que grâce à sa collaboration le nombre des abonnés à *Graham's Magazine* est passé de 5 500 à 25 000.

1842 : En janvier, Virginia a une première hémorragie. Poe est démoralisé. En février il publie un long compte rendu de

Barnaby Rudge, de Dickens, dont il avait prédit le dénouement dès le 1er mai 1841, avant que ne fût achevée la publication en feuilleton du roman. En avril paraît *La Vie dans la mort*, conte plus tard intitulé *Le Portrait ovale*, et en mai *Le Masque de la mort rouge*. Les numéros de ces deux mois contiennent en outre son compte rendu des *Twice-Told Tales* de Hawthorne où il définit sa conception du conte. Il rompt avec Graham en mai. Malgré son succès, sa situation matérielle ne s'est pas sensiblement améliorée et il songe une fois de plus à fonder une revue qui lui appartienne en propre. Il publie *Le Jardin paysage* en octobre dans *The Ladies' Companion* et dans la même revue, en novembre, décembre et en janvier 1843, *Le Mystère de Marie Roget*.

1843 : *Le Cœur révélateur* paraît en janvier dans le n° 1 de *The Pioneer* et *Le Puits et le Pendule* dans *Gift*. Le 31 janvier, Poe conclut un accord avec Thomas C. Clarke et O.C. Darley pour le lancement d'une revue dont il serait le seul maître, *The Stylus*, et il devient, en attendant, rédacteur du *Saturday Museum* de Clarke. Il se rend en mars à Washington pour essayer de réunir l'argent nécessaire à la fondation de *The Stylus* et aussi pour tenter d'obtenir une sinécure dans un ministère, mais il s'enivre à plusieurs reprises et par suite échoue dans ses démarches. Il se trouve à son retour dans un grand dénuement et obligé d'emprunter de l'argent à Griswold. Les 21 et 28 juin paraît *Le Scarabée d'or* dans le *Dollar Newspaper*. Ce conte a un immense succès et est aussitôt réimprimé dans la *Saturday Review* de Philadelphie. Le *U.S. Saturday Post* publie *Le Chat noir* en août et le *Saturday Courier*, *De l'escroquerie considérée comme une des sciences exactes* le 14 octobre. D'autre part paraît cette année-là à Philadelphie une brochure intitulée *Récits en prose d'Edgar A. Poe*, qui contient *Double assassinat dans la rue Morgue* et *L'Homme dont il ne restait rien*, premier et dernier numéro d'une série que Poe avait l'intention de lancer, mais qui ne réussit pas.

1844 : Publication le 27 mars du conte intitulé *Les Lunettes* dans le *Dollar Newspaper*. En avril Poe quitte Philadelphie et s'installe à New York dans l'espoir de s'y faire une situation. Pour se lancer il publie dès son arrivée *Le Canard au ballon*

dans le *New York Sun*. Il est obligé d'écouler sa production
où il peut : *L'Enterrement prématuré* le 31 juillet dans le
Dollar Newspaper, *Révélation magnétique* en août dans le
Columbian Magazine, *La Boîte rectangulaire* en septembre
dans *Godey's Lady's Book*, *L'Ange du bizarre* en octobre dans
le *Columbian Magazine*, *L'Homme c'est toi* en novembre dans
Godey's Lady's Book, *La Vie littéraire de M. Thingum Bob*
en décembre dans le *Southern Literary Messenger*. Il colla-
bore pour gagner sa vie au *New York Mirror*.

1845 : Publication de *La Lettre volée* dans *Gift*. Le 29 janvier
paraît *Le Corbeau* dans l'*Evening Mirror* et immédiatement
après dans l'*American Review*. C'est un immense succès. En
février il publie *La Mille Deuxième Nuit de Schéhérazade*
dans *Godey's Lady's Book* et en avril *Petite discussion avec
une momie* dans l'*American Review*. En juin paraît *La Puissance de la parole* dans la *Democratic Review* et en juillet Poe
devient rédacteur en chef du *Broadway Journal* où il réim-
prime nombre de ses contes après en avoir revu le texte. Il
publie également, sous le titre *Contes*, un recueil de douze
contes à New York. Et, ce même mois, *Le Démon de la perversité* paraît dans *Graham's Magazine*. Le 16 octobre il est
invité, grâce à Lowell, à lire ses poèmes devant le Boston
Lyceum. C'est un fiasco. Le 24 octobre, cependant, il devient
propriétaire du *Broadway Journal* moyennant le versement
de 50 dollars et du reste de la somme avant trois mois. En
novembre, publication d'un recueil de poèmes : *Le Corbeau
et autres poèmes*, et de *La Barrique d'Amontillado* dans
Godey's. Le 3 décembre, Poe est obligé de revendre la moitié
de ses actions du *Broadway Journal*, mais il devient le rédacteur en chef de cette revue.

1846 : Le 3 janvier, Poe cesse de s'occuper du *Broadway Journal*
qui dès lors cesse de paraître. En mai, les Poe quittent New
York pour s'installer en banlieue, à Fordham, dans une petite
maison de trois pièces. Poe est souvent trop malade pour
travailler et la santé de Virginia lui donne de plus en plus
d'inquiétude. Malgré son labeur acharné, il se débat au
milieu de difficultés matérielles de tout ordre. Le 15 décembre
le *New York Express* et, à sa suite, le *Saturday Evening Post*

font savoir à leurs lecteurs la détresse de Poe et invitent ses admirateurs à lui venir en aide.

1847 : Le 30 janvier, Virginia meurt malgré les soins que lui prodigue son entourage, en particulier Mrs. Marie-Louise Shew. Poe demeure désemparé pendant plusieurs semaines. En mars paraît *Le Domaine d'Arnheim* dans le *Columbian Magazine*.

1848 : En juin, Poe publie *Eurêka, poème en prose*, et le 10 de ce mois fait à Lowell, Massachusetts, sur l'invitation d'une admiratrice, Mrs. Locke, une conférence sur « Les poètes et la poésie de l'Amérique ». Vers cette époque, Mrs. Shew, en l'honneur de qui il a composé plusieurs poèmes, lui suggère le sujet de son poème *Les Cloches*, mais peu après rompt avec lui. Il cherche de tous côtés des amitiés féminines. Il se rend en septembre à Providence pour faire le siège d'une autre de ses admiratrices, Mrs. Whitman. Il la demande en mariage. Elle lui répond de façon très évasive. Il continue néanmoins à la presser de l'épouser, mais après un séjour à Westford, dans le Massachusetts, chez les Richmond, il fait aussi la cour à Mrs. Richmond (« Annie », comme il l'appelait). « Annie » est l'héroïne du conte intitulé *Le Cottage Landor*. Au début de novembre, il tente de s'empoisonner au laudanum, mais ne réussit qu'à se rendre très malade. Il revoit Mrs. Whitman, mais lui écrit peu après qu'il renonce à elle. Il est malade et atteint de congestion cérébrale. Le 13 novembre, pour l'aider à guérir, Mrs. Whitman lui promet de l'épouser à condition qu'il cesse de boire, mais après avoir fait le 20 décembre une conférence sur « Le principe poétique » à Providence devant quelque deux mille personnes, il fête son succès avec des amis et il se rend, pris de boisson, chez Mrs. Whitman, laquelle s'estime alors déliée de sa promesse.

1849 : En février, publication de *Mellonta Tauta* dans *Godey's Lady's Book*, le 17 mars de *Hop-Frog* dans *The Flag of Our Union*. Ce même hebdomadaire publie le 14 avril *Von Kempelen et sa découverte*, le 9 juin *Mettre des X dans un paragraphe*. Le 30 juin, Poe part pour Richmond en quête de fonds qui lui permettraient de fonder enfin la revue de ses rêves. Il s'arrête à Philadelphie et rend visite à Sartain, le directeur de *The Union Magazine*. Il semble souffrir de la folie de la persécution. Il arrive à Richmond le 14 juillet et renoue avec Elmira Royster (Mrs. Shelton), maintenant veuve. Il lui demande d'aller vivre avec lui et Mrs. Clemm à Fordham. Peut-être lui promet-elle alors de l'épouser. Le 17 août il fait à Richmond une conférence très écoutée sur « Le principe poétique » et la répète avec le même succès le 14 septembre à Norfolk (Virginie). Le 27 septembre, bien que malade de nouveau, il part pour Baltimore avec l'intention de rentrer à New York. Le 3 octobre, un typographe du *Baltimore Sun* trouve Poe inanimé dans la rue. Il est impossible de savoir s'il a été enivré ou dopé par les politiciens de l'endroit pour l'envoyer déposer des bulletins de vote irréguliers de bureau de vote en bureau de vote pendant les élections législatives qui se déroulaient alors, ou s'il s'est simplement trouvé frappé de congestion. Il meurt le 7 octobre au Washington College Hospital sans avoir repris connaissance.

1848 : Publication en juillet dans *La Liberté de penser* de la première traduction par Baudelaire d'un conte de Poe : *Révélation magnétique*. Selon Charles Asselineau, Baudelaire avait découvert Poe l'année précédente.

1856 : Publication à Paris chez Michel Lévy des *Histoires extraordinaires*, dans la traduction de Baudelaire.

1857 : Publication chez le même éditeur des *Nouvelles histoires extraordinaires*, dans la traduction de Baudelaire.

1858 : Publication chez Michel Lévy des *Aventures d'Arthur Gordon Pym*, dans la traduction de Baudelaire.

1863 : Mise en vente chez Michel Lévy de la traduction d'*Eurêka* par Baudelaire.

1865 : Publication chez Michel Lévy des *Histoires grotesques et sérieuses*, dans la traduction de Baudelaire.

BIBLIOGRAPHIE

ÉDITIONS DES RÉCITS DE POE EN ANGLAIS

Tales of the Grotesque and Arabesque, Philadelphie, Lea & Blanchard, 1840, 2 vol.

The Prose Romances of Edgar Allan Poe, Philadelphie, William H. Graham, 1843.

Tales, New York, Wiley & Putnam, 1845.

The Works of the Late Edgar Allan Poe : With Notices of His Life and Genius, éd. N.P. Willis, J.R. Lowell et R. Griswold, New York, J.S. Redfield, 1850, 2 vol.

The Works of Edgar Allan Poe, éd. E.C. Stedman et G.E. Woodberry, Chicago, Stone & Kimball, 1894-1895, 10 vol.

The Complete Works of Edgar Allan Poe, éd. J.A. Harrison, New York, T.Y. Crowell, 1902, 17 vol.

Collected Works of Edgar Allan Poe, éd. T.O. Mabbott, Cambridge, Mass., Belknap Press of Harvard University Press, 1969-1978, 3 vol.

Poetry and Tales, éd. P.F. Quinn, New York, The Library of America, 1984.

PRINCIPALES ÉDITIONS DES *HISTOIRES EXTRAORDINAIRES*

Histoires extraordinaires, Paris, Michel Lévy, 1856 ; rééd. 1856, 1857, 1862 et 1864.

Œuvres complètes de Charles Baudelaire, tome V, Paris, Michel Lévy, 1869.

Œuvres complètes de Charles Baudelaire, éd. Jacques Crépet, Paris, Louis Conard, 1932.

Œuvres en prose d'Edgar Allan Poe, éd. Yves-Gérard Le Dantec, Paris, Gallimard, « Bibliothèque de la Pléiade », 1932 ; nouv. éd. 1951.

Histoires extraordinaires, éd. Léon Lemonnier, Paris, Garnier, « Classiques », 1946.

Contes, essais, poèmes, éd. Claude Richard, Paris, Robert Laffont, « Bouquins », 1989.

Histoires extraordinaires, éd. Jean-Pierre Naugrette, préface de Julio Cortázar, Paris, Gallimard, « Folio », 2004.

Histoires, essais, poèmes, éd. Jean-Pierre Naugrette, Paris, Le Livre de Poche, « La Pochothèque », 2006.

OUVRAGES PORTANT SUR LA VIE ET L'ŒUVRE DE POE

BONAPARTE Marie, *Edgar Poe. Sa vie, son œuvre*, Paris, Denoël et Steele, 1933, 2 vol.

CABAU Jacques, *Edgar Poe par lui-même*, Paris, Le Seuil, 1960.

CLARKE Graham (éd.), *Edgar Allan Poe. Critical Assessments*, Mountfield (East Sussex), Helm Information, 1991, 4 vol.

DUCREU-PETIT Maryse, *Edgar Allan Poe ou le Livre des bords*, Presses universitaires de Lille, 1995.

Europe, n°s 868-869, août-septembre 2001, dossier sur Edgar Allan Poe.

JUSTIN Henri, *Poe dans le champ du vertige*, Paris, Klincksieck, 1991.

LAUVRIÈRE Émile, *Edgar Poe, sa vie et son œuvre*, Paris, Félix Alcan, 1904.

LEMONNIER Léon, *Edgar Poe et les poètes français*, Paris, Éditions de la Nouvelle Revue critique, 1932.

–, *Edgar Poe et les conteurs français*, Paris, Aubier, 1947.

LYSOE Éric, *Histoires extraordinaires, grotesques et sérieuses d'Edgar Allan Poe*, Paris, Gallimard, « Foliothèque », 1999.

MARION Denis, *La Méthode intellectuelle d'Edgar Poe*, Paris, Éditions de Minuit, 1952.

MAUCLAIR Camille, *Le Génie d'Edgar Poe*, Paris, Albin Michel, 1925.

QUINN Arthur H., *Edgar Allan Poe, a Critical Biography*, New York, Appelton, Century-Crofts, 1941.

QUINN Patrick F., *The French Face of Edgar Poe*, Carbondale, Southern Illinois University Press, 1957.

REGAN Robert (éd.), *Poe, a Collection of Critical Essays*, Englewood Cliffs, New Jersey, Prentice Hall, 1967.

RICHARD Claude (éd.), *Configuration critique d'Edgar Allan Poe*, Paris, Minard, 1969.

– (éd.), *Cahier de l'Herne « Edgar Allan Poe »*, Paris, l'Herne, 1974.

–, *Edgar Allan Poe, journaliste et critique*, Paris, Klincksieck, 1978.

SEYLAZ Louis, *Edgar Poe et les premiers symbolistes français*, Lausanne, La Concorde, 1923.

WALTER Georges, *Enquête sur Edgar Allan Poe, poète américain*, Paris, Flammarion, 1991 ; rééd. Phébus, 1998.

ARTICLES PORTANT SUR L'ŒUVRE DE POE

ELIOT T.S., « Note sur Mallarmé et Poe », *La Nouvelle Revue française*, XXVII, novembre 1926.

–, « Edgar Poe et la France », *La Table ronde*, XII, décembre 1948.

–, « From Poe to Valéry », *Hudson Review*, II, août 1949.

LÉVY Maurice, « Poe et la tradition gothique », *Caliban*, V, *Annales de la faculté des lettres de Toulouse*, 1968.

LOVECRAFT Howard P., « Edgar Allan Poe », *The Supernatural Horror in Literature*, New York, B. Abramson, 1945 ; trad. Simone Lamblin, dans *Contes et nouvelles* de Lovecraft, Paris, Robert Laffont, 1991, vol. 2.

PICHOIS Claude, « De Poe à Dada », *Revue d'histoire littéraire de la France*, 67ᵉ année, avril-juin 1967.

POULET Georges, « Edgar Allan Poe », *Les Métamorphoses du cercle*, Paris, Plon, 1961.

RICHARD Claude, « André Breton et Edgar Poe », *La Nouvelle Revue française*, CLXXII, 1967.

VALÉRY Paul, « Situation de Baudelaire », *Variété II*, Paris, Gallimard, 1930.

VERNE Jules, « Edgar Poe et ses œuvres », *Le Musée des familles*, avril 1864.

WILLIAMS William Carlos, « Edgar Allan Poe », *In the American Grain*, New York, New Directions, 1925.

PRINCIPALES ÉTUDES PORTANT SUR DES NOUVELLES CONTENUES DANS CE RECUEIL

BACHELARD Gaston, *L'Air et les songes*, Paris, José Corti, 1943. (Sur *Une descente dans le Maelstrom*.)

BARTHES Roland, « Analyse textuelle d'un conte d'Edgar Poe », *L'Aventure sémiologique*, Paris, Le Seuil, 1985. (Sur *La Vérité sur le cas de M. Valdemar*.)

BORGES Jorge Luis, « Le roman policier », *Conférences*, Paris, Gallimard, « Folio », 1985.

DERRIDA Jacques, « Le facteur de la vérité », *La Carte postale*, Paris, Flammarion, 1980. (Sur *La Lettre volée*.)

LACAN Jacques, « Le séminaire sur *La Lettre volée* », *Écrits*, Paris, Le Seuil, 1966.

–, *« La Lettre volée »*, *Le Séminaire*, livre II, Paris, Le Seuil, 1978.

MILNER Jean-Claude, « Retour à *La Lettre volée* », *Détections fictives*, Paris, Le Seuil, « Fiction & Cie », 1985.

QUENEAU Raymond, « Poe et l'analyse », *Bords*, Paris, Herman, 1963.

RICARDOU Jean, « L'or du scarabée », *Pour une théorie du nouveau roman*, Paris, Le Seuil, « Tel Quel », 1971.

ADAPTATIONS CINÉMATOGRAPHIQUES DES NOUVELLES CONTENUES DANS CE RECUEIL

L'Empire de la terreur, film de Roger Corman, avec Vincent Price, Peter Lorre, Basil Rathbone, 1962.

La Tombe de Ligeia, film de Roger Corman, avec Vincent Price, 1965.

Histoires extraordinaires, film à sketches de Frederico Fellini, Louis Malle et Roger Vadim, avec Terence Stamp, Alain Delon, Brigitte Bardot, Jane Fonda, 1968.

La Lettre volée, téléfilm d'Alexandre Astruc, avec Laurent Terzieff, 1975.

Ligeia, téléfilm de Maurice Ronet, avec Arielle Dombasle et Joséphine Chaplin, 1981.

Le Scarabée d'or, téléfilm de Maurice Ronet, avec Vittorio Caprioli, 1981.

La Lettre volée, téléfilm de Ruy Guerra, avec Pierre Vaneck 1981.

Le Double Assassinat de la rue Morgue, téléfilm de Jacques Nahum, avec Georges Descrières et Daniel Gélin, 1983.

TABLE

Composition et mise en pages

NORD COMPO
m u l t i m é d i a

N° d'édition : L.01EHPN000378.C005
Dépôt légal : mars 2010
Imprimé en Espagne par Novoprint (Barcelone)